ro
ro
ro

Zu diesem Buch

«Eine deutsche Autorin, die dem Abgründigen ihrer anglo-amerikanischen Thriller-Kolleginnen ebenbürtig ist.»
(Welt am Sonntag)

Petra Hammesfahr, geboren 1951, lebt als Schriftstellerin und Drehbuchautorin in Kerpen bei Köln. Mit ihren Romanen «Die Sünderin» (Wunderlich Verlag 1999), «Der Puppengräber» (rororo Nr. 22528) und «Die Mutter» (Wunderlich Verlag 2000) eroberte sie auf Anhieb die Bestsellerlisten.

Ferner liegen vor: «Der gläserne Himmel» (rororo Nr. 22878), «Der stille Herr Genardy» (Wunderlich Taschenbuch Nr. 26223) und «Lukkas Erbe» (rororo Nr. 22724).

PETRA HAMMESFAHR

Das Geheimnis der Puppe

Roman

ROWOHLT TASCHENBUCH VERLAG

Veröffentlicht im Rowohlt Taschenbuch
Verlag GmbH, Reinbek bei Hamburg,
November 2000
Copyright © 1991 by
F. A. Herbig Verlagsbuchhandlung GmbH,
München
Alle Rechte vorbehalten
Umschlaggestaltung Barbara Hanke/Cordula Schmidt
(Foto: gettyone stone/Claudia Kunin)
Satz Sabon PostScript bei
Pinkuin Satz und Datentechnik, Berlin
Druck und Bindung Clausen & Bosse, Leck
Printed in Germany
ISBN 3 499 22884 X

Die Schreibweise entspricht
den Regeln der neuen Rechtschreibung.

Inhalt

Laura

Gleich nach der Geburt brachte die Frau das Kind in einen kleinen, fensterlosen Raum und legte es dort auf den Boden, immerhin auf eine weiche Unterlage. In der folgenden Zeit kam sie regelmäßig. Immer trug sie ein unruhiges Licht in der Hand, beugte sich über das Kind, gab ihm Nahrung und säuberte es. Ihr Gesicht blieb dabei im Schatten, und sie sprach nicht, wirkte immer gehetzt, als sei es verboten, ein Kind zu haben.

In den ersten Monaten jammerte es noch manchmal nach einer warmen Haut. Aber niemand kam, um es zu trösten. Und später lag es Stunde um Stunde auf seiner Decke, starrte in die absolute Dunkelheit seines Raumes und lauschte auf die Geräusche, die von außen zu ihm hereindrangen. Da waren Stimmen. Es lernte, sie zu unterscheiden in weich und warm, in hell und dunkel. Da waren Schritte. Leichte und eilige, feste und schnelle. Dann wieder war es außen völlig still.

Schon im ersten Jahr erkannte das Kind, dass es einen gleich bleibenden Rhythmus gab. Eine Zeit der Stimmen und der Schritte, in der die Frau mehrmals den Eingang seines Raumes öffnete, Nahrung brachte und den Schmutz entfernte. Und eine Zeit der Stille, in der niemand kam. Das Kind richtete sein Dasein nach diesem Rhythmus aus. In der stillen Zeit schlief es, in der Zeit der Stimmen wartete und horchte es.

Auch diese Zeit ließ sich in einen gleich bleibenden Rhythmus einteilen. Der begann mit den leichten Schritten der Frau. Dann wurde der Eingang geöffnet. Die Frau brachte Nahrung und säuberte das Kind. Wenn der Eingang sich dann wieder hinter ihr geschlossen hatte, kamen bald darauf eilige Schritte. Die warme und die weiche Stimme sprachen miteinander. Wenig später kamen die festen Schritte, und die dunkle Stimme sprach mit der weichen oder der warmen.

Dann kam ein Geräusch wie ein tiefes Brummen, das sich rasch entfernte. Dann kamen schnelle Schritte und helle Stimmen, und alles vermischte sich. Und irgendwo klang ein schwermütig melodisches Geräusch auf, das nicht mehr vergehen wollte.

Dann kam die Frau wieder, brachte Nahrung und säuberte das Kind. Und später kam sie noch einmal, und danach begann die Zeit der Stille. So verging das erste Jahr.

Dann gab es eine Veränderung. Außen war es bereits seit einer Weile still, als sich die leichten Schritte der Frau dem Eingang näherten. Er wurde geöffnet, aber es fiel nicht wie sonst ein gelbes Viereck auf den Boden. Es zeichnete sich auch kein Schatten ab. Da fürchtete das Kind sich ein wenig, starrte wie gebannt in die Dunkelheit und lauschte.

Beim Eingang waren schwache Geräusche, ein Rascheln von Stoff, so wie es entstand, wenn die Frau sich näherte. Dann kam ein festes, rundes Licht, das sich langsam über den Boden zu ihm hintastete.

Und die weiche Stimme der Frau flüsterte: «Schläfst du schon, Püppchen?»

Das runde Licht glitt über sein Gesicht. Geblendet kniff das Kind die Augen zusammen. Die Schritte der Frau kamen näher. Ihre Hände griffen nach ihm, hoben es auf und trugen es in einen anderen Raum. Er war nicht gar so finster wie der, in dem das Kind lebte. Und seine Augen, auf völlige Dunkelheit eingestellt, sahen jede Einzelheit im Gesicht der Frau. Und jede Einzelheit prägte sich ihm ein.

Die Frau legte es auf eine große, warme Unterlage. Sie legte sich selbst dazu und zog das Kind dicht an sich. «Du musst ganz still sein, Püppchen», sagte sie. «Es darf uns niemand hören.» Dann streifte sie mit den Lippen über seine Wange. Es fühlte den weichen Körper, roch den Duft, der davon ausging. Vor lauter Wohlbehagen schob es den Daumen in den Mund, drückte sich fest gegen die Frau und schloss die Augen. Und es lag ganz still, bis vor dem Fenster ein graues Licht aufkam.

Da erst brachte die Frau es zurück in seinen Raum. Den Eingang ließ sie noch für einen Augenblick offen. Sie ging ein paar Schritte, kam gleich zurück und stellte ihm die Flasche mit warmer, süßer Milch hin. «Versuch es einmal alleine», sagte sie, «ich habe keine Zeit mehr. Sie sind schon wach.»

Das Kind verstand die Worte nicht, hörte nur den drängenden Ton ihrer Stimme. Sie drückte ihm die Flasche in beide Hände, zeigte ihm noch, wie es sie halten musste, ehe sie eilig verschwand.

Außen kamen die gewohnten Geräusche auf. Das Kind lag ganz still. Nachdem es die Flasche geleert hatte, schlief es ein. Und zur gewohnten Zeit kam die Frau wieder, stellte das unruhige Licht auf den Boden, hockte sich daneben, nahm das Kind auf den Schoß und fütterte es mit Gemüsebrei. Sie war in Eile, nahm sich nicht die Zeit, es zu säubern, verschwand gleich wieder, nachdem der Teller geleert war.

Später brachte sie ihm noch einmal eine gefüllte Milch-

flasche und ein rundes Gefäß mit warmem Wasser. Sie
wusch das Kind, strich einmal kurz über seine Wange und
sagte: «Heute kann ich dich nicht holen. Das geht nicht
immer.»

Das Kind schaute ihr nach, als sie mit dem runden Gefäß
zum Eingang ging. Es führte die Flasche mit beiden Hän-
den zum Mund, da kam die Frau noch einmal zurück.
«Hier», sagte sie, «ich habe etwas für dich.»

Und sie drückte ihm den weichen Balg einer Stoffpuppe
in den Arm. Zuerst erschrak das Kind. Es machte sich
ganz steif.

Nachdem die Frau den Eingang hinter sich geschlossen
hatte, lag es eine Weile ganz reglos. Es wagte nicht ein-
mal, aus der Flasche zu trinken. Die Stoffpuppe hielt es
fest an sich gedrückt. Es war ein sonderbar fremdes Ge-
fühl.

Dann bemerkte das Kind den Geruch, der dem ausge-
stopften Balg anhaftete. Es war der Geruch des anderen
Raumes, der Geruch des warmen Bettes, der Geruch des
weichen Frauenkörpers.

Immer wieder brachte das Kind sein Gesicht ganz nahe
an den Stoff heran, sog diesen Duft ein und fühlte sich
dabei wie in der stillen Zeit zuvor, als die Frau selbst bei
ihm war.

Wenn mir vor einem halben Jahr jemand gesagt hätte,
dass ich eines Tages glaube, was ich schreibe, ich hätte
schallend aufgelacht, vielleicht bezeichnend mit dem Finger an meine Stirn getippt. Vor einem halben Jahr hätte
ich das getan.

Ich bin einer von denen, die nur glauben, was sie mit eigenen Augen sehen. Und ich schreibe Geschichten. Frei

erfundene Geschichten, die sich um einen winzigen wahren Kern ranken. Gute Geschichten, wie man mir sagt. Grausam gute Geschichten, voll mit Entsetzen, Furcht und Nervenkitzel. Jene düsteren Seiten im Leser ansprechend, die man so gerne verborgen hält.

Dies ist die Geschichte einer Puppe.

Mit einem Wollfaden hatte man ihr eine Kugel als Kopf abgeteilt, diesen ebenso mit Fetzen ausgestopft wie den Körper. Arme und Beine hingen daran wie kleine, prall gefüllte Würste. Kein Haar, kein Mund, keine Nase, keine Augen. Ein gesichtsloser Kopf und der Körper ein dunkelgrünes Tuch, das mit groben Stichen zusammengenäht war.

Dass sie existiert, dass sie nicht bloß ein Phantasiegebilde ist wie meine anderen Geschichten, das kann ich beschwören, bei allem, was mir lieb und teuer ist.

Ich habe sie nicht nur gesehen. Mehr als einmal hob ich sie mit eigenen Händen vom Boden auf. Gleich beim ersten Mal steckte ich sie in den Winkel unter unserer Kellertreppe. Er war ohnehin mit Gerümpel zugestopft, und wohin sonst hätte ich so ein altes Ding stecken sollen?

Aber sie tauchte immer wieder auf. Wie ein Zeichen, das ein Kind mir vor die Füße legte, damit ich darüber stolperte. Damit ich begriff, dass es Dinge gab, weitab von all den Ungeheuern, die ich selbst geschaffen hatte. Deshalb nicht weniger grauenvoll. Dinge, die den Verstand lähmen, weil sie einem hilflosen, einem wehrlosen Kind angetan wurden. Ich mag Kinder, wir haben selbst zwei. Es stand von Anfang an fest, dass wir zwei Kinder haben würden, Laura und ich, zwei mindestens.

Ich habe keine Geschwister. Laura ist ebenfalls als Einzelkind aufgewachsen. Doch im Gegensatz zu mir, der ich

meist mit etlichen Freunden herumtobte, empfand Laura
das Kindsein als etwas Schreckliches.

Lange Jahre sprach sie nicht darüber. Was es zu ihren ersten Lebensjahren zu sagen gab, habe ich erst in den letzten Wochen und Monaten erfahren. Bis dahin wusste ich
nur eines:

Drei Tage nach ihrem zwanzigsten Geburtstag packte
Laura einen Koffer. Sie wartete noch, bis sie ganz sicher
sein konnte, dass ihre Eltern schliefen. Dann nahm sie
sämtliche Geldscheine aus der Brieftasche ihres Vaters
und schlich sich aus dem Haus. Am nächsten Morgen rief
sie ihren Vater an, erklärte, dass es ihr gut gehe, und dass
sie nicht daran denke, jemals wieder heimzukommen.

«Ich hatte ein paar Probleme mit meiner Mutter», erzählte
sie mir ganz zu Anfang, nicht mehr und nicht weniger.

Laura nahm sich ein möbliertes Zimmer. Das Geld ging
rasch zur Neige. In den ersten Wochen hielt sie sich mit
Gelegenheitsjobs mühsam über Wasser. Sie hatte nichts
vorzuweisen, womit sie sich hätte ernähren können. Nur
das Abitur und ein gutes Jahr an einer Privatschule, die
irgendetwas mit Graphik und Kunst zu tun hatte.

Laura hatte auch keine Vorstellung von einem bestimmten Beruf. Aber sie hatte Glück, das Glück der Tüchtigen.
Als ich sie vor neun Jahren kennen lernte, arbeitete sie
bereits seit einem halben Jahr in einer Werbeagentur. Weber und Wirtz, eine verhältnismäßig kleine Agentur, die
sich jedoch im Laufe der Jahre einen sehr guten Namen
machte und einen lukrativen Auftrag nach dem anderen
an Land zog. Heute gilt das doppelte «W» als Marken-
zeichen.

Laura begann ihre Karriere bei Weber und Wirtz als
Mädchen für alles und verdiente gerade so viel, dass sie

ihr Zimmer bezahlen und sich abends eine warme Mahlzeit bei McDonald's leisten konnte.

Viel besser ging es mir zu der Zeit auch nicht. Mein Studium betrachtete ich als abgeschlossen. Ein wenig Humanmedizin, meinem Vater zuliebe. Er hätte mich gerne als Nachfolger in seiner Praxis gesehen. Aber ich hatte schon als Kind eine ausgeprägte Aversion gegen vereiterte Nagelbetten, gegen Rheuma und sämtliche Arten von Erkältungskrankheiten, gegen Kreislaufbeschwerden und alles andere, was einem Allgemeinmediziner täglich begegnet.

Vor allem aber hatte ich etwas dagegen, in ein Stück Fleisch zu schneiden, wenn es deutlich als Arm oder Bein zu erkennen war. Mir wurde einfach übel davon. Und das legte sich nicht, wie angekündigt, nach dem dritten Mal.

Ein halbes Semester Biologie, auch nicht das Wahre. Zwei Vorlesungen in Jura, zu trocken. Schließlich Gasthörer in allen möglichen Sälen.

In diesem Punkt erging es mir ähnlich wie Laura. Ich wusste nicht genau, was ich werden wollte, sollte oder konnte. Vielleicht war ich einfach zu phlegmatisch, und ganz bestimmt fehlte mir ein Teil der Energie, mit der Laura ihr Leben in Angriff nahm.

Aber Gedanken über meine Zukunft machte ich mir schon. Hin und wieder jedenfalls, vor allem nach Besuchen bei meinen Eltern. Und den monatlichen Scheck meines Vaters zog ich stets mit Erleichterung und dem Bewusstsein meiner totalen Unfähigkeit aus dem Postkasten. Mit Schrecken sah ich dem Tag entgegen, an dem dieser Scheck unweigerlich ausbleiben musste.

Als ich zum ersten Mal mit Laura zusammentraf, war gerade wieder eine derartige Drohung ausgesprochen worden. Im Geist sah ich mich bereits in der U-Bahn übernachten.

Ade, Einzimmerapartment mit Kochnische und Dusche. Aus seiner Sicht hatte mein Vater wohl Recht. Von einem Dreiundzwanzigjährigen durfte man mehr erwarten.

Ich weiß gar nicht mehr genau, wie es kam. Irgendein Werbespruch im Radio vermutlich. Irgendeiner von diesen saublöden Sprüchen, bei denen man sich fragen muss, ob der Verfasser die Menschheit ganz allgemein für geistig minderbemittelt hält. Und ehe ich mir dessen überhaupt bewusst wurde, stand mein Entschluss fest. Ich würde Werbung machen, aber eine vernünftige Werbung. Kleine Kunstwerke, die dem Betrachter oder Zuhörer nur eines suggerierten. Und ganz gewiss nicht, dass er selbst blöd sei.

Zur Probe entwarf ich drei flotte Sprüche, die eine bestimmte Kaffeesorte priesen. Und die bot ich dann eben jener Werbeagentur an, in der Laura den Kaffee aufbrühte und so ganz nebenbei den so genannten Fachleuten aufmerksam über die Schulter schaute. Meine Entwürfe wurden nur müde belächelt. Man nahm sich nicht einmal die Zeit für ein Gespräch. Nur Laura hatte Mitleid.

Was mich an ihr vom ersten Tag an so faszinierte, war diese ganz besondere Art von Unbekümmertheit, mit der sie ihre Ziele ansteuerte. In jedem Tag sah sie eine neue Herausforderung. Laura war so fest entschlossen, ein freier und unabhängiger Mensch zu sein, dass sie sich durch keine noch so widrigen Umstände beeindrucken oder gar davon abhalten ließ.

Sie konnte zeichnen, sehr gut sogar, doch dieses besondere Talent war damals ihr einziges, wenn man davon absieht, dass sie sich mit einem überaus sensiblen Gespür in andere Menschen hineinversetzte. Und an ihrer späteren Karriere hatte noch eine andere Gabe großen Anteil: Laura besitzt das, was man einen gesunden Menschenverstand nennt. Sie nimmt die Dinge, wie sie gerade kommen, kann sogar dort noch akzeptieren, wo andere an ihrem Verstand zweifeln. Laura denkt immer schnurgeradeaus, keine Kurven, keine Schlenker. Vielleicht harmonieren wir nur deshalb so gut. Wir ergänzen uns in einer fast vollkommenen Weise.

Wie ich da stand, von einem lakonischen Nein völlig am Boden zerstört, lud sie mich spontan zum Abendessen ein. Im Hinblick auf ihre bescheidenen Verhältnisse erklärte sie jedoch gleich, große Ansprüche dürfe ich nicht stellen.

So verbrachten wir unseren ersten gemeinsamen Abend an einem kleinen Ecktisch bei Mac. Lange Zeit blieb das unser Stammlokal. Ich weiß, die Küche dort wird allgemein herb kritisiert. Doch so schlecht war er nicht, mein Viertelpfünder ohne Käse. Dazu tranken wir Orangensaft, der beständig durch einen Glasbehälter rieselte.

Laura erklärte mir, dass damit der Eindruck von Frische erweckt werden sollte. Und da sie einmal dabei war, erklärte sie mir auch gleich einige Grundprinzipien der Werbebranche. Knapp umrissen ließ sich das so ausdrücken: Ein wirklich guter Werbefachmann musste fundierte Kenntnisse in Psychologie mit ebenso fundierten Kenntnissen in Marktwirtschaft verbinden können. Er musste verkaufen können, in erster Linie einmal sich selbst. Wenn man Laura lange genug zuhörte, entstand der Eindruck, dass das ganze Leben nichts weiter war als ein riesiges Täuschungsmanöver. Es galt nur, den Schein zu wahren, die Fassade zu polieren, den Leuten das schmackhaft zu machen, was man selbst glauben wollte, ob es den Tatsachen entsprach oder nicht. Und wer als vollwertiges Mitglied der Gesellschaft gelten will, der macht halt ab und an eine Faust in der Tasche. So ungefähr lautete die Bilanz, die wir an unserem ersten Abend zogen.

Irgendwie kamen wir darüber auf meine finsteren Zukunftsaussichten zu sprechen, auf die Dunkelheit der U-Bahn-Schächte, auf die Ausgestoßenen und das nächtliche Grauen.

Als Junge von sieben oder acht Jahren hatte ich einmal zwei Patienten im Wartezimmer meines Vaters belauscht. Einer von ihnen wollte ein Haus bauen und hatte Schwierigkeiten mit den Behörden. Bei den Ausschachtungsarbeiten waren er und sein Schwager auf eine längst vergessene Besonderheit unseres Dorfes gestoßen. Da war von uralten unterirdischen Gängen die Rede. Man hatte zufällig einen der Einstiege entdeckt. Ganz atemlos hatte ich zugehört, wie der Mann diese Finsternis beschrieb.

Überbleibsel aus der Römerzeit, Katakomben. Immer wieder fiel der Ausdruck «Stickluft». Der Himmel allein mag wissen, was damit gemeint war. Aber es klang sehr gefährlich. Und nachts stellte ich mir vor, wie sich ein kleiner Junge in diesem Labyrinth verirrte, wie seine suchenden Finger die Totenschädel in den Mauernischen ertasteten, wie er auf noch grauenhaftere Dinge stieß. Und wie er langsam in einen Zustand geriet, der einer Narkose mit Äther glich. Soweit ich mich erinnerte, hatte mich diese Art von Vorstellungen immer sanft in den Schlaf gleiten lassen.

Je intensiver ich Laura meine Zukunft in den U-Bahn-

Schächten schilderte, umso mehr nahmen sie die Gestalt jenes Labyrinths an. Wie ich damals, so hörte jetzt Laura mit atemloser Faszination zu. Von Mac aus gingen wir noch zu mir, und den ganzen Weg über erzählte ich weiter. Schließlich hockte Laura mit untergezogenen Beinen vor mir auf dem Fußboden.

Und die alten Gänge aus der Römerzeit wurden älter und älter, waren angelegt worden von einem Volk, von dem heute niemand mehr wusste, waren Schauplatz blutiger Riten und dämonischer Besessenheit gewesen. Und ein junger Mann, der die Baugrube für sein Haus aushob, stieß zufällig auf einen der alten Eingänge. Er legte ihn frei und beschwor damit den Untergang eines ganzen Dorfes herauf.

«Wahnsinn», murmelte Laura, als sie sich verabschiedete. Bevor sie die Treppen hinunterstieg, fragte sie noch: «Warum machst du nicht so was?»

Ich wusste nicht gleich, was sie meinte.

«Na, schreiben», sagte Laura und schüttelte den Kopf über so viel Begriffsstutzigkeit. «Schreib es auf, genau so, wie du es mir gerade erzählt hast.»

So gesehen habe ich meinen Beruf und auch den späteren Erfolg Laura zu verdanken. Sie kam am nächsten Abend, las die ersten Seiten, schüttelte den Kopf. «Ich sagte, so wie du es mir erzählt hast. Ich hatte eine Gänsehaut dabei. Was ich hier lese, ist lahm. Damit lockst du keine Großmutter hinter dem Ofen hervor.»

Es dauerte Wochen, ehe Laura mit den ersten Seiten so zufrieden war, dass sie erklärte, jetzt könne ich weitermachen. Später, als dann, nach mehreren Heftchenromanen, das erste Taschenbuch erscheinen sollte, machte sie den Vorschlag, meinen Namen ein wenig abzuändern. Tom

Westhouse, das klang nicht ganz so brav und bieder wie Thomas Westhausen.

In den ersten Jahren brachte ich es auf gute sechzig Seiten pro Roman. Ein fertiges Manuskript, ein bis zwei neue Entwürfe im Monat. Das Honorar war nicht üppig, aber als wir wenig später zusammenlegten, reichte es für eine Dreizimmerwohnung mit Bad und Balkon. Für uns beide erst einmal Platz genug. Ich hatte sogar ein richtiges Arbeitszimmer. Wenn es nur nach mir gegangen wäre, hätte es immer so weitergehen können. Laura dagegen drängte auf einen größeren Roman.

«Du willst doch nicht etwa dein Leben lang diese Heftchen schreiben. Versuch es zumindest. Es muss ja nicht gleich ein Bestseller sein.»

Und Laura lieferte mir ungewollt die Idee, als sie mir zum ersten Mal von ihrer Mutter erzählte. Im landläufigen Sinne hätte man Marianne Robin wahrscheinlich als verrückt bezeichnet. Laura sagte: «Sie ist seltsam. Manchmal ist sie ganz durcheinander, weint stundenlang grundlos vor sich hin. Vati schickt sie dann immer zur Kur.»

Ich begann zu spekulieren, stellte mir vor, dass hinter Mariannes scheinbar grundloser Trauer ein Geheimnis steckte. Etwas Mysteriöses, weitab von Dämonen und blutrünstigen Bestien, menschlich und deshalb umso erschreckender.

Die ersten Entwürfe hielt ich vor Laura verborgen. Als ich sie ihr schließlich doch zu lesen gab, entdeckte sie keinerlei Ähnlichkeiten. Ich hatte um einen winzigen wahren Kern herum ein Phantasiegebilde aufgebaut, knappe zweihundert Seiten stark. Ein Gemisch aus menschlichen Schwächen, Leidenschaften, unterschwelligem Sex und einem Verbrechen, das nur ganz allmählich aufgedeckt wurde.

Laura war begeistert und machte sich umgehend auf die Suche nach einem Verleger. Sie brauchte eine Weile – ich hätte vermutlich vor der Zeit die Suche eingestellt –, aber sie schaffte auch das.

In finanzieller Hinsicht war mein erster Erfolg nicht üppig. Er verschaffte mir allerdings genau die Portion Selbstbewusstsein, die ich brauchte, um weiterzumachen. Dem zuständigen Lektor hatte meine Arbeit gefallen: «Wenn Sie mal wieder etwas in der Art schreiben …»

Nun, ich schrieb nur etwas in der Art. Anfangs blieb es noch bei einem Taschenbuch pro Jahr, später schaffte ich zwei. Zusammen mit den Heftchen, die ich immer noch regelmäßig unter etlichen Pseudonymen verfasste, machte mich das unabhängig. Ich brauchte Vaters Scheck nicht mehr.

Laura war inzwischen bei Weber und Wirtz fest angestellt. Ihr Monatsgehalt war nicht Aufsehen erregend. Aber zusätzlich gab es so manchen Bonus für besondere Leistungen, und wir stellten keine großen Ansprüche, kamen gut zurecht. Manchmal sprachen wir von Heirat. Zwei Kinder, mindestens, und Laura lachte jedes Mal. «Wenn du sie bekommst, können wir sofort anfangen.»

Es war eine gute Zeit damals, ein bisschen verrückt. Ich lernte kochen und Lauras Blusen bügeln. Ich bezog unser Bett – anfangs hatten wir nur eines – mit frischer Wäsche und putzte die Fenster, wenn es an der Schreibmaschine nicht so recht weiterging.

Abends gingen wir häufig zu Mac, weil ich vergessen hatte, die Koteletts zu besorgen. Oder weil mir beim besten Willen, neben dem *Tanz der Ungeheuer*, nichts eingefallen war, was ich hätte kochen können. Oft besorgte Laura unser Essen gleich auf dem Heimweg.

Sie kam herein, stellte die lauwarmen Pommes frites und die durchgeweichten Viertelpfünder ohne Käse auf den Tisch, warf einen kurzen Blick auf den Eimer beim Fenster, registrierte das leicht verschmutzte Putzwasser und das darin schwimmende Fensterleder mit zufriedenem Nicken. Dann hockte sie sich auf die Tischkante: «Lies vor, Tom!» Und mit den Fenstern machte ich irgendwann am nächsten Tag weiter.

Ich war besessen von der Besessenheit, auch ein wenig überrumpelt von meiner morbiden Vorstellungskraft. Der formalingetränkte Arm auf dem Seziertisch hatte meinen Magen revoltieren lassen, auf dem Papier brachten mich weit grauenvollere Dinge zur Höchstform.

Einmal waren es die Leichen, die sich zu mitternächtlicher Stunde aus ihren Gräbern wühlten. Entsetzlich aussehende Gestalten, die ich mit wahrer Inbrunst in allen Details beschrieb. Das verwesende Fleisch, die fauligen Fetzen der Totenhemden, ausgestreckte Krallenhände, bereit, sich um den nächstbesten Hals zu legen.

Und daneben gab es genug menschliche Schwächen und Verbrechen, die mir ein Auskommen sicherten. In ihren Mittagspausen durchstöberte Laura die Bibliotheken, brachte Bücher über so genannte Phänomene heim. Parapsychologie, ein unerschöpfliches Thema und eine nie versiegende Quelle.

Ganz allmählich verlagerte sich der Schwerpunkt. Nur noch im zweimonatlichen Rhythmus beschwor ich den Leibhaftigen aus der Hölle herauf, ließ unbescholtene Bürger als reißende Bestien den Vollmond anheulen.

Daneben bearbeitete ich das sanfte Grauen. Subtiler gezeichnet, auch den winzigsten psychischen Defekt berücksichtigend, immer nach dem Motto: Normal, was ist das eigentlich? Und damit verschaffte ich mir einen größeren Erfolg.

Eines der Taschenbücher hatte das Interesse eines Regisseurs geweckt. Der Roman handelte von einem Mann, der langsam, aber unaufhörlich den Bezug zur Realität verlor, bis er schließlich überzeugt war, er müsse seine Familie ausrotten, um die Welt zu retten. Das tat er dann auch, veranstaltete ein regelrechtes Schlachtfest. Das Blut floss gleich eimerweise.

Auf dem Papier wirkte das noch relativ harmlos. In Szene gesetzt, fand ich es doch reichlich übertrieben und tröstete mich mit dem Gedanken, dass ich ja nur die Grundlage geliefert hatte. Nachdem ich den Vertrag für die Filmrechte unterschrieben hatte, bestellten wir das Aufgebot. Das war vor sechs Jahren.

Laura war so nervös, dass sie ein falsches Geburtsdatum angab. «5. Oktober 1956», sagte sie, und der Standesbeamte warf einen verunsicherten Blick in ihren Personalausweis.

«Hier steht 7. November 1960.»

Laura errötete, entschuldigte sich. Abends erzählte sie nur, das sei ihr schon häufiger passiert. «Meine Mutter verwechselt die Daten immer. Als Kind wusste ich nie genau, wann ich nun wirklich geboren bin.»

Sie wollte unbedingt eine kleine Hochzeit, nur wir beide. Das war unmöglich. Meine Eltern hätten mir nie verziehen, wenn ich sie von diesem Ereignis ausgeschlossen hätte. Und wenn wir meine Eltern einluden, konnten wir ihre Eltern nicht übergehen. Ich brauchte einige Tage, um

Laura zu überzeugen, mich selbst wohl auch. Denn irgendwie hatte Laura mich in den Glauben versetzt, dass ihre Mutter den Kaffee mit der Gabel umrührte.

Was meine Eltern betraf, war Laura sofort zu allem bereit. Auch bei ihrem Vater machte sie Zugeständnisse. Marianne jedoch wollte sie nicht sehen, suchte nach allen nur denkbaren Ausflüchten, um ein Zusammentreffen mit ihrer Mutter zu verhindern. «Es wird sie zu sehr aufregen, Tom.» Dann kam ein: «Vati wird damit nicht einverstanden sein. Bedenk doch, Tom, ich habe sie seit mehr als drei Jahren nicht gesehen, und sie hat mich nicht gesehen. Sie ist psychisch nicht so stabil, wie du dir das vielleicht denkst. Kannst du dir vorstellen, wie es sie aufwühlen wird?»

Ich gab mein Bestes. «Laura, man kann sie schonend auf ein Wiedersehen vorbereiten. Sie muss uns nicht unbedingt zum Standesamt begleiten. Aber eine kleine, gemütliche Feier wird sie wohl verkraften. Daran ist nichts Aufregendes.»

«Und wie werden deine Eltern reagieren?»

Mit meinen Eltern verstand Laura sich ausgezeichnet. Sie war mit offenen Armen empfangen worden. Ein Mensch so recht nach dem Geschmack meines Vaters, tüchtig und gescheit, mit beiden Beinen auf der Erde und darüber hinaus bildhübsch. Jedes Mal wurde sie aufs neue mit freudestrahlendem Lächeln begrüßt. Auf dieses gute Verhältnis legte sie auch einen sehr großen Wert. Aber trotzdem …

«Du tust ja gerade so», sagte ich, «als stehe ihr der nackte Wahnsinn auf der Stirn geschrieben.»

Laura stieß einen langen Seufzer aus, senkte den Kopf und murmelte bedrückt: «Ach, Tom, du kennst sie

24

nicht.» Und endlich rückte sie mit dem wahren Grund für ihre beharrliche Weigerung heraus. «Sie hat mich zwanzig Jahre lang an ihr Bein gebunden. Jetzt habe ich sie mir drei Jahre lang vom Hals halten können. Ich liebe sie, Tom, wirklich, das musst du mir glauben. Aber ich ertrage sie nicht in meiner Nähe. Ich habe einfach Angst, Tom. Auch wenn du das vielleicht nicht verstehst.»

Was wusste ich denn von diesen zwanzig Jahren? Laura sprach nur sehr ungern darüber. Hin und wieder ein flüchtiger Satz. Mit ein wenig Phantasie ließ sich daraus eine Art Übermutter ableiten. Überängstlich, über alle Maßen besorgt, überpräsent.

«Sie kann dich nicht wieder an ihr Bein binden», sagte ich.

Und Laura, meine tüchtige, energische, meine jedes Hindernis missachtende Laura schaute mich aus flehenden Kinderaugen an. «Versprichst du mir das, Tom?»

Sie hatte tatsächlich Angst, riesengroße, erbärmliche Angst. Ganz klein war sie. Ich sehe sie immer noch so vor mir stehen. Das Flackern in den Augen, die Unterlippe zwischen die Zähne gezogen, ein schutzbedürftiges Kind.

Ich nickte ruhig und bestimmt, erklärte gleichzeitig in feierlichem Ton: «Ich verspreche es dir.»

«Vielleicht solltest du trotzdem zuerst mit Vati reden», sagte Laura. «Wenn er einverstanden ist …» Den Rest ließ sie offen.

Lauras Vater kannte ich zu diesem Zeitpunkt bereits. Ein knappes Jahr zuvor hatte sie mich abends in die Stadt geschleppt, ins «La Baurie» gegenüber dem Volksgarten. Ein Restaurant, das damals noch so gar nicht zu unserem Geldbeutel passen wollte. Das muss man uns angesehen haben. Denn ein sehr distinguierter Herr wollte uns gleich wieder abweisen mit der dezent und überaus freundlich vorgebrachten Frage, ob wir einen Tisch reserviert hätten.

Laura legte den Kopf ein wenig in den Nacken, zauberte einen selbstbewusst stolzen, fast schon hochmütigen Ausdruck auf ihr Gesicht. «Herr Doktor Robin hat für 21 Uhr einen Tisch bestellt. Schauen Sie doch bitte nach, ob er schon da ist. Wir sind hier mit ihm verabredet.»

Der Name Robin bewirkte ein kleines Wunder. Augenblicklich wurden uns die Jacken abgenommen. Lauras Vater war bereits anwesend, schaute uns lächelnd entgegen, als wir an seinen Tisch geführt wurden.

Ich mochte Bertram Robin auf Anhieb. Inzwischen nenne ich ihn seit vielen Jahren Bert. Ein mittelgroßer, leicht untersetzter Mann Anfang fünfzig. Das dunkelblonde Haar war schon von grauen Strähnen durchzogen und lichtete sich bereits. Darunter ein rundes, gutmütig wirkendes Gesicht. Er war freundlich und ein wenig zurückhaltend. Laura stellte mich vor, erzählte in harmlosem Plauderton. Ich erfuhr, dass sie sich seit geraumer Zeit mindestens einmal im Monat mit ihrem Vater traf. Es war mir nie aufgefallen.

Das Menü, das Bert für uns zusammenstellte, war ausgezeichnet. Und auch danach saßen wir noch eine ganze Weile, ehe Laura sich zögernd nach ihrer Mutter erkundigte.

«Sie ist vor ein paar Tagen in den Spessart gefahren», sagte Bert. Dann sprach er beiläufig über einen Fall, der ihm kürzlich übertragen worden war. Kindesmisshandlung mit Todesfolge. Bert ist Staatsanwalt.

«Meine Frau regt sich immer entsetzlich auf, wenn sie von solchen Dingen hört», erklärte er mir. «Und leider lässt sich nicht immer vor ihr verheimlichen, woran ich gerade arbeite. Sie ist ein sehr sensibler Mensch, vor allem wenn es um Kinder geht. Wenn es nach ihr ginge, würden die Babys gleich nach der Geburt eingesammelt und dem Staat übergeben, nur um sicherzustellen, dass ihnen kein Haar gekrümmt wird.»

Wir sprachen dann nicht weiter über Marianne. Auch bei späteren Treffen zeigte Bert sich in dieser Hinsicht verschlossen. «Sie ist im Harz.» – «Sie ist für ein paar Tage in den Schwarzwald gefahren.» – «Zur Zeit hält sie sich im Spessart auf.» Sie war immer irgendwo, immer gerade vor ein paar Tagen abgereist oder in ein paar Tagen eintreffend. Manchmal hatte ich das Gefühl, dass Marianne Robin gar nicht existierte. Und dieses Gefühl setzte ich natürlich gleich in eine neue Idee um. Ich kann einfach nicht anders. Wenn irgendwo eine Frage auftaucht, die sich nicht auf Anhieb zu meiner Zufriedenheit beantworten lässt, dann beginnt es in mir zu arbeiten; das geschieht automatisch.

Nun trafen wir uns also wieder einmal mit Bert. Sprachen über die bevorstehende Trauung, über die geplante kleine Feier, über die Einladung an meine Eltern. Bert freute sich zu hören, dass wir ihn ebenfalls sehr gerne dabei hätten, wenn eben möglich zusammen mit seiner Frau.

Zwei, drei Minuten vergingen, er nickte schweigend, seufzte, meinte dann, Marianne würde sich wohl ebenfalls über eine Einladung freuen, und selbstverständlich kämen sie gerne.

Am nächsten Tag rief er mich an und schlug vor, in seinem Haus zu feiern. Mit Laura hatte er bereits gesprochen. Die hatte ihn an mich verwiesen.

Es gab ein paar gute Argumente für seinen Vorschlag. Wir

waren nur acht Personen. Das Brautpaar, die Eltern, zwei Kollegen Lauras als Trauzeugen. Unsere Wohnung war zu klein. Eigens einen Raum anzumieten lohnte nicht.

Wir hatten daran gedacht, unsere Gäste nach der Trauung in ein gutes Restaurant zu führen. Aber Bert meinte, daheim sei es doch viel gemütlicher, man sei unter sich und nicht gezwungen, gleich nach dem Essen wieder aufzubrechen. Und immerhin sei Laura die einzige Tochter, für die er solch eine Feier ausrichten könne. Dass er sein Haus nur aus Rücksicht auf Marianne anbot, konnte man dabei nur vermuten.

Der große Augenblick, vor dem ich dann doch ein wenig Herzklopfen bekam, war eine nüchterne und bescheidene Angelegenheit. Im Nachhinein schien es mir eine Sache von Sekunden.

Meine Eltern hatten uns unbedingt zum Standesamt begleiten wollen. Mutter schluchzte ein wenig, als sie Laura in die Arme schloss. Vater war ebenfalls sehr gerührt, drückte sie an sich, klopfte mir kameradschaftlich auf die Schulter.

Vom Standesamt aus fuhren wir gleich zu Lauras Elternhaus. Zweimal sah ich sie aus den Augenwinkeln nervös auf ihrer Unterlippe kauen. Als sie es bemerkte, zuckte sie kurz mit den Schultern und lächelte verlegen.

Ich sah Marianne Robin zum ersten Mal in der offenen Haustür stehend. Eine Laura in älterer Ausführung. Die Ähnlichkeit war erschütternd. Das gleiche dunkle Haar, die gleichen Augen, deren Farbe man nie richtig bestimmen kann, sind sie nun grün oder sind sie braun, oder sind sie von beidem etwas?

Elegant war sie, weiblich, attraktiv und sehr beherrscht.

Den Eindruck einer Geisteskranken machte sie wahrhaftig nicht. Niemand, der es nicht wusste, wäre auf die Idee gekommen, dass Marianne ihre einzige Tochter in diesem Augenblick nach langen Jahren erstmals wieder sah.

Mit einem kleinen Lächeln streckte sie beide Hände aus. Ergriff Lauras Hände. «Meinen herzlichen Glückwunsch, mein Kind. Lass dich anschauen, du hast dich kaum verändert.»

Etwas in dieser Art sagte sie. Sie war nicht verletzt, nicht verärgert oder sonst was. Sie war in diesem Moment einfach nur eine Mutter, deren Kind sich nun endgültig abnabelte. Gerührt, sentimental, ein wenig traurig, liebevoll und aufmerksam.

Mich begrüßte sie ebenfalls mit einem Glückwunsch, gleich danach kam das: «Bert hat mir sehr viel von dir erzählt.»

Und dabei musste Bert sehr gründlich vorgegangen sein. Was immer er in den letzten Monaten von Laura erfahren hatte, Marianne wusste es ebenfalls.

Laura demonstrierte Unabhängigkeit, hielt sich entweder in meiner unmittelbaren Nähe auf oder saß mit ihren Kollegen zusammen. Es muss für Marianne sehr schwer gewesen sein. Für mein Empfinden hätte Laura getrost eine der kleinen, unauffälligen Gesten erwidern können. Ein freundliches Wort, ein Lächeln, vielleicht nur ein kleines Dankeschön für diese Feier.

Gleich zu Anfang fiel mir etwas Merkwürdiges auf. Jeder der Anwesenden wusste um Lauras zwiespältige Gefühle. Jeder kannte die entwürdigenden Umstände, unter denen sie ihr Elternhaus vor Jahren verlassen hatte. Und jeder gab sich so ahnungslos natürlich. Ich weiß noch, wie ich darüber ins Grübeln geriet. Wie ich dachte, dass es zwischen Menschen, auch wenn sie einander völlig fremd sind, geheime Abkommen gibt, die nicht ausgesprochen werden müssen, an die sich jeder hält.

Und wie das bei mir so ist, glomm da ganz zaghaft eine neue Idee auf. Anfangs noch sehr vage. Ein einsam gelegenes Haus, bewohnt von einem alten Sonderling. Eines Tages bekommt er Besuch. Ein gutes Dutzend Leute. Menschen, die alle in irgendeiner Beziehung zu diesem Haus stehen, darunter auch ein junges Mädchen, dem man vor langen Jahren etwas Entsetzliches angetan hat. Einer nach dem anderen treffen die Menschen ein, einer wie der andere lächeln sie, geben sich fröhlich und ungezwungen. Und jeder von ihnen weiß um das grausame Geheimnis des Hauses und des Gastgebers. Ein Geheimnis, das sie an diesem Tag endlich einholt, das an die Oberfläche drängt, unerbittlich und gnadenlos.

Es waren wirklich nur diese wenigen Sätze, die mir durch den Kopf gingen. Und nicht einmal im Traum wäre ich auf den Gedanken gekommen, dass es diesmal viel mehr war als eine Idee. Das einsam gelegene Haus, das Geheimnis des Gastgebers.

Bert war der Gastgeber, aber sein Haus lag nicht einsam und es war nicht sein Geheimnis.

Später am Nachmittag sah ich Marianne im Gespräch mit meiner Mutter. Sie tauschten Anekdoten aus, unter Müttern scheint das so üblich. Lauras erster Schultag. Toms Masern und das verrenkte Knie.

Ich hörte zu meinem Erstaunen, dass ich ein sehr stilles Kind gewesen sei. Dass ich schon im zarten Alter von fünf oder sechs Jahren Geschichten erzählt und damit alle Leute erschreckt hatte. Hin und wieder lachte Marianne leise auf.

Dann kam die Episode vom Nordseeurlaub, in dem ich mich nur mit den Fußsohlen ins Wasser traute und vor jeder Welle Reißaus nahm. Mutter war ganz in ihrem Element, erzählte und erzählte, was immer ihr gerade einfiel. Ich achtete nicht weiter darauf, unterhielt mich mit Bert über die Möglichkeiten des Films und die unterschiedliche Wirkung von dargestellter und geschriebener Szene. Vater kam dazu und vertrat vehement die Ansicht, was ich zu Papier brächte, könne man unmöglich in Szene setzen, da müsse man ausschließlich in Schlachthäusern filmen. Bert zählte eine Reihe von Filmtiteln auf, bei denen man das dann wohl getan hatte. Vater gestand, dass er zuletzt vor acht Jahren in einem Kino gewesen war. Kurz und gut, es war eine Feier, wie sie unter anständigen Bürgern üblich ist. Es war alles normal.

Niemand achtete mehr darauf, was Marianne tat, bis Mutter plötzlich bei uns stand. Ein wenig kleinlaut, ein bisschen verlegen. Mitten in der Unterhaltung mit ihr war Marianne wie von einem Schlag getroffen zusammengezuckt, blass geworden, aufgestanden und hatte ohne Erklärung den Raum verlassen.

Besorgt erkundigte Mutter sich, womit sie Marianne eventuell verletzt haben könnte. «Wir haben uns doch so gut unterhalten. Ich verstehe das gar nicht.»

«Worüber haben Sie gesprochen?» Das war der Staatsanwalt, sachlich, knapp, ohne Gefühlsregung.

«Über Tom.» Mutter schaute mich Hilfe suchend an. «Über den Deutschaufsatz. Vielleicht erinnerst du dich, Tom?»

Im ersten Augenblick tat ich das nicht. Erst als Bert weiterbohrte, als die Dringlichkeit in seiner Stimme nicht mehr zu überhören war, fiel mir ein, was Mutter meinte.

Das muss in der fünften Klasse gewesen sein, und meiner Meinung nach war es ein ganz ausgezeichneter Aufsatz, der sich in allen Punkten an die Tatsachen hielt. Ein Aufsatz über besondere Erlebnisse im Urlaub. Es war eines von diesen Jahren gewesen, in denen es für uns keinen Urlaub gab, weil Vater keinen Vertreter für die Praxis fand. Also hatte ich ein paar öde Wochen beschrieben, in denen ich alleine und verlassen in der Gegend herumstrolchte, während meine Freunde sich neben ihren Eltern an Spaniens oder Italiens Küsten sonnten. Eine glatte Fünf. Mutter lächelte bereits wieder, als sie erklärte: «Tom war tödlich beleidigt. Sein Vater konnte sehr ungemütlich werden, wenn er solche Noten zu Gesicht bekam.»

Bert schien irgendwie erleichtert, hörte sich noch an, dass Mutter den damaligen Nachmittag in heller Sorge verbrachte, weil ich mich unbemerkt von ihr ins Haus geschlichen und in dem finsteren Winkel unter der Kellertreppe Schutz gesucht hatte.

Dann entschuldigte Bert sich für einen Augenblick, um nach seiner Frau zu sehen. Er kam nach wenigen Minuten zurück und erklärte: «Sie hat sich hingelegt. Es war wohl doch etwas viel für sie.»

Zum Abend war ein kaltes Büfett bestellt. Als es geliefert wurde, war Marianne bereits wieder bei uns. Gegen zehn verabschiedeten sich unsere Trauzeugen. Meine Eltern folgten dem guten Beispiel. Wenig später gingen auch wir zum Wagen. Marianne und Bert begleiteten uns hinaus. Der Abschied zwischen Laura und ihrer Mutter war herzlicher als die Begrüßung. Sie umarmten sich.

Später erzählte Laura mir, dass Marianne flüsternd gebeten hatte, sie doch hin und wieder besuchen zu dürfen. Ich fand es entsetzlich, dass sie darum bitten musste.

In den darauf folgenden Monaten kam sie mehrfach, immer zusammen mit Bert, immer nur, nachdem ich sie förmlich dazu aufgefordert und Stein und Bein geschworen hatte, wie sehr wir uns beide über ihren Besuch freuen würden.

Laura blieb argwöhnisch. Wenn Marianne in unserem Wohnzimmer saß, kannte ich sie kaum. Diese Blicke, wenn sie sich unbeobachtet fühlte, die zuckenden Mundwinkel. Manchmal schien mir, sie war nahe daran, sich in Mariannes Arme zu stürzen. Gleich darauf erstarrte ihr Gesicht in eisiger Abwehr.

So blieben diese Besuche immer eine steife und unpersönliche Sache. Ebenso gut hätten uns da zwei Versicherungsvertreter gegenübersitzen können.

«Möchtest du noch Kaffee, Mutter?»

«Noch ein Stück Torte, Vati?»

Ich hätte gerne vermittelt. Sie litten doch beide. Sie brauchten sich, bettelten mit den Augen und redeten über das Wetter.

Im Sommer 84, gut ein Jahr nach unserer Hochzeit, wurde Laura schwanger. Die ersten Monate genossen wir still für uns. Laura veränderte sich, nicht nur äußerlich. Sie verlor ihr Misstrauen, oder was immer es gewesen sein mag.

Ohne dass ich sie dazu auffordern musste, rief sie ihre Mutter an, sprach mit ihr über alles, worüber man während einer Schwangerschaft eben mit einer Mutter spricht. Schließlich war sie sogar bereit, sich mit Marianne in der Stadt zu treffen. Von da an trafen sie sich regelmäßig, aßen zusammen oder machten Einkäufe. Das heißt, Marianne kaufte ein.

Laura war gerade im vierten Monat, immer noch rank

und schlank, da besaß sie ein halbes Dutzend Umstands-
kleider, von denen sie zu diesem Zeitpunkt kein einziges
tragen konnte oder wollte. Die Babywäsche wuchs sich
zu kleinen Bergen aus.

Als Laura auch im fünften Monat immer noch ihre gewohnten Röcke und Hosen mit Hilfe eines kleinen Gum-
mibandes schließen konnte, vermutete Marianne bereits,
sie schnüre sich den Leib ein. Sie hielt Vorträge über die
Gesundheit und die Schäden, die man mit solch einem
Tun beim Kind anrichten konnte. Aber dennoch, sie benahm sich nicht halb so großmütterlich verrückt wie meine Mutter.

Literweise frisch gepresste Obstsäfte bei jedem Besuch.
Die Salate gleich schüsselweise und dazu ein «anstän-
diges» Stück Fleisch. Begleitet wurde das alles von so
manchem vorwurfsvollen Blick in meine Richtung. «Du
bist so schmal geworden, Laura, isst du auch vernünftig?»

Ab und an klangen spitze Bemerkungen auf, von wegen
anständigem Beruf, Familie ernähren und so weiter.

Im März 85 wurde Danny geboren. Laura wollte mich
auf gar keinen Fall dabeihaben. Heimfahren mochte ich
auch nicht. So saß ich anfangs allein im Warteraum der
Klinik. Und es dauerte.

Das stundenlange Stillsitzen fraß alle meine guten Vor-
sätze. Ich hatte niemanden beunruhigen oder aufregen,
ich hatte unsere Eltern erst informieren wollen, wenn alles überstanden war. Aber weil es gar so lange dauerte,
rief ich doch sicherheitshalber meinen Vater an. Und als
wir dann endlich alle beisammen waren, ließ Danny uns
noch einmal geschlagene zwei Stunden warten.

Mutter und Marianne trösteten sich gegenseitig, unterhielten sich mit der Tatsache, dass sie selbst Derartiges auch schon erlebt hatten. Und so aus der Erinnerung schien es ein Kinderspiel. Vater war ohnehin die Ruhe selbst, jedenfalls tat er so, erklärte uns rund zwanzigmal, dass eben alles seine Zeit brauchte.

Nur Bert durchlebte die Nervosität mit mir zusammen. Er saß neben mir auf einem Stuhl, den Oberkörper weit vorgebeugt, die Unterarme auf die Oberschenkel gestützt. Seine Hände waren in ständiger Bewegung. Nicht einen Augenblick lang konnte er sie still halten. Und manchmal stöhnte er leise auf.

Dann erlöste man uns endlich. Ein Junge, gute acht Pfund schwer.

«Ein Prachtkerl», sagte Vater.

Mutter fand ihn süß, Marianne weinte vor Rührung ein wenig, und Bert stand still und schweigend dabei, die Erleichterung war ihm überdeutlich ins Gesicht geschrieben.

Laura war erschöpft und sehr zufrieden mit sich. Es war vier Uhr in der Nacht, und wir standen alle um ihr Bett herum, einer verrückter als der andere. Es wundert mich heute noch, dass die Nachtschwester uns nicht einfach hinauswarf.

Marianne küsste Laura auf die Stirn, hielt ihre Hände minutenlang fest. «Du hast ein Baby, Liebes, einen gesunden, einen prachtvollen Sohn.» Und als ob sie es nicht fassen könnte, wiederholte sie die Worte mehrmals.

Herr im Himmel, alles war gut, alles war perfekt, so unbegreiflich normal.

Kleinbürger waren wir, Spießbürger, unbeschwert und harmlos. Wenn ich heute darüber nachdenke, kann ich nur lachen. Und es ist verdammt kein fröhliches Lachen.

Das Wöchnerinnenzimmer, selbstverständlich ein Einzelzimmer erster Klasse. Vater und Bert teilten sich den Mehraufwand, damit Laura ihr Baby Tag und Nacht bei sich haben konnte. In Wahrheit wohl eher, damit sie selbst jederzeit vor diesem winzigen Metallbettchen stehen konnten.

Natürlich besuchte ich Laura jeden Tag. Meist fuhr ich kurz nach fünf in die Klinik. Zu dem Zeitpunkt hatte sich Marianne bereits verabschiedet. Und Laura wirkte gelöst, wenn sie mir von der Unterhaltung mit ihrer Mutter erzählte.

Nach sechs kam dann Bert. Er blieb nie lange. Und wenig später erschienen meine Eltern. Am Sonntag saßen wir alle zusammen an Lauras Bett. Fast wäre es dabei zu einem Streit gekommen. Mutter hatte die übliche Flasche Malzbier auf den Nachttisch gestellt, und Laura gab die dazu übliche Erklärung ab. Dass sie unseren Sohn nicht stillen würde, gar nicht stillen könnte, weil sie bereits in einer Woche wieder in die Agentur musste.

Dort war jemand erkrankt. Man hatte Laura höflich gebeten, keinesfalls unter Druck gesetzt, nur nachgefragt, ob sie eventuell bereit sei, einzuspringen, und ihr dabei gleichzeitig eine Gehaltserhöhung geboten. Und Laura hatte mit beiden Händen zugegriffen.

Mutter riss entsetzt die Augen auf, murmelte etwas von einem armen Kind. Auch mein Vater schien sprachlos. So viel Verantwortungslosigkeit hatte er bei Laura nicht erwartet.

Als Laura diese entsetzten, sprachlosen Mienen sah, wurde sie wütend. «Danny ist kein armes Kind», erklärte sie in sehr bestimmtem Ton. «Er wird bestens versorgt, davon bin ich überzeugt. Tom ist den ganzen Tag daheim. Er wird sich schon um ihn kümmern.»

Dann kam noch der Satz, den Laura besser verschwiegen hätte.

«Und wir brauchen das Geld.»

Plötzlich ging alles durcheinander. Vater hielt mir den längst überfälligen Vortrag von anständiger Ausbildung, versäumten oder abgelehnten Chancen, Schlamperei und vernünftiger Arbeit. Bert versuchte, ihn zu beschwichtigen, indem er dagegenhielt, dass ich doch durchaus mein Geld verdiene, dass man mein Tun und Lassen nun wirklich nicht als Spielerei bezeichnen könne. Dass er nicht mit mir tauschen möchte, weil ich mir seiner Meinung nach einen harten Broterwerb gewählt hatte und so weiter.

Mutter weinte ein paar Tränen, beugte sich zu dem winzigen Bettchen hinüber, strich dem ungeachtet des Lärms, der um ihn herum veranstaltet wurde, friedlich schlafenden Danny über das Köpfchen.

Und Marianne erklärte mit beherrschter, ruhiger, aber dennoch die beiden Männer übertönender Stimme: «Das sind doch überholte Ansichten. Warum soll ein Mann nicht für sein Kind das Gleiche tun können wie eine Frau?»

Alle starrten sie an, Laura mit vor Überraschung halb offenem Mund. Dann legte sie eine Hand auf Mariannes Arm. «Danke, Mama!»

Betretenes Schweigen, Vater streifte mich mit einem teils wütenden, teils zerknirscht wirkenden Blick. Mutter seufzte vernehmlich.

Nach fünf Tagen holte ich meine Familie heim, und zwei Tage später begann für mich ein ganz anderes Leben. Laura ging kurz nach acht aus der Wohnung, und nur selten kam sie kurz nach fünf zurück. Wenn eine wichtige

Besprechung in der Agentur anstand, konnte es auch Mitternacht werden.

In der Zwischenzeit hatte ich mehrfach das Fläschchen gegeben, die Windeln gewechselt, Kaffee getrunken, zwischendurch auch einen Happen gegessen und versucht, ein neues Monster zu kreieren. Danny war ein äußerst friedfertiger Bursche, der den größten Teil des Tages verschlief, jedenfalls in den ersten Wochen. An ihm konnte es nicht liegen.

Aber irgendwie ging es nicht mehr so von der Hand. Solange ich das Baby auf dem Arm hielt, schien mein Kopf vor Ideen förmlich zu bersten. Lag es dann wieder in seiner Wiege, kam es mir vor, als hätte man mir von links nach rechts durch das Gehirn geblasen.

Es war alles noch so frisch. Lauras Schwangerschaft, die Geburt. All die uneingestandenen Ängste spukten mir noch durch den Kopf. Daneben erschien selbst die blutrünstigste Phantasie blass und fade. Ich quälte mich förmlich von Seite zu Seite durch einen Roman, wie ich nun schon ein gutes Dutzend geschrieben hatte.

Ich habe oft darüber nachgedacht, woran es wohl gelegen hat. Die Vorwürfe meines Vaters, die mir doch einen Stich versetzt hatten. Vielleicht auch das Gefühl einer nun größeren Verantwortung. In jedem Fall aber das Gefühl, dass ich irgendwann, in zwanzig, fünfundzwanzig Jahren, ebenso dastehen wollte wie mein Vater. Dass ich irgendwann, in zwanzig oder fünfundzwanzig Jahren, etwas haben wollte, auf das ich stolz zurückblickte. Vielleicht war es auch einfach nur Trotz, das Bedürfnis, ihm und allen anderen zu beweisen, dass mehr in mir steckte als tanzende Ungeheuer.

Da war diese Idee, seit unserer Hochzeit schwebte mir

das Bild vor dem inneren Auge. Ein großes Haus, düster und hoch gelegen, der alte Sonderling einsam zwischen den Mauern. Die unverhofft eintreffenden Menschen, viel weiter war ich damit nie gekommen.

Natürlich hätte ich ein Monster in den Keller setzen können, eine vergrabene Leiche, deren Geist nun im Haus umgeht. Aber genau das wollte ich nicht. Und etwas anderes fiel mir nicht ein.

Danny war vierzehn Tage alt, als ich mich daranmachte, wenigstens das Haus zu beschreiben. Ich weiß noch, dass ich ihn auf dem Arm hielt, dass ich mit der freien Hand die ersten Sätze in die Tasten schlug. Titel: *Das Haus auf dem Hügel.*

Es blieb vorerst bei wenigen Sätzen. Aber jeden Tag kamen einige hinzu. Ganz langsam tastete ich mich an etwas heran, das mir selbst eine Gänsehaut verursachte. Die zwölf Menschen störten mich irgendwie, sie schienen nicht in das Bild zu passen, welches mir vorschwebte. So ließ ich sie weg. Konzentrierte mich auf das junge Mädchen, sprang um zwanzig Jahre zurück und beschrieb ein Kind. Einen hilflosen, abhängigen Säugling, dem der alte Sonderling etwas Grauenhaftes antat. Was genau, wusste ich noch nicht.

Ich wagte es auch nicht, mit Laura darüber zu sprechen. Sie hätte garantiert gefragt und gebohrt: «Wie geht es weiter?»

Aber eines Tages – Danny war drei Monate alt, und inzwischen gab es bereits an die fünfzig Seiten – kam Laura von selbst dahinter.

Sie suchte nach einem Stift, nach dem Papierlocher oder nach sonst etwas, und plötzlich hielt sie diese Seiten in der Hand. «Was ist das, Tom? Das kenne ich ja gar nicht.»

Ich wollte ihr die Seiten wegnehmen, druckste herum. «Ach, das ist nur ein Versuch.»

Aber Laura verzog sich damit in eine Ecke. Dann hörte ich nichts mehr von ihr. Normalerweise ließ sie es sich nicht nehmen, Danny zu baden. Das hatten wir eigens deshalb auf den Abend verschoben.

Laura las nicht, sie fraß die Seiten in sich hinein. Als sie sie schließlich zurück in das Schubfach legte, in dem sie sie entdeckt hatte, war sie ganz still. Und ihr Gesicht trug diesen sonderbar abwesenden Ausdruck.

Ein wenig ängstlich erkundigte ich mich, wie ihr der Anfang gefallen habe. Laura sah mich an, als hätte ich sie von weit her zurückgeholt.

«Es ist grauenhaft», sagte sie. «Du hast noch nie etwas mit Kindern gemacht. Aber warum eigentlich nicht? Warum soll nicht einmal ein kleines Kind das Opfer sein?»

Laura lachte ein wenig unsicher, zuckte mit den Schultern und fragte: «Wie soll es denn weitergehen?»

«Ich weiß es noch nicht genau», gestand ich. «Vielleicht ist es nur eine Spielerei.»

Laura nickte kurz. Dann bat sie: «Tu mir einen Gefallen, Tom. Wenn das Kind erwachsen ist, dann soll es sich rächen. Dieser Schweinehund muss bezahlen für das, was er seiner Tochter angetan hat. Das ist doch für dich kein Problem.» Und dabei lächelte sie verlegen.

Ich tat ihr den Gefallen, und eine Spielerei war es nicht. Es war mein Durchbruch, so nennt man das.

Das Haus auf dem Hügel!

Ein Jahr brauchte ich, um das Manuskript abzuschließen. Und als es endlich fertig war, hatte es mit der ursprünglichen Idee so gut wie nichts mehr gemein.

Aus dem alten Sonderling war ein junger, besessener Wissenschaftler geworden, der in einem unterirdischen Labor eine Substanz entwickelte, mit der sich das Erbgut der Keimzelle verändern ließ. Für seine Experimente benutzte er ausschließlich Ratten. Aber eines Tages zog er sich eine winzige Verletzung zu, hantierte nicht vorsichtig genug, infizierte sich selbst. Bei ihm zeigten sich keine Auswirkungen. Aber wenig später musste er feststellen, dass seine Geliebte ein Kind erwartete. Das war die Vorgeschichte.

Sie war so in die Handlung verflochten, dass man sie fast wie ein Puzzlespiel zusammensuchen musste. Nur ganz allmählich deckte Sandy, so hieß die Hauptfigur, auf, wer sie war und wem sie ihre ganz besondere Veranlagung zu verdanken hatte. Der Roman begann mit einem Autounfall, in dessen Folge Sandy erfuhr, dass die Frau, die sie für ihre Mutter hielt, noch nie ein Kind geboren hatte.

Die fünfzig Seiten, die Laura anfangs gelesen hatte, waren jetzt in der Mitte eingeordnet. Auf ihnen war die Flucht einer jungen Laborassistentin mit Namen Cheryl durch ein unterirdisches Labyrinth beschrieben. Und mit auf diese Flucht genommen hatte Cheryl einen wabbelnden Fleischklumpen, der seine Form beständig veränderte und vorerst nur andeutungsweise menschliche Züge trug, die dreijährige Sandy.

Dann lag das Manuskript in einem Schubfach. Der Roman hatte so wenig mit meinen bisherigen Arbeiten zu tun, dass ich nicht wusste, wem ich ihn hätte anbieten können.

Fast schon vier Jahre ist das her. Es kommt mir gar nicht so lange vor. Aber Danny ist der beste Beweis für die inzwischen vergangene Zeit. Im kommenden März wird er bereits fünf. Ich bin maßlos stolz auf ihn. Ein Prachtkerl, wie Vater gleich nach der Geburt sagte. Ein robuster, selb-ständiger kleiner Bursche, dem es in keiner Weise gescha-det hat, dass er seine frischen Windeln von mir bekam. Der Laura und mich mit missbilligenden Blicken bedenkt, wenn einer von uns das Fleisch auf seinem Teller schnei-den will. Das kann er alleine, und das weiß er auch.

Jeden Morgen stampft er kurz vor neun hinter Laura her zum Wagen. Und er weigert sich strikt, mir einen Ab-schiedskuss zu geben. «Für die drei Stunden», sagt er her-ablassend. Er ist doch jetzt unser «Großer». Vor zwei Monaten, genau am 5. Oktober, hat Danny eine kleine Schwester bekommen. Seitdem fühlt er sich fast erwach-sen, und mehr noch fühlt er sich als Beschützer. Gut zwanzigmal am Tag steht er neben der Wiege und über-zeugt sich, dass alles in Ordnung ist mit seiner süßen Tes-sa.

Und ich fühle mich innerlich wie zerrissen. Vielleicht ist es ja nur das zweite Kind, was mich daran hindert, eine Stoffpuppe so einfach beiseite zu legen. Mit einem Säug-ling im Haus wird man sensibler gegenüber der Grausam-keit, die anderen Kindern widerfuhr.

Als die Frau die nächste Nahrung brachte, hielt das Kind die Puppe immer noch, legte sie auch nicht zur Seite, um zu trinken.

Und so ging es im gewohnten Rhythmus weiter. Tagsüber horchte es auf die Geräusche, die von außen zu ihm her-eindrangen. Dreimal insgesamt schaute es voller Erwar-tung zum Eingang, wenn sich dort die leichten Schritte näherten. Es aß und trank, wurde gesäubert. Und wenn die stille Zeit kam, wartete das Kind darauf, dass die Frau es holte, um es mit sich in den anderen Raum zu nehmen.

Kam sie nicht, drückte es sein Gesicht auf den weichen Balg der Puppe und schlief ein. So verging das zweite Jahr.

Dann gab es wieder eine Veränderung. Zur Zeit der zweiten Nahrung näherten sich die leichten und die eiligen Schritte gleichzeitig dem Eingang. Die warme und die weiche Stimme sprachen miteinander. Das Kind verstand die Worte nicht, und es maß ihnen keine Bedeutung bei.

Der Eingang wurde geöffnet, verdunkelte sich gleich wieder.

Die warme Stimme sagte: «Jetzt leuchte doch mal. Hier sieht man ja die Hand nicht vor Augen.»

Und ein festes Licht tastete sich in den Winkel, in dem das Kind sich zusammengekauert hatte.

«Da ist ja unser Püppchen», sagte die warme Stimme. Sie hatte einen sanften Klang angenommen, der das Kind ein wenig beruhigte. Aber noch schaute es ängstlich zu dem großen Schatten auf, der den Eingang versperrte. Der Schatten machte sich kleiner, kam näher.

«Komm, Püppchen», sagte die warme Stimme. Zwei Hände griffen nach ihm, hoben es vom Boden auf und verbargen es unter einem dünnen Stoff. Darunter war noch ein Stoff, und das Kind fühlte den weichen Körper der zweiten Frau. Er roch nach Nahrung.

Die zweite Frau trug es eilig fort, weit und weiter. Sie brachte es in einen unendlich großen, blendend hellen Raum. Grelles Licht brannte sich in die empfindlichen Augen des Kindes, vor Schmerz kniff es sie fest zusammen.

«Ja», sagte die zweite Frau voller Bedauern, «das tut weh, Püppchen. Aber das vergeht wieder. Und du brauchst ein bisschen Sonne.»

Von da an kam die zweite Frau regelmäßig zur Zeit der

43

zweiten Nahrung. Jedes Mal barg sie das Kind unter ihrer Schürze, trug es eilig fort und brachte es in den großen, hellen Raum. Den nannte sie «draußen».

Nachdem das Kind sich erst einmal daran gewöhnt hatte, war es gerne draußen. Die zweite Frau trug es auf ihrem Arm durch den weiten Raum. Es gab dort viele Dinge in leuchtenden Farben und sanfte Töne. Und ein warmer Atem blies in sein Gesicht. Auch sprach die zweite Frau immer. Die Worte selbst verstand das Kind nicht, doch es lernte, sie zu unterscheiden und ihre Bedeutung zu erkennen. «Zurück», das war der dunkle Raum, in dem es selbst lebte.

«Komm», das waren zwei Hände, die unter seine Achseln griffen, es vom Boden aufnahmen. Und als es gelernt hatte, auf seinen eigenen Beinen zu kriechen, war «Komm» der Weg zum Eingang.

«Durstig», das war ein Becher mit Saft oder Wasser. Das war auch eine gefüllte Milchflasche.

«Er», das war ein vages, dunkles Etwas, das war Gefahr.

«Hunger», das war ein Teller mit Gemüsebrei, später dann zwei belegte Brotscheiben auf einem Holzbrett.

Nach dem zweiten Jahr begann mit den Brotscheiben immer die Zeit der Schritte. Dann kam draußen und zurück, und danach kam ein Teller mit Gemüsebrei. Und wenn die Zeit der Stille kam, wartete das Kind geduldig auf die leichten Schritte der Frau.

Manchmal kam sie, nahm es mit sich in den anderen Raum, hielt es im Arm, bis draußen das graue Licht aufkam. Wenn sie nicht kam, rollte es sich in seiner Ecke zusammen, drückte das Gesicht gegen den weichen Balg der Puppe und schlief ein.

Dann gab es wieder eine Veränderung.

Die zweite Frau brachte das Kind nach draußen. Dort stellte sie es auf seine Füße, hielt es noch einen Moment lang unter den Armen fest. Der Boden, auf dem es stand, war sehr uneben. Es wollte sich auf die Knie herunterlassen. Aber die zweite Frau zog es wieder in die Höhe. «Nein, nein», sagte sie. «Du musst laufen. Du bist doch alt genug.»

Und sie hielt es unter den Armen, machte ein paar Schritte und schob es dabei vor sich her. Seine Füße schleiften über den unebenen Boden, ehe es begriff, dass es sie anheben musste, um ebensolche Schritte zu machen wie die Frau.

«Ja, das ist schwer», sagte die zweite Frau. «Aber wir haben ein bisschen Zeit. Hier sieht uns niemand. Die sind jetzt alle vorne beim Essen.»

Es verstand die Worte nicht, aber sie klangen freundlich.

Die zweite Frau schob es vorsichtig zwischen den leuchtenden Dingen umher. Und die ganze Zeit sprach sie, erklärte dem Kind die bunten Dinge. Sie führte das Kind sogar dicht an ein paar kleine Stückchen heran, sodass es sein Gesicht hineindrücken konnte und den feinen Duft roch.

Nach vielen Zeiten konnte das Kind ohne den festen Griff ein paar Schritte gehen. Und mit jedem Tag wurden es mehr. Als es sicher auf seinen Beinen geworden war, brachte die zweite Frau es nur noch nach draußen, ging selbst zurück und holte es dann nach einer Weile wieder.

Wenn das Kind ihre Stimme hörte, kam es eilig herbei. Jedes Mal verbarg die zweite Frau das Kind so gut es ging unter ihrer großen Schürze. Wenn sie es dann zurückgebracht hatte, reichte sie ihm den Teller mit Nahrung. Manchmal lachte sie leise, sagte: «Das macht hungrig, *wenn man an der frischen Luft herumspringt, nicht wahr?»* Und manchmal blieb sie noch ein wenig neben ihm auf dem Boden, sprach mit ihrer warmen Stimme von Dingen, die es nicht kannte und nicht verstand.

Wenn sie dann ging, blieb ihre warme Stimme im Kopf des Kindes zurück, ließ dort bunte Bilder entstehen von draußen, von hellem Licht und sanften Tönen, von dem großen Gefäß, das weit, weit hinten lag, in dem das Kind sein eigenes Gesicht gesehen hatte.

So verging das dritte Jahr.

Und dann gab es wieder eine Veränderung.

Im Herbst vor zwei Jahren traf ich auf der Buchmesse in Frankfurt mit Wolfgang Groner zusammen. Wolfgang ist Agent, Literaturagent, genauer gesagt. Wir kamen ins Gespräch, und ich erwähnte beiläufig, dass da seit mehr als einem Jahr ein abgeschlossenes Manuskript lag: *Das Haus auf dem Hügel.* Und dass ich nicht wusste, welchem Verlag ich es anbieten könnte.

Wolfgang erklärte sich bereit, einen Blick hineinzuwerfen, für mich ganz unverbindlich. Eine gute Woche später rief er mich an. Er hatte den Roman nicht nur gelesen, er hatte sogar schon einen Interessenten dafür. «Ein Wahnsinnsstoff. Damit kommen Sie ganz groß raus», prophezeite er mir.

Er behielt Recht. Es ging in einem Riesensatz aufwärts. Uns ging es gut, in jeder Hinsicht sogar sehr gut. Wir waren gesund, wir waren zufrieden. Wir liebten uns, liebten Danny, unsere Eltern und Schwiegereltern. Laura hatte es sogar geschafft, das immer ein wenig zwiespältige Verhältnis zu ihrer Mutter aus einer gewissen Distanz zu betrachten.

Auch finanziell war alles in bester Ordnung. Wir waren der Meinung, dass sich mit dem sanften Grauen noch eine Menge Geld verdienen ließ, ebenso mit den flotten Sprüchen zum Thema Buttermilch oder Haarshampoo.

Mit ihren manchmal kurios anmutenden Einfällen hatte Laura Karriere gemacht. Sie war erfolgreich und verdiente doppelt so viel wie ich. Darüber wurde niemals ein Wort verloren.

Vor gut einem Jahr setzte Laura dann das zweite Kind auf ihren Terminplan. Sie arbeitete nur noch vormittags in der Agentur. Das hatte sie mit viel Überredungskunst durchsetzen können. Nachmittags machte sie daheim weiter. Abends fuhr sie dann oft noch einmal zu Weber und Wirtz, um an Besprechungen oder dergleichen teilzunehmen.

Lauras Arbeitsplatz war der Küchentisch. Mein Schreibtisch stand seit Dannys Geburt in einer Ecke des ohnehin kleinen Wohnzimmers. Und Danny betrachtete unsere gesamten sechzig Quadratmeter als sein Revier. Ein Dauerzustand war das nicht.

Ich brachte es auf drei Stunden konzentrierter Arbeit am Vormittag. Genau die Zeit, die Danny im Kindergarten verbrachte. Und manchmal war ich einfach nicht in der richtigen Stimmung, diese Zeit zu nutzen.

Der hereindringende Straßenlärm verschaffte mir Visionen von wilden Verfolgungsjagden, die brauchte ich nicht. Seit dem Vertrag mit Wolfgang Groner fühlte ich mich relativ sicher. Er war in jeder Beziehung der richtige Partner für mich, hatte genau die Verbindungen in der Branche, die man haben sollte, verfügte über eine kolossale Überzeugungskraft und einen untrüglichen Instinkt.

Heftchenromane schrieb ich längst nicht mehr. Nach

Haus auf dem Hügel hatte ich noch ein paar Taschenbücher geschrieben und dann auf Wolfgangs Drängen hin
einen weiteren großen Roman begonnen. Aber bei den
beengten Verhältnissen in unserer Wohnung quälte ich
mich von Seite zu Seite.

Ende Februar rief Wolfgang mich noch spätabends an,
um von einem Gespräch mit einem Filmproduzenten zu
schwärmen. Der hatte ein reges Interesse am *Haus auf
dem Hügel* gezeigt. Bis dahin waren zwei von meinen Taschenbüchern verfilmt worden. Videoproduktionen, bei
denen man mehr Wert auf die schockierenden Elemente
als auf den Inhalt selbst gelegt hatte.

Bei diesem dritten Angebot ging es um einen Kinofilm. Es
war noch eine sehr diffuse Angelegenheit. Aber Wolfgang
war seiner Sache sicher und vertrat die Ansicht, diesmal
solle ich das Drehbuch selbst schreiben.

«Du weißt schließlich am besten, worauf es ankommt»,
sagte er. Wolfgang klammerte sich an das kleine Wört-
chen «sanft» vor dem Grauen. «Bei dem Stoff müssen wir
vorsichtig sein», meinte er. Nur zur Probe und zum Beweis meiner Fähigkeiten sollte ich drei oder vier Szenen
schreiben, vorher natürlich ein umfassendes Exposé.

Es war eine große Umstellung. Mit Phantasie allein war
es nicht getan. Ich gab mir wirklich Mühe, aber ich
schaffte es einfach nicht, das Haus aufs Papier zu bringen. Ich brauchte eine konkrete Vorlage, die Kulisse sozusagen.

Glücklicherweise hatte ich das Haus im Roman nicht allzu exakt beschrieben. Unheimlich, drohend, düster, so
etwas musste sich finden lassen. Auch Wolfgang war der
Meinung, es könnte für die weiteren Verhandlungen vielleicht von Vorteil sein, wenn wir das entsprechende Haus

gleich mit dem Entwurf der ersten Szenen präsentieren könnten.

Und so fuhren wir Sonntag für Sonntag hinaus auf die Dörfer. Während Danny einen gemütlichen Nachmittag mal bei diesen, mal bei jenen Großeltern verbrachte, schauten Laura und ich uns verlassene Gehöfte an, schlichen um halb verfallene Fachwerkhäuser. Ein passendes Filmmotiv fanden wir nicht. Aber Laura kam auf den Geschmack.

«Wir sollten raus aus der Stadt, Tom, was meinst du? Alleine schon wegen der Kinder. Ein Häuschen im Grünen, ein kleiner Garten. Wir können es uns doch jetzt leisten. Und wir beide hätten auch mehr Platz.»

Wenn Laura sich etwas in den Kopf gesetzt hat, ist sie unerbittlich. Sie schreckt nicht einmal davor zurück, mich nachts aus dem Schlaf zu reißen.

«Du kannst sagen, was du willst, Tom, aber du brauchst unbedingt wieder ein Arbeitszimmer. Wenn erst zwei kleine Kinder um dich herumtoben, dann möchte ich aber erleben, wie du noch einen vernünftigen Satz zu Papier bringst. Und jetzt komm endlich ins Bett, sonst tut dir morgen der Rücken weh. Ich habe dir doch gleich gesagt, du kannst nicht die ganze Nacht durcharbeiten.»

Es sprach vieles dafür, mehr Platz, mehr Ruhe, ein kleiner Garten, in dem Danny auch einmal ohne Aufsicht herumtoben konnte, in dem ich vielleicht auf genau die Einfälle kam, die ich im Wohnzimmer vermisste. Aber es sprach auch einiges dagegen. Nach der Geburt des zweiten Kindes wollte Laura eine berufliche Pause einlegen. Die Vorstellung, dass dann alles von mir abhing, bereitete mir Albträume.

Laura lachte mich aus, verwies auf Kontoauszüge, Depotscheine, rechnete mir vor, wie reich wir bereits waren und wie sich unser Reichtum noch vermehren würde. Sicher, zur Zeit flossen die Einkünfte in relativ großen Summen. Wir hatten tatsächlich ein kleines Vermögen angehäuft. Aber das brauchte ich auch, es hielt mir den Rücken frei. Ich sprach mit Wolfgang darüber, der war ganz und gar der gleichen Meinung wie Laura.

«Was willst du denn noch, Tom? Es läuft doch. Du bist jetzt schon gut im Geschäft. Wenn das *Haus auf dem Hügel* ins Kino kommt, brauchst du dir keine Sorgen mehr zu machen.»

Dann empfahl er mir ein Maklerbüro.

Das Angebot dort entsprach nicht ganz unseren Vorstellungen. Wenn schon, denn schon. Wir hatten uns eines dieser kleinen Dörfer in den Kopf gesetzt. Laura wegen der vermeintlichen Freiheit, ich wegen der Preise und natürlich wegen der Ruhe. Man war fair, verwies uns an einen Makler in Bedburg.

So kamen wir zu Dressler.

Ein Mann in den Fünfzigern, mit dem Rest eines Haarkranzes um den blanken, braun gebrannten Schädel. Sein Büro betrieb er zusammen mit seiner Frau. Bis auf das bei ihm fehlende Haar waren sich beide so ähnlich, dass sie Geschwister hätten sein können.

Mir waren bereits leise Zweifel gekommen, auch auf dem Land war es nicht eben billig. Und als Limit hatte ich Laura dreihunderttausend gesetzt. Die eine Hälfte als Eigenkapital, die andere als Hypothek, das traute ich mir noch zu, mehr auf keinen Fall. Mir saß eben immer noch die Zeit im Nacken, in der ich zum Postkasten schlich, erfüllt von der bösen Vorahnung, diesmal nichts von Wert darin zu finden.

Laura ihrerseits hatte eine konkrete Vorstellung von den Räumen, die wir unbedingt brauchten. Zwei Kinderzimmer, Schlafzimmer, Wohnraum, Küche und Bad wurden als selbstverständliche Notwendigkeit vorausgesetzt.

Dann natürlich ein Arbeitszimmer für mich, nach Möglichkeit ein weiteres für Laura, vielleicht zusätzlich ein Gästezimmer, ein separater Essraum würde das Ganze abrunden. Und alles zusammen ergab ein Haus, das wir uns einfach nicht leisten konnten.

Doch obwohl ich das mehrfach betonte, notierte Dressler mit wahrer Hingabe alles, was Laura vorbrachte. Dann überlegte er kurz, holte einige Schnellhefter aus einem Aktenschrank und breitete sein Angebot vor uns aus: fünf Häuser.

Das erste gehörte einer Bank und war noch nicht ganz fertig gestellt. Der Bauherr hatte sich übernommen. Ich wollte es ihm nicht gleichtun.

Das zweite war entschieden zu alt, überwiegend Fachwerk, winzige Räume, die dringend einer sachgerechten Renovierung bedurften, dafür war es überaus preisgünstig.

«Mit ein wenig Geschick», meinte Dressler.

Laura unterbrach ihn, indem sie den Kopf schüttelte und dabei mit einem flüchtigen Blick meine Hände streifte. Ich war weder Maurer noch Zimmermann, das wussten wir schließlich beide. Während Dressler uns weitere Fotografien vorlegte, erkundigte sich seine Frau nach meiner derzeitigen Arbeit. Zwei von den Taschenbüchern hatte sie gelesen, war fasziniert und voller Fragen: Wie man nur auf solche Ideen käme? Ob ich nicht auch glaubte, dass manchmal ein Fünkchen Wahrheit ... Also, dass es Dinge gäbe, die man nicht alleine mit dem Verstand erklären könne?

Dann erzählte sie mir von ihrer Schwester, die einem Zirkel angehörte, der mit einem dreibeinigen Tischchen allerlei Unsinn veranstaltete.

Ich lächelte, hörte mit halbem Ohr zu, wie Dressler gerade irgendwelche Vorzüge erläuterte. «... wäre geradezu ideal für Sie», bekam ich noch mit. Laura stieß mich in die Seite. Sie hielt zwei Schwarzweißfotos in der Hand, reichte sie mir wortlos herüber.

Und Dressler sagte: «Was den Preis angeht, da können Sie ganz unbesorgt sein. Das ist fast geschenkt. Ein riesiger Kasten, in einem sehr guten Zustand. Acht Zimmer, und wenn ich Zimmer sage, meine ich Zimmer und nicht Kämmerchen. Zwei Bäder, große Eingangshalle, die Küche liegt im Keller.»

Ich betrachtete die Fotos. Kasten, das war wirklich der richtige Ausdruck. Das Haus war kastenförmig. Es wirkte auf den kleinen Fotos sehr groß und sehr düster. Aus den Augenwinkeln sah ich Lauras ehrfürchtiges Staunen.

«Was soll es denn kosten?», erkundigte ich mich vorsichtig.

Dressler lehnte sich in seinem Stuhl zurück, seine Miene nahm einen listigen Ausdruck an. Doch statt mir sofort den Preis zu nennen, begann er mit einer ausführlichen Erklärung.

«Das ist ein Eilverkauf, so was drückt den Preis immer. Zwei Brüder, sie haben das Haus vor ein paar Monaten vom Vater geerbt und wollen es so schnell wie möglich abstoßen. Ich habe ihnen gleich gesagt, das wird sehr schwierig. Allein das Grundstück ...» Dressler machte eine kunstvolle Pause, damit das Nachfolgende besser wirkte. «Zwanzig Ar!»

Laura neben mir lächelte ahnungslos. Ich kramte in meinen Erinnerungen. Ein Hektar gleich hundert Ar, ein Ar gleich hundert Quadratmeter. Zwanzig mal hundert gleich zweitausend. Quadratmeter!

«Das ist sehr groß», bemerkte ich lahm.

Dressler nickte bedeutsam, hob den Zeigefinger. «Das können Sie getrost laut sagen. Das ist kein Garten mehr, das ist ein Park, schöner alter Baumbestand. Aber wer will sich heutzutage noch einen Park anschaffen?» Er lachte meckernd und blinzelte Laura verschwörerisch zu. «So was muss schließlich auch gepflegt werden», fuhr er fort. «Und das Haus, wie gesagt, Topzustand. Baujahr 36, mehrfach modernisiert. Gaszentralheizung, sogar der Keller ist beheizt. Unter normalen Umständen würde ich sagen, sechs bis acht.»

«Hunderttausend?», fragte ich, und Dressler nickte. Es verschlug uns beiden die Sprache, Laura schluckte heftig.

«Das wäre der Zeitwert», teilte uns Dressler mit. «Aber das hätten die Burschen niemals bekommen. Das wussten sie auch schon. Und wer es so eilig hat …» Jetzt grinste er, fast von einem Ohr bis zum anderen, schaute erst mich, dann Laura Beifall heischend an, sprach langsam und bedächtig weiter: «Der muss noch ein paar Abstriche mehr in Kauf nehmen. Zum Verkauf steht das Ganze für zwo-acht.»

«Das ist ja weniger als die Hälfte», sagte Laura mit merklicher Erschütterung in der Stimme.

Ich fand, der Preis war gegenüber dem vorgenannten geradezu lächerlich. «Und wo ist der Haken?», fragte ich deshalb.

«Es gibt keinen Haken», erklärte Dressler, jetzt plötzlich sehr ernst. «Fahren Sie hin, schauen Sie sich das Haus in aller Ruhe an. Sie werden zufrieden sein.»

Wir vereinbarten einen Termin für den nächsten Vormittag, brachten Danny zeitig in den Kindergarten, fuhren los. Laura war so aufgeregt. Die halbe Nacht hatte sie irgendwelche Pläne gemacht. Acht Zimmer! «Stell dir nur vor, Tom.»

Ich nahm die Autobahn. Bis zu Dresslers Büro brauchte ich eine knappe Stunde. Frau Dressler stieg zu uns in den Wagen. Es ging weiter über schmale Landstraßen, daneben kleine und winzige Ortschaften. Kirchtroisdorf, Kleintroisdorf, Pütz. Ein einsam liegendes Gehöft gegenüber einer Abzweigung.

«Biegen Sie hier mal rechts ab», sagte Frau Dressler. «Das ist ein kleiner Umweg. Aber wir fahren von der anderen Seite rein, da sehen Sie gleich was vom Dorf.»

Hinter Pütz noch ein Dorf, Kirchherten. Schmale Straßen, die Häuser so eng aneinander gereiht, als fürchteten sie sich. Eine winzige Grünfläche mit zwei dürftigen Sträuchern darauf und einer einzigen Bank am Rand.

«Links runter», sagte Frau Dressler. «Immer nur der Hauptstraße nach.»

Der nächste Ort schloss sich gleich an. Grottenherten. Angeblich fuhren wir immer noch auf der Hauptstraße. Die Häuser wurden spärlicher, wieder ein Bauernhof, noch ein Stück Straße. Frau Dressler zeigte nach vorne. «Das ist es.»

Das war es! Es lag einsam. Der Bauernhof, unser nächster Nachbar, war gut fünfhundert Meter entfernt. Und zur anderen Seite hin gab es nur noch Felder. Weit hinten

eine Windmühle und so viel Grün, ein herrlicher Anblick.

Aber was schwerer als alles andere wog: Es war das
Haus, nach dem ich seit Wochen suchte, meine Filmkulisse.

Es gab keine Hecke, keinen Zaun. Ich hielt den Wagen
am Straßenrand. Frau Dressler griff nach ihren Unterlagen und stieg aus. Sie blieb neben dem Wagen stehen und
schaute auffordernd zu uns herein. Aber wir blieben erst
einmal sitzen und ließen das Bild auf uns wirken.

Von der Straße aus führte eine kiesbestreute Auffahrt direkt auf das Haus zu. Daneben verlief ein Plattenweg zur
Haustür. Zum Haus hin stieg der Boden leicht an, dahinter fiel er stark ab. Auch die vorderen Kellerfenster lagen
noch über der Erde. Von einem Hügel konnte man zwar
nicht sprechen, aber ein guter Regisseur, eine entsprechende Kameraführung, der Rest stimmte in jedem Fall.

Es war gewaltig. Von den Jahren ergrauter, dunkler Verputz, Sprossenfenster in gebeizten Holzrahmen.

«Es sieht ein bisschen verwittert aus», fand Frau Dressler.
«Sie müssen es sich mit einem neuen Fassadenputz vorstellen, schneeweiß.»

«Nein», widersprach ich rasch, und Laura begann zu
grinsen. «Nein, so ist es genau richtig.»

Zu beiden Seiten der Auffahrt stand eine Menge Gebüsch
auf dem Rasen, drei hohe Bäume vor dem Haus, dahinter
noch mehr. Einige der Kronen überragten das schwärzli-
che Ziegeldach. Meine Phantasie lief dem Sommer davon,
tauchte, ohne dass ich etwas dagegen tun konnte, tief in
die erste Filmszene. Ein Herbst, nein, ein Winter.

Ein Winter ohne Schnee, wie er hier so häufig ist. Stattdessen Nebel, Dunst, kahles, tropfenbehangenes Ge-

zweig, sturmgebeutelte Baumwipfel, frühe Dunkelheit. Eine winzige Lampe neben dem Hauseingang wirft gespenstisch flackerndes Licht in die Nacht.

Die blutjunge Sandy nähert sich zögernd der Haustür. Sie weiß nur eines, in diesem Haus hat Cheryl, die sie immer für ihre Mutter hielt, als junges Mädchen gearbeitet. Das ging aus Tagebuchaufzeichnungen hervor. Aus diesem Tagebuch weiß Sandy auch, dass in diesem Haus mit ihrer leiblichen Mutter etwas Entsetzliches geschehen ist. Mehr noch, in diesem Haus liegt der Ursprung ihrer eigenen, absonderlichen Existenz.

Und all das Wissen steht ihr im Gesicht geschrieben. Und wie immer, wenn Sandy aufgeregt ist, hat sie ihre Gesichtszüge und Körperformen nicht völlig unter Kontrolle. Die Wangenmuskeln zucken, dehnen sich aus, fallen ganz in sich zusammen, verschwinden fast. Darunter zeichnet sich deutlich der Knochenbau des Kiefers ab.

Und das vor diesem Hintergrund. Ich seufzte unwillkürlich. Wolfgang würde zufrieden sein, wenn ich ihm diesen Klotz zeigte, der Filmproduzent würde vermutlich ebenso denken.

Laura deutete mit dem Kopf hinüber. «Schauen wir es uns an.» Frau Dressler ging vor uns her auf die zweiflügelige Haustür zu. Massives Holz, ein Messingknauf als Türgriff. Auf dem grauen Verputz daneben ein Klingelknopf, eine Messingplatte, darauf ein Name. STEINER stand auf der Platte. Darunter die ebenfalls grauen Schlitze einer Gegensprechanlage. Sie ernüchterten mich.

«Das muss natürlich weg», sagte ich ganz automatisch. Einen Türklopfer hatte ich erwartet. Ich brauchte etwas in dieser Art, quasi ein wichtiges Requisit.

Laura betrachtete den Namen auf der Platte mit leicht

zusammengekniffenen Augen. «Steiner», murmelte sie. «Der Name kommt mir bekannt vor. Aber ich weiß jetzt nicht, wo ich ihn schon gehört habe.»

Die Haustür wurde aufgeschlossen, dahinter lag die Halle. Und die düstere Intuition löste sich augenblicklich auf. Durch große Fenster rechts und links der Tür flutete das Tageslicht herein. Die weiß gestrichenen Wände und der weiß gefliese Boden verstärkten die Helligkeit noch. Hier war kein Winkel für Geheimnisse. Hier lag alles offen und übersichtlich.

Rechter Hand eine breite, sanft geschwungene Treppe zum Obergeschoss, gleich darunter führte sie abwärts, in den Keller. An einer Wand standen drei Holzkisten.

Frau Dressler deutete darauf und erklärte: «Die werden noch abgeholt. Ein paar persönliche Dinge von der Ehefrau des Besitzers. Was darüber hinaus noch an Inventar im Haus ist, soll bleiben. Der Käufer kann nach Belieben darüber verfügen.»

Gleich vor der Treppe führte eine Tür in das erste Zimmer. Der Raumplan, den Frau Dressler zu Rate zog, wies es als Bibliothek aus. An drei Wänden waren raumhohe Regale angebracht. Sie waren restlos leer, und die Regalböden waren mit einer Staubschicht bedeckt.

Die vierte Wand wurde von zwei großen Fenstern beherrscht, die hinaus auf die Straße zeigten. Der Fußboden schien makellos, helles, lasiertes Holz. Ich ging einmal quer durch den Raum, federte dabei sogar leicht in den Knien. Doch außer meinen Schritten entstand kein Geräusch.

Frau Dressler grinste zufrieden. «Hier knirscht nichts.»

Das war erfreulich, solange ich es von der Seite des Kaufinteressenten betrachtete. Aber das Knirschen von Schritten auf Holzfußböden konnte man gewiss auch auf andere Weise erzeugen.

Im Erdgeschoss gab es noch drei weitere Räume. Das Arbeitszimmer des früheren Eigentümers, unverkennbar mit seinen, wenn auch ausgeräumten, Aktenschränken und dem Schreibtisch.

Auch hier gingen die Fenster zur Straßenseite, und bei einem davon stand ein zierlicher Sekretär mit Aufsatz, in dem etliche winzige Schubfächer untergebracht waren. Es war sicher ein kostbares Stück, aber es wirkte auf mich befremdend, weil es gar nicht zu der übrigen Einrichtung des Raumes passte. Auch in diesem Zimmer sah man den Möbelstücken an, dass seit langer Zeit niemand mehr hier lebte.

Dann führte Frau Dressler uns in den Wohnraum. Und gleich als ich eintrat, hatte ich das Gefühl, mitten in meinem Film zu stehen. Der Raum war sehr groß, dank der breiten Fenster und der Terrassentür sehr hell und komplett eingerichtet. Doch im Gegensatz zum Arbeitszimmer waren hier die Möbelstücke mit weißen Tüchern verhängt. Es gab ein paar helle Flecke auf den Tapeten, wie Bilder sie hinterlassen.

Ein Flügel hatte seine Standbeine tief in den weichen Bodenbelag gedrückt. Frau Dressler wies auf die betreffenden Stellen und erklärte bedeutsam: «Steiners Frau hat gespielt. Anfang der fünfziger Jahre hatte sie einen guten Namen.»

Ich begriff zuerst nicht ganz, wovon sie sprach. Die Abdrücke im Teppich sagten mir nichts, und «spielen» brachte ich mit einem Roulettetisch in Verbindung. Erst als Frau Dressler weitersprach, ging mir der Sinn ihrer Worte auf.

«Sie hat Konzerte gegeben, ist auf Tournee gegangen, hat sogar selbst komponiert. Aber dann hörte sie ganz plötzlich auf. Das weiß ich noch, als wäre es gestern gewesen. Im November 56 hat sie ihr letztes Konzert gegeben. Es wurde im Radio übertragen. Und anschließend sagte sie dann, dass sie sich zurückzieht.»

Mit einem vernehmlichen Seufzer schüttelte Frau Dressler den Kopf. Sprach weiter mit einer Stimme, die einem Totengräber zur Ehre gereicht hätte: «Keiner hat es verstanden, so viel Talent, einige sprachen von göttlicher Begabung, und sie hörte auf. Und damit nicht genug, man sah sie kaum noch in der Öffentlichkeit, als ob sie über Nacht menschenscheu geworden wäre.»

Der Flügel war längst abgeholt worden. Verblieben waren ein wuchtiger Marmortisch, ein paar dunkle Ledersessel nebst der dazugehörigen Couch und zwei schmale Schränke.

Frau Dressler entfernte ein Tuch nach dem anderen, legte es jedoch gleich wieder zurück, wenn wir einen Blick auf das betreffende Stück geworfen hatten. Nur bei den Schränken ließ sie sich etwas mehr Zeit. «Das ist Kirschbaum», erklärte sie gewichtig, «die haben ihren Wert. Ich verstehe nicht, dass Steiners Söhne sie hier lassen wollen.»

Der Wohnraum war mit einer Wand vom Nebenzimmer getrennt, die aus einzelnen, beweglichen Elementen bestand. In Führungsschienen an Decke und Boden ließen sie sich völlig zur Seite schieben, sodass ein durchgehender Raum von den Ausmaßen eines kleinen Ballsaales entstand. Frau Dressler demonstrierte es gleich, und Laura sog zischend die Luft ein.

Diese Dimensionen, es war großartig, und still für mich

schüttelte ich den Kopf. Es war drei Nummern zu groß für uns. Das war kein Haus mehr, es war ein Palast. Und ich war nicht der Sultan von Werweißwo. Ich besaß keine Ölquellen oder sonstigen Schätze. Mein einziges Kapital waren die Gänsehaut, die verborgenen Ängste meiner Leser, das Aufatmen am Schluss.

Die kleinen Fragezeichen im Leben der Mitmenschen, für das Papier mit ein paar übersinnlichen Phänomenen angereichert, das ist faszinierend, aber das ist nur mein Beruf. Rein privat mag ich es lieber geruhsam und ohne Komplikationen.

Das Haus war traumhaft, und der Preis war lächerlich. Kein vernünftiger Mensch gab einen Palast für ein Trinkgeld her. Es sei denn, er hatte gute Gründe.

Frau Dressler machte Anstalten, die Treppe hinaufzusteigen. «Einen Augenblick noch», hielt ich sie zurück. «Was ich bisher gesehen habe, reicht eigentlich schon. Das Haus ist einfach zu groß für uns.»

Voller Protest riss Laura die Augen auf. Frau Dressler schaute mich eher ratlos an. «Ja, aber …» Ihr Blick klärte sich, ein kleines Lächeln folgte. «Wenn Sie sich Sorgen wegen der laufenden Kosten machen …»

«Nein, das ist es nicht», erklärte ich bestimmt.

Laura starrte mich immer noch so entgeistert an.

«Sehen Sie», begann ich zögernd, schaute Frau Dressler an, dann wieder Laura. «Dieses Haus ist wunderschön, es lässt keine Wünsche offen. Und der Preis ist …»

Da unterbrach mich Frau Dressler schon: «Der Preis ist doch völlig in Ordnung. Sie haben zu meinem Mann gesagt, bis dreihunderttausend.»

«Richtig», ich nickte, «und Ihr Mann sagte, dieses Haus ist gut und gerne mehr als das Doppelte wert. Damit hat er nicht übertrieben. Nun frage ich mich, warum verkauft ein Mensch ein Haus wie dieses zu einem solch lächerlichen Preis, und das noch so schnell wie eben möglich?»

«Tom», mahnte Laura, legte eine Hand auf meinen Arm. «Tom, bitte, gehen wir doch erst einmal hinauf und schauen uns die restlichen Räume an.»

Aber ich wollte nichts mehr anschauen. Ich wollte dieses Haus nicht. Was die Filmkulisse anging, da konnte Wolfgang weiterverhandeln, von mir aus auch der Produzent. Vielleicht würde ich ab und zu herkommen, in meinem Wagen am Straßenrand sitzen, die Atmosphäre auf mich wirken lassen und die entsprechenden Szenen dazu schreiben.

Draußen vor der Tür war es ideal gewesen, die steingewordene Inspiration. Da hatte mich nur die Gegensprechanlage gestört, jetzt störte mich alles. Die Schränke aus Kirschbaumholz, der zierliche Sekretär mit seinen geheimnisversprechenden Aufsatzschubfächern, warum ließ man das zurück?

Ich bin kein Fachmann, aber das waren Antiquitäten. So verrückt war kein normaler Mensch, dass er bares Geld grundlos an völlig Fremde verschenkte. Grundlos, da war es wieder. Irgendwo gab es immer einen triftigen Grund. Vielleicht habe ich einfach zu viel über Psychologie gelesen.

«Sie dürfen jetzt nicht nur das Haus sehen», sagte Frau Dressler in meine Gedanken hinein. «Gehen Sie einmal durch das Dorf, dann verstehen Sie das schon. Hier gibt es nicht mal ein Kino, nur Kühe. Eine Stunde Fahrt, wenn Sie mal ins Theater wollen. Keine Schule, sogar die Kleinen müssen in den Nachbarort. Sie müssen einmal in der Woche nach Bedburg, um einen Großeinkauf zu machen.

Und wenn Sie ein Teil vergessen, dann haben Sie es eben nicht, oder Sie fahren nochmal. Sie können sich natürlich auch direkt beim Bauern mit ein paar Dingen versorgen. Frisches Gemüse, frische Eier und so weiter, das können Sie hier haben. Aber das ist im Prinzip auch schon alles, was Sie hier können.»

Sie blinzelte erst mich, dann Laura treuherzig an. «Aber wenn man einen Wagen hat, ist das kein Problem, und für Leute mit Kindern ist es ideal. Frische Luft und kaum Durchgangsverkehr. Hier muss sich keiner Sorgen machen, wenn seine Kinder draußen rumtoben. Und in dem Haus hier, schauen Sie nur mal nach hinten, in den Garten rein. Für Kinder ist das ein Paradies.» Ein lang gezogener Seufzer. «Aber Leute mit Kindern können nicht so ohne weiteres eine halbe Million auf den Tisch legen. Und wenn sie es können, dann wollen sie nicht in solch einem Kaff leben. Die Steiners wissen das. Oh, die hatten anfangs ein paar Illusionen, was den Preis angeht. Haben gedacht, sie könnten ein Geschäft machen. Das hat mein Mann ihnen schnell ausgeredet. Also, machen Sie sich mal keine Sorgen, es hat alles seine Ordnung.»

«Aber warum ein Eilverkauf?», bohrte ich weiter.

Laura gab sich gelangweilt, doch inzwischen wartete sie ebenso gespannt auf die Antwort wie ich.

Frau Dressler zögerte, schaute sehnsüchtig an Laura vorbei die Treppe hinauf, hob ganz leicht die Schultern. Ihre füllige Brust wogte unter einem tiefen Atemzug auf und nieder. «Ach, wenn es nur nach den Söhnen gegangen wäre, wäre das Haus schon längst verkauft worden. Die wollten es gleich loswerden, als feststand, dass der Alte nicht mehr hierher zurückkonnte. Aber da hatte er noch das Sagen, und er hatte seinen eigenen Kopf. Er wollte nicht verkaufen, auf gar keinen Fall. Er wollte sie zwingen, hier wieder einzuziehen. Hat sogar sein Testament geändert deswegen. Aber da war er schon nicht mehr klar bei Verstand. Und die Söhne haben es angefochten. Mit Erfolg! Man muss das verstehen, die haben sich anderswo ihre Existenzen aufgebaut. Der eine lebt in Berlin, der andere in Hamburg. Da lässt man sich nicht zwingen, in einem Haus zu leben, in dem man ...» Urplötzlich brach sie ab, ließ den Blick durch die Halle wandern, als suche sie etwas Bestimmtes.

«In dem man was?», fragte Laura. Allein ihr Ton ließ keinen Zweifel daran, dass sie auf einer Antwort bestehen würde.

Frau Dressler wand sich wie ein Wurm. Es war offensichtlich, dass sie ihren letzten Satz zutiefst bereute. «Ach Gottchen.» Ein kleiner Seufzer, ein Achselzucken. «Die haben sich hier schon als Kinder nicht wohl gefühlt. War ein sonderbarer Kauz, der Alte, hat die Leute immer eingeschüchtert, seine Söhne eingeschlossen.» Plötzlich strahlte sie uns an. «Wissen Sie, ich bin hier aufgewachsen. Und ich sehe die beiden heute noch durch das Dorf schleichen. Die Köpfe eingezogen und so tief gesenkt, dass man denken musste, sie wollen unbedingt Löcher in den Boden gucken. Als sie dann etwas älter waren, gingen sie in ein Internat. Da kamen sie nicht mal mehr in den Ferien her. Und dann verließ ihn auch noch die Frau. Im Dorf wird heute noch darüber gemunkelt. Er hat dann alleine hier gelebt. Bis zu dem Unfall.»

Jetzt gab es für Laura kein Halten mehr. Ihr Blick bekam etwas von einem Schlangenbeschwörer.

Nach einer winzigen Pause, in der sie wohl auf Gnade und Barmherzigkeit hoffte, fuhr Frau Dressler mit gequälter Miene fort: «War eine böse Sache. Er ist auf der Kellertreppe gestürzt und hat ein paar Tage gelegen, ehe man ihn fand. Er hatte sich das Rückgrat gebrochen. Gefunden hat ihn seine frühere Köchin. Der war aufgefallen, dass die Küchentür seit Tagen offen stand. Als sie ihn ins Krankenhaus brachten, war er in einem bösen Zustand. Keiner hat damit gerechnet, dass er überlebt, aber er war zäh. Und dann war er ein Pflegefall, gelähmt und verwirrt. Hat eine Menge Unsinn erzählt über die Zeit, die er hier gelegen hat.» Frau Dressler sprach weiter wie ein Wasserfall. Als ob sie es auf diese Weise schneller hinter sich bringen könnte. «Mein Mann hat sich im Dorf umgehört. Er hatte da anfangs die gleichen Bedenken wie Sie, weil die Steiners sich mit dem Preis so einfach runterhandeln ließen. Das hör ich ja heute noch, wie er immer sagte: ‹Mit dem Haus stimmt was nicht.› Aber da stimmt alles, glauben Sie mir. Das Haus ist völlig in Ordnung.»

Laura warf mir einen sehr entschlossenen Blick zu und drängte mich kaum merklich zur Treppe hin. Frau Dressler atmete tief durch. Wir stiegen endlich hinauf.

Im Obergeschoss gab es noch einmal vier Räume, allesamt Schlafzimmer. Die beiden zur Straße liegenden, im Raumplan als Kinderzimmer deklariert, waren leer, das linke von den beiden Zimmern mit Blick auf den Garten war noch teilweise möbliert. Ganz ohne Zweifel das Schlafzimmer einer Frau.

«Das hier wird auch noch abgeholt», sagte Frau Dressler. Ich trat an eines der Fenster und schaute hinaus. Wie Dressler schon gesagt hatte, kein Garten, ein Park. Alles war sehr verwildert. Der ehemals vermutlich gepflegte Rasen war völlig aus der Form geraten, von wilden Blumen und Unkraut durchsetzt. Weiter hinten standen Beerensträucher und Obstbäume, alles in üppigem Grün.

Und zwischen dem Grün sah ich ein paar weiße Tupfen auf und ab hüpfen. Sie gehörten zum Kleid eines kleinen Mädchens, das zwischen den Sträuchern herumlief.

«Da ist ein kleines Kind im Garten», sagte ich ganz automatisch.

Frau Dressler trat neben mich ans Fenster, aber offenbar hatte sie nicht so gute Augen. Sie zog die Stirn in Falten und starrte angestrengt durch die verstaubte Glasscheibe. Dann winkte sie ab. «Es ist kein Zaun da und keine Hecke. Da kann natürlich jeder auf das Grundstück. Wenn es Sie stört ...»

«Nein», fiel Laura ihr ins Wort. «Es stört uns ganz bestimmt nicht. Wir mögen Kinder.»

Das kleine Mädchen war inzwischen weitergelaufen und nicht mehr zu sehen. Da war nur noch dieser urwüchsige Park. Es fiel mir schwer, mich loszureißen.

Das der Treppe gegenüberliegende rechte Zimmer war komplett möbliert. Ein wuchtiges Einzelbett, Kleiderschrank und dergleichen, Steiners Schlafzimmer. Das größere der beiden Bäder lag gleich daneben, hatte Verbindungstüren zu beiden Räumen. Die Treppe führte noch weiter hinauf, endete vor einer massiven Holztür. Dahinter lag der Dachboden. Wir warfen nur einen kurzen Blick hinein.

Ein riesengroßer, durchgehender Raum, notdürftig erhellt durch vier verglaste Schlitze in den Giebelwänden. Zwei Kamine, massives Gebälk, ein wenig Gerümpel in einer Ecke. Vor einem der Kamine erkannte ich flüchtig ein weiß lackiertes Schaukelpferd.

Zuletzt schauten wir uns den Keller an. Da das Gelände

an der Rückfront des Hauses stark abfiel, lag der Keller im hinteren Bereich zu ebener Erde. An dieser Seite war die Küche. Komplett eingerichtet mit allen Geräten, die man in einer Küche braucht. Eine Tür führte direkt ins Freie hinaus, ein großes Fenster daneben ließ genügend Licht ein. Es stand offen.

Frau Dressler ging hin, um es zu schließen, lächelte verlegen. «Das ist wegen der frischen Luft», erklärte sie. «Aber man kann besser die Fenster im Obergeschoss öffnen. Sonst kann ja jeder einsteigen.»

Gleich neben der Küche lag ein Raum von normaler Größe. Von der Größe eben, die wir bei einem Zimmer gewohnt waren, drei mal vier Meter. Es gab ein Bett darin, einen Schrank, Tisch und Stuhl, zwei Regale an den Wänden, eine schmale Tür führte hinter dem Bett in einen Waschraum mit einer kleinen Wanne und einem WC.

«Die Dienstbotenkammer», erklärte Frau Dressler.

Das Bett war sogar noch bezogen. Laken, Federbett, Kissenbezüge, alles war stark verschmutzt, einfach verstaubt. Trotzdem wirkte dieses Zimmer gemütlich. Auf dem Kopfkissen lag ein unförmiges Gebilde aus dunkelgrünem Tuch. Es fiel mir auf, weil es sich stark von den karierten Bettbezügen abhob. Doch erst bei näherem Hinsehen erkannte ich, was es darstellen sollte. Eine äußerst primitive Puppe.

Der Dienstbotenkammer gegenüber war ein Mauerstück. Es verschloss die Nische, die man gemeinhin unter jeder Kellertreppe findet, völlig. Auf der Mauer war, etwa sechzig Zentimeter über dem Boden, eine dünne, aber solide Eisenklappe von quadratischer Form und gut einem halben Meter Seitenlänge angebracht. Rechts war sie mit starken Scharnieren befestigt. Links befand sich ein mächtiger Riegel, der unter einen in die Mauer geschlagenen Krampen geschoben werden konnte, um die Klappe zu verschließen.

Doch der Riegel war nicht vorgeschoben, und die Klappe stand ein wenig von der Mauer ab. Laura öffnete sie ganz, spähte angestrengt in die Dunkelheit und blies die Backen auf. «Da sieht man ja die Hand nicht vor Augen», murmelte sie.

Frau Dressler wies auf die nächste Tür. Dahinter lag der Heizraum mit Gasbrenner für die Zentralheizung. Dann gab es noch zwei Vorratsräume mit leeren Regalen und einer großen Gefriertruhe. Ein Geräteraum, in dem Spaten, Harken, Rasenmäher und alles Mögliche an Werkzeug untergebracht war, zuletzt die Garage, die ebenfalls im Keller lag.

Wir diskutierten den ganzen Abend und die halbe Nacht lang. Für Laura war es bereits auf der Heimfahrt «mein Haus» gewesen, und ich … Nein, ich war nicht dagegen. Und ich will weiß Gott nicht behaupten, ich hätte irgendwelche Ahnungen gehabt.

Es war einfach die Entscheidung an sich. Ein Haus kauft man nicht wie einen Packen Schreibpapier. Und solch ein Haus … Ich fühlte mich plötzlich wie der kleine Junge, der gerade von den geheimnisvollen unterirdischen Gängen hört, der alle möglichen Scheusale darin vermutet und sein Herzklopfen genießt.

Sich diese Scheusale bei Nacht im mollig warmen Bett vorzustellen war die eine Sache. Aber selbst in den unterirdischen Gängen nach ihnen zu suchen war eine ganz andere. Und meine Ungeheuer waren diesmal so durch und durch realer Natur wie morsches Dachgebälk, verborgene Risse in den Wänden, absackende Fundamente oder Hypothekenzinsen, die über Nacht ins Uferlose anstiegen.

Meiner Meinung nach hatte ich zurzeit genug andere Sorgen und einfach nicht die Zeit, mich um Dinge zu kümmern, von denen ich keine Ahnung hatte.

«Vergiss eines nicht», sagte ich zu Laura. «Es ist ein altes Haus. Es wirkt massiv auf den ersten Blick, aber das beweist noch gar nichts. Die Mängel kommen immer erst zum Vorschein, wenn es zu spät ist. Wenn wir Pech haben, bricht uns nach einem halben Jahr das Dach über dem Kopf zusammen.»

Laura zischte etwas, das in meinen Ohren wie «Feigling» klang. Dann kam ein: «Ich will es haben, Tom!» Und das klang endgültig.

Ich grinste, weil ich kein Argument dagegen hatte, und fuhr fort: «Vielleicht hat Steiners Frau ihn gar nicht verlassen. Vielleicht hat er sie erwürgt. Jetzt geht sie im Haus um, ihm hat sie bereits das Kreuz gebrochen. Aber wer weiß, ob ihre Rache damit befriedigt ist?»

Laura lächelte böse. «Phantastisch. Mach das Exposé fertig und bring es zu Wolfgang. Er wird begeistert sein, und wir können uns danach notfalls auch noch ein neues Dach leisten.»

Bei allem Humor, ich wurde das Gefühl nicht los, mich auf eine Sache einzulassen, die ich nicht voll überschauen konnte.

Am nächsten Morgen rief ich zuerst meinen Vater an.

«Da gibt es doch kein Wenn und Aber», sagte er. «Wenn du Zweifel hast, zieh einen Sachverständigen hinzu. Verlang ein Gutachten über die Bausubstanz oder gib selbst eins in Auftrag. Bei dem Preis lohnt sich das bestimmt.»

Doch dann kam ich selbst auf eine viel bessere Idee. Als Nächstes rief ich Dressler an. «Um es vorwegzunehmen», begann ich, «das Haus gefällt uns. Nur möchten wir es nicht gleich kaufen. Falls die Möglichkeit besteht, würden wir es zuerst einmal mieten. Sagen wir, für ein Jahr.»

Begeistert war Dressler nicht. «Sie sind aber sehr vorsichtig», meinte er, versprach jedoch, mit den Steiners über meinen Vorschlag zu reden.

Eine ganze Woche verging, und wir hörten und sahen nichts von ihm. Laura war entsetzlich böse mit mir. So kannte ich sie gar nicht. Wenn sie in meine Nähe kam, verwandelte sie sich in einen Eisblock. Zum Glück war sie nicht oft in meiner Nähe. Sie fuhr schon sehr früh am Morgen zu Weber und Wirtz, da war irgendetwas im Busch.

Laura kam erst spät in der Nacht dazu, sich über mein Zögern aufzuregen. Aber dann tat sie es auch. Bis dahin hatten wir noch nie richtig gestritten. Wir stritten auch jetzt nicht. Ich hielt einfach meinen Mund und ließ Laura sagen, was immer ihr in den Sinn kam.

Dann, es war ein Sonntagvormittag, Mitte Mai, klingelte das Telefon. Ein Doktor Andreas Steiner meldete sich und erklärte, er sei mit meinem Vorschlag einverstanden. Es ginge ihm doch in erster Linie darum, das Haus nicht länger unbewohnt zu lassen. Was er sagte, klang vernünftig und keineswegs so, als wolle er das Haus seines Vaters verschenken.

«Wir haben keine Möglichkeit, uns entsprechend um das Anwesen zu kümmern», sagte er. «Für uns ist es nur eine Belastung.»

Wir wurden schnell einig. Dressler sollte einen befristeten

Mietvertrag vorbereiten, der eine Klausel über das Vorkaufsrecht enthielt. An Miete verlangte Steiner fünfzehnhundert pro Monat, zuzüglich der entstehenden Nebenkosten. Und er gab sich sehr kulant.

«Wenn Sie sich zum Kauf entschließen», erklärte er mir, «können wir die bis dahin gezahlte Summe mit dem Kaufpreis verrechnen.»

So kamen wir zu Steiners Haus. Mein ganz privates Haus auf dem Hügel. Wenn die im Mietvertrag genannte Zeit abgelaufen ist, werden wir es kaufen. Das steht bereits fest. Laura hat mir deutlich zu verstehen gegeben, dass sie notfalls alleine hier bleibt. Sie hat hier die Erklärung für ihre entsetzliche Kindheit gefunden. Und selbst wenn ich wollte, nach allem, was wir im letzten halben Jahr durchgestanden haben, könnte auch ich nicht mehr weggehen.

Gleich nach dem Gespräch mit Andreas Steiner fuhren wir zu meinen Eltern und feierten den Erfolg. Danny spielte im Garten. Vom Fenster aus beobachtete Laura ihn und diskutierte dabei mit Mutter die Vorzüge des Landlebens. Mit einem Ohr hörte ich ihnen zu.

Ich erinnerte mich plötzlich an meine Kindheit, an die Küchentür zum Garten. Während des ganzen Sommers stand sie offen. Ich war nie bei der Hand genommen und auf einen Spielplatz geführt worden wie Danny. Ich war einfach hinausgelaufen, konnte kommen und gehen, wann ich wollte, und nicht nur in den Garten.

Da war der Bach, etwa hundert Meter von unserem Grundstück entfernt. An seiner Uferböschung ließ sich eine Menge Getier beobachten und einsammeln. Fünf oder sechs Freunde waren wir gewesen, und einer von uns kam immer mit nassem Hinterteil heim.

Ich hatte eine unbeschwerte Kindheit. Mit allem, was dazugehörte. Jede Menge Dreck und Wasser, Hecken zum Hineinsteigen, eingezäunte Weiden, ein paar Dutzend friedlich darauf grasender Kühe, unsere Büffelherden.

Danny tat mir plötzlich Leid. Das Stadtkind, eingepfercht zwischen Beton und Fußgängerüberwegen. Sonntags ein Ausflug in den Stadtwald oder ein Besuch bei den Großeltern.

«Du könntest dir einen kleinen Gemüsegarten anlegen», sagte Mutter zu Laura.

Ja, das vielleicht auch, aber vordringlich eine Sandkiste für Danny und ein kleines Regenfass und eine offene Tür zum Garten. Eine weitere Woche lang schwelgten wir in Zukunftsträumen.

Dressler schickte uns den Mietvertrag in doppelter Ausfertigung. Beide Exemplare waren bereits von ihm, als Stellvertreter der Steiners, unterschrieben. Wir unterschrieben ebenfalls und schickten ihm ein Exemplar zurück.

Zwei Tage später konnten wir uns die Schlüssel bei ihm abholen. Auch in dem Punkt kam man uns entgegen. Offiziell gemietet hatten wir das Haus ab dem 1. Juli. Es stand uns jedoch bereits ab dem 23. Mai zur Verfügung.

«Sie wollen doch sicher vor Ihrem Einzug renovieren», meinte Dressler.

Mit den Schlüsseln überreichte er uns auch eine Liste des noch vorhandenen Inventars, welches wir nun quasi für ein Jahr in Verwahrung nahmen, ehe wir frei darüber verfügen konnten.

Natürlich fuhren wir von Dresslers Büro aus sofort hin. Die Holzkisten und die Möbel aus dem linken, hinteren

Schlafzimmer waren in der Zwischenzeit abgeholt worden, aber sonst war alles unverändert. Wie Kinder schlichen wir durch die einzelnen Räume im Erdgeschoss, dann die Treppe hinauf. Die beiden hinteren Zimmer waren bereits verplant. Das rechte sollte unser Schlafzimmer werden. In dem linken wollte ich mein Arbeitszimmer einrichten. Den Schreibtisch vor eines der Fenster stellen, mit Blick über diesen herrlichen Garten, den ich gar nicht ganz überschauen konnte.

Dann nahmen wir uns den Dachboden vor. Es gab elektrisches Licht, fünf relativ starke Glühbirnen insgesamt, die gleichzeitig aufflammten, als ich den Schalter drückte. Helligkeit bis in den allerletzten Winkel. Die dicke Isolierschicht zwischen den Dachbalken glitzerte.

Ich drückte den Schalter gleich noch einmal, die Glühbirnen erloschen, und wir stöberten eine Weile im Zwielicht herum. Etwas Aufregendes gab es jedoch nicht zu entdecken. Auch hier schien jemand vor der Schlüsselübergabe noch ausgeräumt zu haben. Das Gerümpel aus der Ecke war verschwunden. Aber einige Sachen waren zurückgeblieben.

Abgesehen von dem Schaukelpferd vor dem Kamin, gab es eine Holzeisenbahn, sauber verpackt in einem angestaubten Karton, eine Ritterburg mit sämtlichem Zubehör und diverse andere Dinge, die man eindeutig Steiners Söhnen zuordnen konnte.

Laura nötigte mich, das Licht wieder einzuschalten. Sie entdeckte weitere Kartons, allesamt mit einer dicken Staubschicht überzogen, ordentlich geschlossen und mit Kordel verschnürt. Natürlich wurden sie umgehend geöffnet.

Sie fand einen Packen Notenblätter, die meisten davon

mit der Hand geschrieben. In anderen Kartons fanden sich Rechnungen, zurückreichend bis in das Jahr 1937. Unter dem Hefter lag ein Bündel Reichsmark. Dann entdeckte Laura eine Anzahl merkwürdiger Schnipsel, die ich als die Reste einer Lebensmittelkarte identifizierte.

Für Laura war es erregend, dermaßen in einer Zeit zu schnüffeln, die sie nur aus dem Geschichtsunterricht kannte. Ich selbst erinnerte mich noch lebhaft an ähnliche Exkursionen auf dem Dachboden meiner Großeltern. Damals war ich zehn gewesen und hatte bedeutend mehr ans Tageslicht gebracht als die magere Ausbeute hier.

«Wir lassen am besten das gesamte Inventar hier heraufschaffen», schlug ich vor. Platz war mehr als genug, und Laura nickte zustimmend.

Nachdem wir oben genug gesehen hatten, gingen wir in den Keller. Ich schaltete die restlichen elektrischen Sicherungen ein. Damit war die Küche betriebsbereit. Laura drehte probeweise an einem der Herdschalter, gleich darauf wurde die Platte unter ihrer Handfläche warm.

«Kochen können wir», stellte sie fest, machte jedoch gleich eine Einschränkung: «Benutzen möchte ich die Küche nicht.»

«Warum nicht? Du hast doch immer von einer riesengroßen Küche geträumt, und sie ist perfekt eingerichtet.»

«Na und», es klang ein wenig schnippisch. «Oben ist Platz genug für eine riesengroße Küche.»

Irgendetwas schien sie verärgert zu haben, ihre gute Laune war dahin. Ich schob es auf ihren Zustand und tröstete mich damit. Obwohl Laura nicht dazu neigte, Launen zu haben, war die Schwangerschaft doch eine Entschuldigung, die ich akzeptieren konnte. So musste ich es wenigstens nicht auf einen Streit ankommen lassen.

Wie sie da stand, dicht bei dem Herd, den großen Arbeitstisch mit einem unwirschen Blick betrachtend, war ihre Abneigung gegen diese Küche plötzlich greifbar, und es gab keinen vernünftigen Grund dafür.

Das allein schon machte mich wütend. Mir widerstrebte der Gedanke, einen der herrlichen Räume im Erdgeschoss für eine Küche zu opfern, wo das so offensichtlich überflüssig war. Zur Wahl stand ohnehin nur Steiners Arbeitszimmer. Darin gab es garantiert keine Anschlüsse für die Spüle und den Herd. Bevor wir gravierende Veränderungen vornahmen, mussten wir gewiss das Einverständnis der Besitzer einholen. Und allein die Vorstellung, unseren Herd, den ich vor Jahren preisgünstig aus zweiter Hand erworben hatte, den Kühlschrank mit seinem altersschwachen Gluckern, die beiden Hängeschränke und die diversen anderen Einzelteile in Steiners Arbeitszimmer zu verteilen, war lächerlich.

Ich kannte Laura, spätestens zwei Wochen nach unserem Einzug würde sie mit größeren Anschaffungen beginnen. «Wir können uns das doch leisten, Tom.» Das hörte ich schon. Unnötige Kosten, dachte ich, Handwerker, aufgeschlagene Wände, Lärm und Dreck und Unfrieden. Aber Laura machte einen so gereizten Eindruck, dass ich mir diese Gedanken lieber für später aufhob.

Die Tür zur Dienstbotenkammer stand offen. Die Stoffpuppe lag nicht mehr auf dem Kopfkissen. Und das war nicht alles, was sich im Keller verändert hatte. Bevor wir wieder hinaufgingen, wurde Laura auf die Klappe aufmerksam. Der mächtige Riegel war jetzt unter den Krampen geschoben und zusätzlich mit einem schweren Vorhängeschloss gesichert. Und das Schloss war abgesperrt.

Als die Frau zum letzten Mal kam, stellte sie in der Nähe des Eingangs eine geöffnete Milchflasche hin. Daneben legte sie eine Hand voll Kekse. Das Kind hatte ihre leichten Schritte gehört und war voller Erwartung auf den Eingang zugekrochen. Und als es sich aufrichtete, sagte die Frau leise: «Du solltest doch schlafen, Püppchen. Warum schläfst du denn nicht?»

Sie beugte sich herab und strich ihm über das Haar. Das war nicht außergewöhnlich, das tat sie oft, wenn sie Nahrung brachte. Und doch war diesmal etwas ganz anders.

Das Kind hatte keine konkrete Vorstellung von Tagen oder Stunden. Doch es lebte in einem fest gefügten Rhythmus und hatte ein ausgeprägtes Zeitgefühl. Und als die Frau zum letzten Mal kam, stimmte die Zeit nicht.

Milch und Kekse, das war der Abschluss. Danach kam immer die Zeit der Stille. Milch und Kekse brachte die Frau nur dann, wenn sie das Kind nicht mit sich hinaus nahm. Milch und Kekse waren nur Ersatz für den warmen Körper.

Und als sich die Frau zu ihm hinabbeugte, fielen ein paar Tropfen von ihrem Gesicht auf das seine. Und Tropfen waren böses Wetter. Wenn Tropfen fielen, brachte die zweite Frau es in höchster Eile zurück. Und oft trug ihr Gesicht dabei einen gehetzten Ausdruck, war ihre Stimme atemlos.

Das Kind dachte nicht bewusst darüber nach. Doch es war imstande, gewisse Schlüsse zu ziehen. Und es hatte einen feinen Instinkt. Tropfen waren Gefahr.

Der erste Impuls war, nach der Flasche zu greifen und von der Milch zu trinken. Es folgte diesem Impuls nicht. Etwas Diffuses in seinem Innern mahnte zur Vorsicht.

Am Morgen war die Frau schon einmal gekommen und hatte Nahrung gebracht. Zwei belegte Brotscheiben auf einem Holzbrett und einen Becher mit Saft.

Aber am Morgen war es nicht sehr hungrig gewesen, hatte nur einmal von dem Brot abgebissen, hatte anschließend etwas von dem Saft getrunken. Aber der Saft schmeckte nicht. Er war bitter.

Als die Frau den Eingang schloss, kroch das Kind verwirrt in den Winkel zurück. Es rollte sich auf der weichen Unterlage zusammen, nahm die Puppe in den Arm und den Daumen in den Mund und wartete auf die zweite Frau.

Aber sie kam nicht. Da waren Schritte vor dem Eingang, doch die eiligen waren nicht dabei. Da waren auch Stimmen, die dunkle und einmal noch die weiche Stimme der Frau. Das Kind lauschte eine Weile, dann schlief es ein.

Es erwachte von einem Geräusch. Geräusche hatte es immer gegeben. Und wenn es auch nicht genau wusste, welche Bedeutung den einzelnen Lauten und Tönen zukam, so konnte es doch viele unterscheiden. Sie waren vertraut, wiederholten sich in einem fast gleichmäßigen Rhythmus, gehörten zur Ordnung. So wie das leise Klacken am Eingang.

Dort war eine Klinke, und wenn sie heruntergedrückt wurde, entstand das Klacken. Dann fiel ein gelbes Viereck in seinen Raum, und der Schatten einer der Frauen zeichnete sich auf dem Boden ab. Und wenn die Frauen kamen, gab es Nahrung oder Draußen oder Wärme.

Das leise Klacken war ein gutes Geräusch, und als es jetzt davon aus seinem Schlaf geweckt wurde, richtete es sich auf und schaute erwartungsvoll zum Eingang. Dort stand *noch unangetastet die Milchflasche, daneben lagen die Kekse. Zu sehen war davon nichts, aber beides musste noch da sein. Es war durstig und kroch langsam auf die Flasche zu.*

Aber es hatte sie noch längst nicht erreicht, als der Eingang geöffnet wurde. In der hereinbrechenden Helligkeit konnte es für einen kurzen Augenblick die Flasche deutlich erkennen. Dann verdunkelte der Eingang sich, eine Gestalt schob sich vor das Licht. Aber es war keine der beiden Frauen.

Der Schatten war mächtig und drohend. Vor Schrecken stieß es einen feinen, schrillen Ton aus. Dann verhielt es mitten in der Bewegung, blieb ganz still und reglos am Boden hocken. Es hörte einen Laut, der wie ein dumpfes, erschrecktes Stöhnen klang. Der Eingang wurde hastig wieder geschlossen.

Das Kind war verwirrt, kauerte sich hin und wartete. Den Kopf hielt es zur Seite geneigt, lauschte. Jetzt waren die festen Schritte da draußen. Und die festen Schritte waren Er. Und Er durfte nichts wissen, nichts sehen und nichts hören.

Die Schritte entfernten sich. Als sie ganz verklungen waren, wartete das Kind noch minutenlang. Dann kroch es in der Dunkelheit weiter auf die Flasche zu. Vorsichtig streckte es die Hand danach aus. Seine Finger berührten etwas Kühles. Doch das war nicht die Flasche. Als es die zweite Hand zu Hilfe nahm, erkannte es den Saftbecher. Und es erinnerte sich an den bitteren Geschmack.

Es trank nur einen winzigen Schluck, um den ärgsten Durst zu löschen. Dann legte es wieder den Kopf zur Seite und lauschte. Alles war still.

Nach einer Weile kroch es zurück in die Ecke, setzte sich, zog die Beine an den Leib und nahm seine Puppe in den Arm. In dieser Stellung horchte es weiter.

Es war verstört von der Unordnung. Um sich zu beruhigen, wiegte es sich langsam vor und zurück. Ließ freundliche, helle Bilder vor den Augen entstehen.

Draußen, die leuchtenden Farben, die sanften Töne. Selbst in den letzten Tagen war es noch gerne draußen gewesen. Obwohl draußen in den letzten Tagen gleichbedeutend mit «kalt» gewesen war.

«Komm, Püppchen.» Die Worte waren nur in seinem Kopf, aber es hörte sie ganz deutlich. «Lauf», sagte die zweite Frau meist noch und schielte den Weg zurück, den sie mit ihm gekommen war, als ob sie sich fürchte, bei einer Schandtat ertappt zu werden.

Und sie selbst ging zurück, während es in ungelenken Sätzen über die Wiese sprang. Ganz deutlich sah es in der Dunkelheit das Gras vor sich. Es war ein tröstliches Bild. Aber schließlich reichte dieser Trost nicht mehr.

Mit wachsendem Unbehagen lauschte es in die Stille. Da drangen plötzlich wieder die festen Schritte an sein Ohr. Das Kind drückte sich tiefer in den Winkel. Der Eingang wurde geöffnet, wieder fiel der mächtige Schatten zu ihm herein. Da war ein Schaben und Kratzen. Eine große Hand griff um den Eingang herum, entfernte die Klinke auf seiner Seite. Und der Eingang wurde wieder geschlossen.

Als dann der erste, wuchtige Hammerschlag gegen die Mauer dröhnte, begann das Kind aus Furcht und Entsetzen leise zu wimmern.

Laura starrte die Klappe mit zusammengekniffenen Augen an. «Ach du meine Güte», sagte sie und fummelte an dem Schloss herum. «Das ist aber neu. Warum haben sie das denn zugemacht? Das ist ja schlimmer, als wenn sie da drin einen Tresor untergebracht hätten.» Dann drängte sie mich: «Mach mal auf! Ich will wissen, was sie da reingetan haben.»

Dressler hatte uns einen umfangreichen Schlüsselbund ausgehändigt. Doch unter all den Schlüsseln war keiner, der zu dem Vorhängeschloss passte. Ich probierte sie der Reihe nach aus, und Laura wurde zusehends nervöser.

«Gib mal her!» Sie stampfte sogar mit dem Fuß auf, als sie mir den Schlüsselbund aus der Hand riss. Als sie dann mit ihrer Probiererei die gleiche Erfahrung machte wie ich zuvor schon, wurde sie vollends unausstehlich.

«Das kommt weg!», fauchte sie mich an und pochte dabei mit den Fingerknöcheln gegen die Eisenklappe. «Das will ich hier nicht haben. Hier wird nichts abgesperrt. Ich will wissen, was unter meiner Treppe ist.»

«Noch ist es nicht deine Treppe», sagte ich, um einen halbwegs scherzhaften Ton bemüht, der mir jedoch nicht ganz gelang. Ich legte ihr einen Arm um die Schultern, versuchte sie von der Mauer wegzuziehen. «Und darunter ist nur ein finsteres Loch», erklärte ich.

Kaum ausgesprochen, erinnerte ich mich an den stockdunklen Winkel unter der Kellertreppe im Haus meiner Eltern. An die Beklemmung, die ich jedes Mal empfunden hatte, wenn ich spätabends noch etwas aus dem Keller holen sollte und daran vorbeigehen musste. An die Vorstellung, dass es von diesem Winkel aus eine direkte Verbindung zu den mysteriösen unterirdischen Gängen gab.

Es hatte mich entsetzlich gegraust, und nie hatte ich es gewagt, einmal mit einer Taschenlampe in diesen Winkel zu leuchten. Vater stapelte das Kaminholz darin. Und wenn das zum Frühjahr hin weniger und weniger wurde, war ich fest überzeugt, dass eines Tages eine Hand aus dem Dunkel nach mir greifen würde, um mich hinabzuzerren in die ewige Finsternis. Nur einmal war ich freiwillig in dieses Loch gekrochen. Ebenjene Episode, die meine Mutter anlässlich unserer Hochzeit so bereitwillig zum Besten gegeben hatte.

Das Vorhängeschloss und der starke Riegel machten die Nische interessant, die Klappe und die Mauer wiederum machten sie mir sympathisch. Aber es war nur einer meiner üblichen Scherze, es war nur ein Versuch, Laura auf andere Gedanken zu bringen, als ich sagte: «Steiner hat seine Frau hier gefangen gehalten. Deshalb hat man sie nicht mehr in der Öffentlichkeit gesehen. Und jetzt haben seine Söhne das böse Werk vollendet. Klappe zu, Mutter tot.»

Laura lächelte dünn, klopfte noch einmal mit den Fingerknöcheln gegen das dünne Eisen. Es gab einen dumpfen Ton. Sie horchte ihm nach, schaute mich geistesabwesend dabei an.

«Du hast auch bloß deine verdammten Geschichten im Kopf. Du willst doch nicht etwa so was schreiben?»

Ganz neue Töne, und im ersten Augenblick zuckte ich doch ein wenig zusammen. Ich tat so, als hätte ich das Wort «verdammten» nicht gehört, hob theatralisch die Schultern. «Zugegeben, es ist primitiv, eigentlich müsste mir zu diesem Haus eine bessere Story einfallen. Aber vielleicht kommt die noch.»

«Ein Spukhaus hattest du schon», sagte Laura und schüttelte verächtlich den Kopf. «Da würden die Leute denken, dem geht der Stoff aus.»

Ich nahm sie in die Arme, drückte sie an mich. Es war

einer von den Augenblicken, in denen mir besonders deutlich wurde, wie sehr ich sie liebte und wie hilflos ich doch im Grunde war. Nach ein paar Sekunden lehnte Laura den Kopf gegen meine Schulter.

«Tut mir Leid», murmelte sie. «Ich wollte nicht gemein werden. Aber abgesperrte Türen machen mich wahnsinnig.»

«Das ist keine Tür», sagte ich.

Und Laura starrte die Klappe an und atmete tief durch.

«Man schleppt halt an seinem Kreuz», erklärte sie vage. Dann legte sie mir einen Arm um die Hüfte. «Bring mich hier weg, Tom.»

Laura fieberte dem Augenblick entgegen, ihren Eltern die frohe Botschaft zu überbringen. Die waren am 10. April nach Spanien geflogen. Sechs Wochen wollten sie bleiben. Eine Anschrift für den Notfall hatte Bert uns nicht hinterlassen.

Er hatte für diesen Urlaub ein richtiges Programm ausgearbeitet. Zuerst Madrid, dann Barcelona, Valencia, Alicante und weiter die Küste entlang nach Cartagena, Almería, vielleicht noch weiter hinunter.

Zwar hatten wir bereits vor ihrer Abreise mit Bert darüber gesprochen, dass wir der Großstadt endgültig Lebewohl sagen wollten. Doch dass es so rasch gehen würde, damit hatte niemand von uns rechnen können.

Einmal erhielten wir eine ziemlich bunte Ansichtskarte, auf der Bert, seiner Schrift nach zu urteilen in großer Eile, mitteilte, dass sie vielleicht noch ein oder zwei Wochen länger bleiben würden.

Am 26. Mai rief er an. Es war gegen sechs Uhr abends. Sie waren gerade zur Tür hereingekommen, wollten sich jetzt ein wenig hinlegen. Ob wir nicht Lust zu einem kleinen Besuch hätten, vielleicht morgen Abend?

Laura war ans Telefon gegangen, und ich hörte sie sagen: «Bis morgen Abend kann ich nicht warten, Vati. Ich habe eine Neuigkeit, und ich würde glatt ersticken, wenn ich sie noch so lange für mich behalten müsste.» Dann jubelte sie los: «Stell dir vor, wir haben ein Haus. Du wirst staunen, wenn du es siehst. Es ist einfach umwerfend, riesengroß.»

Sie zog das Wort entsprechend in die Länge, damit auch der richtige Eindruck entstand. Am anderen Ende der Leitung hörte ich Bert lachen.

«Also schön», meinte er. «Weil du es bist, heute Abend, aber lass mir zwei Stunden Zeit zum Atemholen.»

Um acht fuhren wir los, Danny wollte unbedingt mit und versprach, dafür am nächsten Morgen entsprechend länger zu schlafen. Bert sah gesund und gut erholt aus. Marianne schlief, als wir ankamen.

«Sie war sehr erschöpft», erklärte Bert. «Wir lassen sie besser schlafen.»

Es war Marianne in den letzten Wochen sehr schlecht gegangen. Und diesmal, so schien es, hätte einer der üblichen Kurzurlaube ihr nicht geholfen. Nur deshalb hatte Bert sich zu dieser langen Reise entschlossen. Er hatte wohl gehofft, sie damit auf andere Gedanken zu bringen. Mariannes Krankheit bestand aus Gedanken. In den vergangenen Jahren hatte ich es selbst mehrfach erlebt, dass sie plötzlich mitten in einem belanglosen Gespräch aufstand und aus dem Zimmer ging. Wenn sie länger als fünf Minuten fortblieb, folgte Bert ihr regelmäßig, um zu sehen, was sie tat. Er war immer in Sorge um sie.

Er liebte sie auf eine stille und sehr intensive Weise. Ich

denke, er hätte alles getan, um ihr zu helfen. Natürlich hatte er sie immer wieder gebeten, doch endlich einen Arzt zu konsultieren. Aber dagegen wehrte Marianne sich energisch.

Und meist ging es ihr auch nach einigen Tagen wieder besser. Wenn nicht, dann schickte Bert sie eben auf eine ihrer Reisen. Harz, Spessart, Schwarzwald, kleine Pensionen, deren Besitzer er kannte, mit denen er befreundet war, denen er vertraute. Dort wusste er Marianne in guten Händen.

Ich hatte keine Ahnung, was Mariannes Depressionen immer wieder aufs neue auslöste. Und diesmal war es sehr schlimm gewesen.

Bert führte uns ins Wohnzimmer, erklärte kurz: «Die Abwechslung hat ihr gut getan. Ich habe sie selten so ausgeglichen erlebt.»

Er setzte sich und nickte Laura zu. «Na, dann schieß mal los.» Laura begann. Doch nach zwei, drei Sätzen unterbrach Bert sie bereits: «Wo, sagst du, ist das?»

«Das Dorf heißt Grottenherten», erklärte Laura. «Es liegt ein paar Kilometer hinter …»

«Ich kenne Grottenherten», sagte Bert und unterbrach sie damit erneut. «Jetzt erzähl mir nicht, ihr habt euch einen Bauernhof gekauft.»

«Gekauft haben wir noch gar nichts», schaltete ich mich ein. «Vorerst haben wir nur gemietet. Keinen Bauernhof, sondern ein Haus. Es liegt am Ortsrand.»

Laura kramte in ihrer Handtasche nach den Polaroidfotos, die ich inzwischen gemacht hatte. Sie hielt Bert den kleinen Packen entgegen.

Doch der machte keine Anstalten, danach zu greifen. Er starrte mich mit gerunzelter Stirn an.

«Ein neues Haus?»

«Baujahr 36.»

«Nein», sagte Bert fassungslos. «Lass mich raten. Der Besitzer heißt Josef Steiner.»

Bert lachte irgendwie unfroh, als er uns beide verblüfft nicken sah, schüttelte seinerseits den Kopf und meinte: «Also, darauf wäre ich im Traum nicht gekommen. Zufälle gibt es.» Noch ein Kopfschütteln. «Der alte Steiner verkauft also doch noch. Na ja, was soll er auch noch mit seinem Palast.»

«Du kennst das Haus, Vati?» Laura war sichtlich enttäuscht, hielt immer noch die Fotos in der ausgestreckten Hand, sah erst mich an, dann wieder ihn.

«Und ob ich das Haus kenne», erklärte Bert. «Das Haus, den Park, die Familie Steiner.»

Er seufzte leise unter der Erinnerung, lehnte sich nun versonnen lächelnd in seinen Sessel zurück und schwieg für ein paar Sekunden.

«Steiner war Rechtsanwalt, er hatte seine Kanzlei in Bedburg. 58 bin ich bei ihm als Sozius eingetreten.» Bert wiegte den Kopf. Er war immer noch so versonnen und ein bisschen wehmütig. «Gott, ist das lange her. Sechs Jahre habe ich für ihn gearbeitet, dann habe ich die Seiten gewechselt.»

Er schaute mich an mit leisem Zweifel. «Und dieses Haus willst du kaufen?» Es klang skeptisch und ungläubig.

«Warum nicht?», gab ich zurück.

Bert hob kaum merklich die Achseln, sein Gesichtsausdruck bekam etwas Nachsichtiges. «Bist du so gut im Geschäft?»

Es schmeichelte mir. Wenn er das Haus so gut kannte, musste er auch eine ungefähre Vorstellung des Wertes haben. Aber es gab keinen Grund, ihm gegenüber zu prahlen.

«Den Preis, den sie verlangen, kann ich mir leisten. Er hat mich jedoch skeptisch gemacht, deshalb haben wir vorerst nur gemietet.»

«Wer sind sie?», fragte Bert.

«Steiners Söhne. Mit einem davon habe ich gesprochen, Doktor Andreas Steiner.»

«Das ist der Ältere», sagte Bert automatisch.

Ich nickte nur kurz dazu und fuhr fort: «Steiner selbst ist kürzlich gestorben.»

«Ach.»

Wieder dieses Erstaunen, gepaart mit leichtem Bedauern. Ich erzählte, was ich darüber wusste. Viel war es ohnehin nicht, und von dem Unfall wusste Bert bereits.

«Es hat sich damals wie ein Lauffeuer verbreitet. Er hat monatelang in der Uni-Klinik gelegen. Ich habe ihn zweimal dort besucht. Er war gelähmt, konnte nur den Kopf noch aus eigener Kraft heben, ein Pflegefall. Danach wurde er in ein Heim eingewiesen. Es war ja niemand da, der sich um ihn hätte kümmern können.»

«Die Maklerin sagte, seine Frau hat ihn verlassen.»

Bert nickte, ganz in Gedanken versunken. «Ja, kurz nach unserer Hochzeit.»

«Weißt du etwas Genaueres darüber?»

Bert wunderte sich nicht einmal über meine Neugier. Er hing seinen Erinnerungen nach, und seine Stimme nahm einen melancholischen Ausdruck an. «Es gab ein bisschen Gerede damals, aber im Grunde war jeder, der davon hörte, sehr erstaunt darüber. Die Ehe galt allgemein als vorbildlich. Und wie das so ist, wenn die Leute nichts Genaues wissen, fangen sie an zu spekulieren. Einer erzählte,

Steiner hätte seine Frau betrogen. Ein anderer, sie hätte ihn betrogen. Sie war ja viel unterwegs.»

Er schwieg zwei Sekunden lang, zuckte mit den Achseln. «Da war sogar die Rede von einem Kind. Eine Tochter, bei der er sich angeblich nicht sicher sein konnte, dass er der Vater war. Die sich jedoch rührend um ihn gekümmert hätte, als alle anderen ihn verlassen hatten. Nun kann ich mir kaum vorstellen, dass seine Frau ihm ein Kind dagelassen hat, als sie ging.»

«Vielleicht hatte er das Kind mit einer anderen Frau», sagte ich.

Bert schüttelte den Kopf. «Ich persönlich glaube nicht, dass er seine Frau betrogen hat. Steiner war ein sehr korrekter Mann, zuverlässig in jeder Hinsicht, und seine Familie ging ihm über alles. Es gab nichts, was er nicht für sie getan hätte. Und Elisabeth Steiner war eine sehr schöne Frau, kultiviert, intelligent, charmant. Er hat sie vergöttert.»

«Aber sie hat ihn verlassen», sagte ich. «Zuletzt war niemand mehr da, der einen Finger für ihn gerührt hätte.»

«Eben», meinte Bert lächelnd, «niemand, auch keine Tochter.»

«Vielleicht hat er die ebenso vergrault wie seine Söhne», erklärte ich und erzählte ein wenig von dem, was wir von Frau Dressler erfahren hatten. Eine Weile hörte Bert mir mit gerunzelter Stirn zu.

«So ein Quatsch», widersprach er dann. «Steiner hat weder seine Söhne noch sonst wen terrorisiert. Und Elisabeth Steiner hat auf ihre Karriere verzichtet, weil sie eine Familie hatte. Leicht gefallen ist ihr das nicht. Menschenscheu.» Er lachte rau und begann von den Festen zu erzählen, die Steiner damals gegeben hatte. Großartige

Feste in großartigem Rahmen. Die Trennwand beiseite geschoben, seine schöne Frau im Mittelpunkt.

«Wenn er einen größeren Fall gewann, lud er alle ein. Da wurde bis tief in die Nacht hinein gefeiert. Mehrfach hat er sogar ein Feuerwerk präsentiert. Das war schon fast eine Tradition bei ihm. Daran hielt er fest, auch nachdem seine Frau ihn verlassen hatte. Ich habe auch später noch ein paar Mal eine Einladung bekommen, aber hingegangen bin ich nur noch selten. Es war Marianne nicht recht. Mitkommen wollte sie ohnehin nicht, und ...» Er schaute Laura an und lächelte zärtlich. «Sie hätte sich eher vierteilen lassen, als dich für ein paar Stunden einem Babysitter anzuvertrauen. Und außerdem, sie hätte sich vielleicht auch nicht wohl gefühlt als Gast in Steiners Haus.»

Damit schien ihm plötzlich etwas Wichtiges einzufallen. «Ihr tut mir beide einen sehr großen Gefallen, wenn ihr erst einmal schweigt. Das bringe ich ihr lieber selbst bei. Steiners Haus.»

Bert schüttelte den Kopf, als könne er es noch nicht so recht glauben. «Da habe ich sie damals kennen gelernt. Sie hat auch für ihn gearbeitet, nicht in der Kanzlei, im Haus. Daran wird sie nicht gerne erinnert.»

«Was hat sie denn gemacht?», fragte Laura mit merklicher Distanz in der Stimme.

Bert zog die Augenbrauen in die Höhe, ein winziges, spöttisches Lächeln stieg seine Mundwinkel hinauf. «Sie war Dienstmädchen dort, mein liebes Kind. Hausmädchen sagten sie damals dazu. Ich sehe darin keinen Makel. Es ist eine Arbeit wie jede andere auch.»

«Natürlich», murmelte Laura, aber so recht von Herzen kam das nicht.

Auf der Heimfahrt instruierte ich Danny, dass die Bitte seines Großvaters auch für ihn galt. Er war ein wenig beleidigt, als ich gleich zweimal fragte: «Kann ich mich darauf verlassen?»

Mit dem ganzen Stolz eines vierjährigen Mannes verkündete er: «Ich bin doch kein Tratschweib.»

Und für den Rest der Fahrt schwieg er. Laura schwieg ebenfalls. Später, als Danny bereits schlief, fragte ich sie: «Hast du davon wirklich nichts gewusst?»

Ein kleines, gereiztes «Nein» war die Antwort.

Zuerst dachte ich noch, es sei ihr vielleicht peinlich. Und so begann ich vorsichtig: «Es ist doch nicht so schlimm. Nimm meine Mutter, die hat in jungen Jahren als Krankenschwester gearbeitet. Da hat sie auch eine Menge Dreck beseitigen müssen. Vermutlich gab es in einem Haushalt damals nicht so viel, vor allem nicht solche Arten von Dreck zu beseitigen.»

Laura schaute mich nachdenklich an. «Es macht mir nichts aus, Tom, wirklich nicht. Und wenn sie auf einem Bauernhof die Kühe gemolken oder die Ställe ausgemistet hätte, das würde mich nicht stören. Es ist nur …» Sie brach ab, suchte nach den richtigen Worten. «Als Vati sagte, er kennt das Haus, er war oft dort. Dort hat er sie kennen gelernt, ich fand das aufregend, richtig romantisch. Wir beide laufen durch dieses Haus, wühlen auf dem Dachboden herum, amüsieren uns über die Bezeichnung Dienstbotenkammer. Und dann stellt sich heraus, in dem Bett, das da drin steht, hat meine Mutter geschlafen.»

«Ich habe mich nicht über den Ausdruck amüsiert», erwiderte ich ruhig. Laura senkte den Kopf und betrachtete angelegentlich ihre Fingernägel.

«Na schön, ich auch nicht. Es ist nur so ein verdammt blödes Gefühl.» Sie schüttelte den Kopf, unzufrieden mit sich selbst, weil sie nicht gleich ausdrücken konnte, was in ihr vorging.

«Wenn es deine Mutter wäre», sagte sie plötzlich, «dann würde ich jetzt mit ihr zusammen darüber lachen, verstehst du? Und deine Mutter würde genau wie mein Vater sagen, was es doch für Zufälle gibt. Aber meiner Mutter muss man es erst einmal verschweigen. Dann muss man es ihr schonend beibringen, man darf sie ja nicht aufregen. Denn wenn man sie aufregt, wird sie krank, und …»

Laura hatte sich mehr und mehr erregt, sprang aus dem Sessel auf, lief mit kleinen, nervösen Schritten vor dem Tisch auf und ab und zerrte dabei an einem Fetzchen Nagelhaut herum. Sie warf den Kopf zurück, funkelte mich an. «Ach, das geht mir so auf die Nerven. Du kannst dir gar nicht vorstellen, wie satt ich es habe. Zwanzig Jahre lang habe ich nichts anderes gehört. Man darf sie nicht aufregen, das muss man ihr schonend beibringen. Nichts, rein gar nichts durfte ich ihr sagen. Jedes Wort wurde von Vati auf den Index gesetzt. Und erst nachdem er es bearbeitet hatte, brachte er es ihr schonend bei. Oh, wie ich diesen Ausdruck hasse.»

Laura war den Tränen nahe, und ich fühlte mich so hilflos. Solch einen Ausbruch hatte ich nie zuvor erlebt.

«Jetzt reg dich doch nicht so auf», bat ich lahm.

Laura stampfte mit dem Fuß auf wie ein trotziges Kind. «Ich will mich aber aufregen, verdammt. Ich will einmal in meinem Leben mit meiner Mutter reden können wie mit einem ganz normalen Menschen. Ich bin es so leid, mich bei jedem Satz, den ich ihr sagen will, fragen zu müssen, ob der sie vielleicht umbringt. Ich will nicht jedes Mal meinen Vater fragen müssen, ob ich ihr dies oder das erzählen darf.»

«Bert meint es doch nur gut», sagte ich.

Und Laura nickte heftig mit zusammengepressten Lippen. «Natürlich, er meint es immer gut. Mit ihr! Ob er es mit mir jemals so gut gemeint hat, das möchte ich bezweifeln.»

Jetzt blieb sie vor dem Tisch stehen, die Arme sackten herab. Sie zwang sich ein verlegenes Lächeln ab. «Es tut mir Leid, Tom. Ich hatte mich so gefreut, aber ich hätte es wissen müssen. Es war immer so, und es wird immer so bleiben. Ich freue mich auf irgendetwas, und dann darf ich nicht einmal darüber reden. Manchmal habe ich mich direkt davor gefürchtet, mich auf irgendetwas zu freuen. Weißt du, dass ich sie manchmal gehasst habe?»

Sie schaute mich mit einem schmerzlichen Lächeln an und fuhr fort: «Vati hat mir einmal erzählt, dass sie erst nach meiner Geburt so geworden ist. Er nannte das eine Schwangerschaftspsychose. Und ich habe mich ihr gegenüber so entsetzlich schuldig gefühlt.»

Laura schwieg sekundenlang, schloss die Augen dabei, dann sprach sie weiter, leise jetzt und beherrscht. Es war eine entsetzliche Auflistung.

«Ich war achtzehn, Tom, da saß sie immer noch jeden Abend an meinem Bett, hielt meine Hand und erzählte mir eine Geschichte zum Einschlafen. Und wenn sie hinausging, schloss sie die Tür hinter sich ab. Jede Nacht war ich eingesperrt, ich konnte nicht mal aufs Klo. Sie hat mir einen Nachttopf hingestellt. Bis Vati dann dafür gesorgt hat, dass ich einen zweiten Schlüssel bekam.» Laura lachte einmal kurz auf. «Heimlich natürlich. Und du kannst dir nicht vorstellen, welch eine elende Fummelei das war. Der Schlüssel steckte ja meist von außen, den musste ich erst rausstoßen.»

Zwei Sekunden Pause, ein leiser Seufzer, den Blick auf einen Punkt an der Wand gerichtet, sprach Laura weiter. Und ich konnte nichts weiter tun, als ihr zuhören.

«Nie habe ich mit einem Menschen darüber reden können. Kannst du dir vorstellen, wie sie mich ausgelacht hätten? Andere in meinem Alter machten den Führerschein, ich durfte nicht einmal an der Abschlussfahrt meiner Schulklasse teilnehmen. Ich musste eigens eine Krankheit erfinden, ich konnte doch nicht sagen, meine Mutter ist verrückt. Am Ende wäre noch der Schuldirektor oder sonst jemand gekommen, um ‹vernünftig› mit ihr zu reden. Die Folgen kannst du dir vielleicht ausmalen. Und vielleicht kannst du dir vorstellen, mit welchen Blicken Vati mich anschließend bedacht hätte.»

Laura seufzte noch einmal kurz, dann ging es weiter. «Ich war sechzehn, als eine Mitschülerin schwanger wurde. Sie entschloss sich, das Kind zur Adoption freizugeben. Wir sprachen in der Klasse ganz offen darüber und sollten eine Arbeit zu diesem Thema schreiben. Vati war zu einem Kongress. Und ich habe mir nichts dabei gedacht, Tom, wirklich nicht. Ich habe ja auch nicht mit ihr darüber gesprochen. Ich habe mich einfach in mein Zimmer gesetzt und mit dieser Arbeit begonnen. Und kaum hatte ich angefangen, da kam sie herein. Sie klopfte nie an, wenn sie hereinkam. Aber selbst wenn sie angeklopft hätte, hättest du dir etwas dabei gedacht, wenn du Schularbeiten erledigst?»

Als ich den Kopf schüttelte, zuckte Laura mit den Schultern. «Sie kam herein und beugte sich über mein Heft. Sie las ein paar Zeilen und fing an zu schreien. Einfach so. Den ganzen Nachmittag hat sie geschrien, nur geschrien. Und Vati war nicht da. Ich wusste mir nicht zu helfen. Ich bin zu einem Nachbarn gelaufen, der hat einen Arzt gerufen. Sie bekam eine Spritze, danach wurde sie still. Und dann hieß es, man müsse sie sicherheitshalber in eine Klinik einweisen. Guter Gott, ich bin gestorben vor Angst und Schuldgefühlen. Ich habe geredet wie ein Wasserfall, gebettelt und gefleht, dass sie sie daheim lassen. Aber natürlich haben sie nicht auf mich gehört. Sie nahmen sie mit. Drei Tage später kam Vati zurück, kannst du dir vorstellen, wie es weiterging?»

Sie wartete meine Antwort nicht ab, schüttelte den Kopf und fuhr fort: «Ich könnte dir an die hundert solcher Episoden aufzählen. Und ich hatte immer panische Angst, eines Tages genauso zu werden wie sie.»

Laura atmete hörbar aus, versuchte ein Lächeln. Es wirkte so rührend. «Als ich mit Danny schwanger wurde, bin ich vor Angst fast gestorben.»

«Du hast nie etwas gesagt.»

«Nein», sie tippte sich mit einem Finger gegen die Brust. «Das haben sie mir ja sehr früh beigebracht, nichts zu sagen. Und ich musste mir selbst beweisen, dass ich normal bin. Du hättest doch nur versucht, mich zu beruhigen. Ich habe einmal mit Vati darüber gesprochen, der hat auch nur versucht, mich zu beschwichtigen. Sie sei ja nicht geisteskrank in dem Sinne. Es sei nicht erblich. Sie hätte eben diese Psychose entwickelt während der Schwangerschaft. Bevor sie schwanger wurde, sei sie ein zwar stiller und in sich gekehrter, aber doch normaler Mensch gewesen. Und die Zeiten seien damals eben anders gewesen, weniger Aufklärung, mehr Angst. Er sagte, sie hätte wahnsinnige Angst vor der Geburt gehabt. Gewehrt hätte sie sich dagegen, aus Leibeskräften gewehrt.»

Wieder so ein Seufzer, es tat mir direkt weh. Und schlimmer als Lauras Haltung war, ich wusste genau, dass sie die Wahrheit sagte. Aber vorstellen konnte ich mir das nicht.

«Sie hat zwei volle Tage in den Wehen gelegen, hat sich die Lunge aus dem Leib geschrien, hat gegen die Wehen angekämpft und sie wohl auch zeitweise unterdrückt, bis sie schließlich ganz ausblieben. Da hat man sich zu einem Kaiserschnitt entschlossen. Hätte ich dir das erzählen sollen, damit du dich auch noch verrückt machst?»

Laura schaute mich zwei Sekunden lang schweigend an.

«Weißt du, am schlimmsten war für mich, wenn sie mir davon erzählte. Jedes Mal, wenn wir uns in der Stadt trafen, sprach sie von meiner Geburt. Wie einfach es gewesen und wie schnell es gegangen sei, keine zwei Stunden hätte es gedauert, und die Schmerzen, kaum der Rede wert. Dann saß ich da und dachte die ganze Zeit, du lügst. Und ich konnte gar nicht anders, ich musste ihr zuhören. Wenn sie schwieg, habe ich sie noch aufgefordert, weiterzuerzählen. Sie kam mir dabei so normal vor, genau so, wie ich sie mir immer gewünscht hatte. Es war eine Illusion, aber ich bekam nicht genug davon. Ich habe ihr so verdammt gerne zugehört, wenn sie erzählte, sie wäre gar nicht erst in ein Krankenhaus gegangen, hätte mich daheim in ihrem Bett bekommen, und eine Geburt sei schließlich ein völlig normaler Vorgang.»

Wieder sah sie mich mit einem so schmerzlichen Blick an.

«Vielleicht verstehst du es nicht, Tom, aber so eine Mutter hätte ich gerne. Eine Mutter, die sich bemüht, ihrer Tochter die Furcht vor der ersten Geburt zu nehmen. Eine

Mutter, die sich freut, wenn ihr Enkel wächst und ge-
deiht. Eine Mutter, die sich freut, dass wir aus diesem engen Loch ausziehen, dass wir dieses phantastische Haus
bekommen, dass es uns allen gut geht. Weißt du übrigens,
warum Vati mit ihr sechs Wochen lang kreuz und quer
durch Spanien gereist ist? Natürlich weißt du es nicht,
aber ich weiß es.»

Sie machte eine kleine Pause, sah mich mit einem todtrau-
rigen Ausdruck an, seufzte. «Es hat nichts damit zu tun,
dass wir aus der Stadt weggehen. Damit hat sie sich ab-
finden können. Es ist nur, weil ich wieder schwanger bin.
Vati hat es ihr zwar schonend beigebracht, aber sie ist
trotzdem halb verrückt geworden. Warum, das weiß sie
vermutlich selbst nicht. Bei Danny hat sie sich nicht aufgeregt.»

Am nächsten Tag stürzte Laura sich in die Vorbereitungen. Sie machte Pläne, Grundrisszeichnungen des Hauses.
Und auf dem Papier war sie bereits dabei, die Räume ein-
zurichten. Gleich Montag wollte sie einen Malerbetrieb
mit der Renovierung beauftragen.

«So schnell wie möglich!» Das hörte ich an diesem Wochenende immer wieder von ihr. Ich gewann den Eindruck, dass sie es gar nicht abwarten konnte, aus der
Stadt und damit aus Mariannes Nähe wegzukommen.

Auch den Sonntag über saß sie am Küchentisch und stellte Listen zusammen, die Maler, später dann eine Spedi-
tion. Und viel mehr lag auch nach Lauras Meinung nicht
an. Wenn man davon absah, dass wir einen Telefonanschluss beantragen mussten. Und das: «So schnell wie
eben möglich.» Ohne Telefon glaubte ich mich hilflos.

Das Exposé zum geplanten Drehbuch war fertig. Und

jetzt machte der Produzent plötzlich Schwierigkeiten. Er schien ganz und gar nicht einverstanden mit der Tatsache, dass ich dieses Drehbuch alleine schreiben wollte. Still für mich war ich mit ihm einer Meinung.

Es gelang Wolfgang schließlich, den Produzenten und auch mich davon zu überzeugen, dass ich bei diesem Stoff ohne einen versierten Drehbuchautor an meiner Seite besser zurechtkommen würde. Und er drängte darauf, dass ich «so schnell wie eben möglich» ein paar Szenen schreiben sollte, um den Beweis seiner Behauptung anzutreten. Bisher hatte ich mich davor noch gedrückt.

Ich fühlte mich auch jetzt unsicher. Es war nicht mein Metier. Schon die erste Szene, der Autounfall, bei dem Cheryl und ihr Mann ums Leben kamen, las sich für meine Begriffe wie ein Polizeibericht. Alles, was ich an diesem Sonntag zu Papier brachte, landete ausnahmslos auf dem Fußboden. Wo Danny es mit wahrer Hingabe aufsammelte, die zerknüllten Blätter mit den Händen glatt strich und mit treuherzigem Blick zu mir aufschaute. «Brauchst du das nicht mehr, Papa? Darf ich es nehmen? Man kann die Rückseite noch bemalen.»

Und Danny bemalte eine Rückseite nach der anderen mit schwarzweißen Kühen, rötlichen Schweinen, braunen Hühnern und allem, was ihm sonst noch zum Thema Landleben einfiel, während ich zum Telefon griff.

«Jetzt reg dich nicht auf, Tom», sagte Wolfgang jedes Mal. «Das bekommst du in den Griff. Natürlich ist es eine Umstellung. Aber tu dir selbst einen Gefallen, und versuch es. Wenn wir das aus der Hand geben, gibt es vielleicht Ärger. Ich kenne mehr als einen Autor, der seinen eigenen Stoff nicht wieder erkannte, als er ihn sich auf der Leinwand anschaute.»

Vielleicht war es einfach nur zu viel. Ich war nervös, hatte ein schlechtes Gewissen gegenüber Laura. Eine im vierten Monat schwangere Frau mit den Vorbereitungen für einen Umzug alleine zu lassen, das gefiel mir nicht. Eine Frau, für die das Verhältnis zu ihrer Mutter zu mehr als nur einem Problem wurde, mit diesem «Mehr» sich selbst zu überlassen, gefiel mir noch weniger.

Ich hatte unentwegt das Bedürfnis, sie zum Reden zu bringen. Meiner Meinung nach war Reden immer noch die beste Methode, ein Problem zu bewältigen. Aber nach diesem einmaligen Ausbruch benahm Laura sich, als wäre alles in bester Ordnung. Sie sprach über alles Mögliche, solange es das Haus oder meine Arbeit betraf. Den großen Rest verschwieg sie.

Selbst dass man ihr ebenfalls einen Auftrag angeboten hatte, erfuhr ich nur zufällig, weil ich einen Anruf von Weber und Wirtz für sie entgegennahm. Und Weber erkundigte sich hoffnungsfroh, ob Laura es sich denn nun überlegt habe, ob sie es irgendwie einrichten könne, mitzuarbeiten. Ob ich nicht vielleicht ein gutes Wort für ihn einlegen könne.

Eine ziemlich große Sache, die von einigen öffentlichen Stellen gefördert wurde, die Fernsehen, Rundfunk, Anzeigen, Plakatwände und alles, was sonst noch geeignet war, einschloss. Es ging um das Thema Milch in Flaschen.

Vorerst sollte bei Weber und Wirtz nur die Wettbewerbspräsentation vorbereitet werden. Danach würde sich der Auftraggeber für eine Agentur entscheiden. Das alles kannte ich bereits. Und ich wusste auch, dass Laura in diesem Vorstadium zur Nervosität neigte, dass sie zu endlosen Besprechungen in die Agentur musste.

Eine kleine Andeutung von ihr hätte genügt, vermutlich hätte ich dann das Drehbruch sausen lassen, hätte mich stattdessen um unseren Umzug gekümmert und Laura zugeredet, schwarzweiße Kühe zu zeichnen und sich mit Arbeit auf andere Gedanken zu bringen.

Natürlich sprachen wir darüber. Und Laura gab sich redlich Mühe, überzeugend zu sein. «Mir ist der Umzug sehr wichtig, Tom. Es macht mir Spaß, mich um alles zu kümmern. Und du tust ja schlimmer, als müsste ich unsere Möbel eigenhändig auf dem Lkw verladen oder ganz alleine die Halle streichen. Ich weiß gar nicht, worüber du dich so aufregst. Ich habe schon Bescheid gegeben, dass ich diesen Auftrag nicht übernehmen will.»

«Und warum nicht?»

Laura hob flüchtig die Schultern. «Vielleicht habe ich einfach etwas gegen Milch in Flaschen. Vielleicht bin ich der Meinung, dass du jetzt an der Reihe bist. Vielleicht habe ich keine Lust, einen Fernsehspot vorzubereiten. Das ist doch allein meine Sache.»

Das fand ich zwar nicht, aber ich wollte sie nicht drängen, und widersprechen wollte ich ihr auch nicht.

Am Sonntag fuhren wir gleich nach dem Frühstück nach Grottenherten. Wir gingen noch einmal durch die einzelnen Räume, bewaffnet mit einem Maßband und dem Notizblock. Vermaßen Fenster und Wände, diskutierten eine Weile, ob wir den freien Blick in den Garten durch Vorhänge trüben wollten oder nicht.

«Im Schlafzimmer möchte ich schon Gardinen», sagte Laura. «Das sieht mir sonst zu kalt aus, und die Fenster zur Straße brauchen ohnehin welche. Sonst kann uns von der Straße her jeder auf den Tisch schauen.»

«Das ist doch Unsinn», widersprach ich. «Die Straße ist etliche Meter weit weg, und das Esszimmer ist hinten. Das willst du ja wohl nicht in der Bibliothek einrichten.» Laura starrte mich ratlos an, murmelte: «Natürlich nicht.» Und griff sich an die Stirn. Dann lächelte sie, immer noch ein wenig ratlos und verlegen. «Wie komme ich denn darauf? Weißt du, dass ich jetzt wirklich der Meinung war, das Esszimmer liege zur Straße hin?»

Ich zuckte nur mit den Achseln.

Dann stand Laura mitten im Wohnzimmer und schaute sich skeptisch die tuchverhangenen Möbelstücke an. «Der Kram ist zwar absolut nicht nach meinem Geschmack. Aber was meinst du? Wenn wir behutsam damit umgehen, können wir die Sachen doch erst einmal stehen lassen.»

Die schweren Ledersessel im Wohnraum waren auch nicht nach meinem Geschmack. Aber besser als gar nichts waren sie allemal. Doch die beiden Schränke waren Kostbarkeiten. Da wollte ich lieber kein Risiko eingehen.

«Na schön», sagte Laura mit einem Seitenblick auf Danny, «die Schränke kommen auf den Dachboden, der Rest bleibt vorerst stehen.»

Anschließend gingen wir hinunter, um eine Kleinigkeit zu essen. Es war seltsam, aber diese verhängten Möbelstücke hatten mir ein gutes Gefühl gegeben.

Ich hätte augenblicklich mit der vierten Szene beginnen können. Jetzt sah ich vor mir, was mir bisher nicht gelungen war:

Sandy hat ihren inneren Kampf vor der Haustür ausgefochten. Jetzt betritt sie das Haus, geht langsam durch die unbewohnten Räume. Immer wieder bleibt sie stehen, horcht in die Stille und in sich hinein. Und irgendwo in ihr sind neben den eigenen auch Cheryls Erinnerungen gespeichert, nicht jederzeit zugänglich, aber unterschwellig immer vorhanden.

Bei diesem Besuch wird Sandy von einem engen Freund, einem jungen Journalisten, begleitet. Er betritt kurz nach ihr das *Haus auf dem Hügel.*

Im Roman hatte ich die Handlung in verschiedenen Zeitebenen angelegt. Eine reizvolle Sache. Der Film sollte mit dem Schluss beginnen, dem Tod des Ehepaares, das Sandy lange Jahre für ihre Eltern hielt.

In Wirklichkeit war sie die Tochter des Wissenschaftlers, der in ebendiesem Haus vor langen Jahren seine Versuche am Erbmaterial von Ratten unternommen, sich dabei versehentlich selbst infiziert und anschließend seine Geliebte geschwängert hatte. Und wie im Roman wollte ich auch im Film die gesamte Vorgeschichte in kleinen Häppchen servieren. Rückblenden und Visionen, die Sandy überfielen, wenn sie durch die unbewohnten Räume schlich, vorbei an tuchverhangenen Möbelstücken und geheimnisvollen Winkeln.

Wir aßen den mitgebrachten Imbiss. Laura, mir gegenüber, mit Blick auf die Tür zum Gang, sagte mitten in meine Gedanken hinein: «Ich habe in der Nacht etwas geträumt. Ich hatte es schon wieder vergessen, aber jetzt, wo ich hier sitze und die Dienstbotenkammer direkt vor mir sehe, fällt es mir wieder ein.»

«Hast du etwa von der Kammer geträumt?»

Ich rechnete bereits mit dem Schlimmsten, aber Laura lächelte so zärtlich, fast schon entrückt. «Auch, aber mehr von unserer Tochter. Sie hatte sich in dem Winkel unter der Treppe versteckt.» Laura lächelte immer noch. «Genau so, wie du es als Kind einmal getan hast. Und ich lag in dem Bett, da kam sie dann zu mir, kuschelte sich an mich. Es war ein sonderbares Gefühl, im Traum jedenfalls. So warm und weich.» Sie schaute zu Danny hin, der ihr aufmerksam zuhörte. «Du hast nie in meinem Bett geschlafen», sagte sie.

Danny grinste verlegen. «Ich hab doch selbst eins.»

«Ja», sagte Laura und seufzte. «Andere Kinder haben auch ein eigenes Bett, trotzdem kommen sie nachts manchmal zu ihren Müttern. Manchmal sind sie krank, manchmal fürchten sie sich. Dann suchen sie ein bisschen Trost und gehen zu ihrer Mutter. Du gehst mit allem lieber zu deinem Vater, nicht wahr?»

Danny wurde noch verlegener. Mit dem für ihn so typischen Blick schaute er Laura ins Gesicht. «Aber wenn ich doch nicht krank war, und fürchten tu ich mich auch nicht.»

Es klang ganz so, als wolle er sich für sein Versagen entschuldigen. Laura seufzte noch einmal, dann sah sie mich an. «Was würdest du zu einer kleinen Tochter sagen?»

Daran hatte ich bisher nicht gedacht, ebenso wenig wie ich vor Dannys Geburt über das Geschlecht nachgedacht hatte. Bei kleinen Kindern, fand ich, war das nicht so wichtig. Um Laura einen Gefallen zu tun, nickte ich hoffnungsvoll und meinte: «Ich hätte nichts dagegen.»

«Und», sagte Laura, «es wäre genau die richtige Kombination, großer Bruder, kleine Schwester. Ich wünsche mir schon, dass es ein Mädchen ist.»

Und sie schaute mit entrücktem Gesicht durch die offene Tür in den Gang hinaus.

Trotz der Inspiration durch die alten Laken brauchte ich noch einige Versuche, ehe ich den vermeintlich richtigen

Dreh fand. Und mehr als einmal wünschte ich mir, ich würde mit meiner Arbeit direkt am Ort sitzen.

Am Montag telefonierte Laura wieder – wie in der Vorwoche schon – mit zwei oder drei Malerbetrieben. Sie rief sogar bei Dressler an, ob er vielleicht einen Maler aus der näheren Umgebung empfehlen könne. Aber sie erreichte nicht viel.

In absehbarer Zeit gab es keine freien Termine. Laura war ganz verzweifelt. Aber so rasch gab sie nicht auf. Wie immer, wenn sie selbst nicht weiterwusste, rief sie meinen Vater an. Für sie war er so eine Art Berater auf höchster Ebene. Und wie so oft, wusste er auch in dem Fall Rat.

«Gib mir einen oder zwei Tage Zeit, dann schicke ich dir jemanden. Hier ist ein junger Mann, der hat sich erst vor kurzem selbständig gemacht. Der tapeziert dir die Räume nicht nur, der erledigt auch den Rest. Und zu teuer ist er auch nicht.»

Da man sich, wie Laura meinte, auf meinen Vater unbedingt verlassen konnte, vergaß sie allen Ärger auf der Stelle. Ich saß am Schreibtisch und hatte mit halbem Ohr dem Telefongespräch zugehört. Laura kam kurz herein, völlig mit sich, der Welt und ihrem Schwiegervater im Einklang. «Er kümmert sich um alles.»

Irgendwie gab es mir einen kleinen Stich. Laura hockte sich auf die Kante des Schreibtisches, erkundigte sich beiläufig: «Kommst du voran?»

Und als ich nickte, erklärte sie: «Ich habe es mir überlegt. Wenn wir uns selbst nicht um die Renovierung kümmern müssen, habe ich Zeit. Man muss den Stier bei den Hörnern packen, wenn man mit ihm fertig werden will. Außerdem möchte ich nicht ein ganzes Jahr lang oder länger auf eine neue Wohnzimmer-Einrichtung warten. Ich fahre mal für eine Stunde weg. Ich glaube, ich übernehme die Sache doch, jedenfalls die Präsentation. Kommt darauf an, welche Frist sie mir geben.»

Mit nachdenklicher Miene schaute sie auf mich hinunter. «Vielleicht mache ich auch später mit. Dann können wir uns ganz schick einrichten. Ich mache aus diesem Haus einen Schmuckkasten.»

Sie seufzte vernehmlich. «Ach, ich freu mich so, du kannst dir gar nicht vorstellen, wie ich mich auf das Haus freue. Es wird herrlich, es wird phantastisch.»

Laura war so begeistert, und ich ärgerte mich. In den letzten Tagen, vor allem bei diesem Telefongespräch eben, hatte ich mich gefühlt wie damals, als ich noch regelmäßig zum Postkasten schlich und nur hoffen durfte, darin einen Scheck zu finden. Und jedem Scheck folgte ein Vortrag über Ehrgeiz, Fleiß, Strebsamkeit und richtige Arbeit.

Zwei Tage später klingelte abends das Telefon. Es war schon nach zehn. Laura nahm gerade ein Bad. Ich hatte es mir vor dem Fernseher gemütlich gemacht. Ich ging hin und nahm den Hörer ab, und sofort hatte ich Berts Stimme im Ohr.

Er schien erleichtert, mit mir statt mit Laura zu sprechen. Ob er mich morgen früh ganz kurz in der Stadt treffen könne? Und ob ich es irgendwie einrichten könne, dass Laura von diesem Treffen nichts erfuhr?

«Ich möchte sie nicht noch zusätzlich aufregen», sagte Bert schlicht. «Sie hat im Augenblick sicher andere Sorgen.»

Zu viel mehr war er am Telefon nicht bereit, angeblich sprach es sich leichter, wenn man sich dabei gegenübersaß. Alles andere würde ich dann am nächsten Vormittag erfahren.

Laura hatte das Telefon natürlich gehört. Und kaum dass ich auflegte, rief sie bereits: «Wer war das?»

Ich wollte sie nicht belügen, es kam ganz automatisch. «Wolfgang. Ich soll mich morgen früh mit ihm in der Stadt treffen und die Fotos vom Haus mitbringen. Er hat da eine ganz bestimmte Idee.»

Ich traf Bert am Morgen nach seinem Anruf in einem kleinen und um diese Zeit nur schwach besuchten Café. Er war bedrückt, brachte kaum ein Lächeln zustande.

«Setz dich doch, Tom. Ich will es ganz kurz machen. Wir sind zwar gerade erst zurück, aber …»

Er stockte, wartete, bis ich mir ebenfalls einen Kaffee bestellt hatte, beugte sich über den Tisch zu mir herüber.

«Ich hatte etwas in der Art befürchtet. Steiners Haus, für Marianne war es ein Schock, als ich es ihr sagte. Ehrlich gesagt, ich verstehe das nicht. Es ging ihr dort sehr gut. Ich hatte nie das Gefühl, dass man sie wie eine Dienstbotin behandelte, aber lassen wir das jetzt. Man weiß ja nicht, welche Gefühle sie damit verbindet.» Bert lächelte gequält, sagte: «Ich will dich nicht mit meinen Problemen belasten.»

Und tat es bis zu einer gewissen Grenze dann doch. «Ich habe mit ihr gesprochen, und …»

Eine winzige Pause entstand, während der er sich um ein Lächeln bemühte, das sehr krampfhaft ausfiel.

«Jetzt weiß ich nicht, was ich sagen soll», fuhr er fort. «Drücken wir es einfach so aus: Du hast das Haus gemietet, weil dich irgendetwas daran skeptisch gemacht hat. Darf ich dich fragen, was das war oder ist?»

«Der Preis», erwiderte ich einfach. «Sie bieten es zu einem unwahrscheinlich niedrigen Preis an.»

Bert nickte flüchtig, aber so recht schien er meine Antwort nicht zu verstehen. «Und das hält dich vom Kauf ab, sonst nichts?»

«Ein höherer Preis hätte mich ebenfalls abgehalten.»

Wieder nickte er. «Besteht die Möglichkeit, versteh mich jetzt bitte nicht falsch, dass ihr es euch noch anders überlegt? Ich meine, dass ihr vom Kauf endgültig abseht?»

Ich hob ganz kurz die Schultern, grinste verlegen und erwiderte: «Wohl kaum. Mein Vater hält mich bereits für einen Vollidioten, weil ich zögere. Du kennst das Haus doch, wie hoch würdest du seinen Wert schätzen?»

«Keine Ahnung», erklärte Bert. «Ich habe das Haus seit Jahren nicht gesehen. Wenn es in gutem Zustand ist ...»

«Es ist in einem guten Zustand.»

Irgendwie waren wir vom Thema abgekommen. Ich vermute, er wollte mit mir nicht über das Haus sprechen. Aber wir sprachen darüber. Und weshalb immer er mich auch in das Café bestellt hatte, es ging letztlich nur um das Haus.

Wir unterhielten uns eine ganze Weile darüber, ehe er schließlich ganz beiläufig erwähnte, Marianne sei gestern am Spätnachmittag abgereist. Wenn eben möglich, wollte er ihr nachfahren.

Abgereist, das war unser Stichwort, wurde es ausgesprochen, wusste jeder sofort, was vorgefallen war. Und wenn Bert davon sprach, ihr nachzureisen, dann war es eine von den schlimmeren Phasen.

«Ich bin etwas in Sorge», gestand er dann auch sogleich. «Ich hatte ohnehin bereits mehr Urlaub genommen als eigentlich möglich. Wir sind zur Zeit im Amt ein bisschen überlastet, aber ich kann sie jetzt unmöglich alleine lassen.»

Ich fragte gar nicht erst, wie schlimm es denn war. Ich

weiß nur, dass ich sofort ein schlechtes Gewissen spürte. Es war absurd, aber das änderte nichts an der Tatsache. Diesmal war unser Haus der Auslöser. Ganz flüchtig kam mir der Gedanke, dass es vielleicht lediglich unser Weggehen war. Daran glaubte ich nicht, dann hätte Bert sich nicht so vorsichtig erkundigt, ob wir vielleicht vom Kauf absehen würden.

Als ich heimkam, erzählte ich Laura zuerst eine weitere Lüge, die im Wesentlichen aussagte, dass Wolfgang die Fotos umgehend an den Produzenten weitergeben wollte. Das war glaubhaft, immerhin hatte Wolfgang das Haus als Drehort vorgeschlagen. Er war tatsächlich so begeistert, wie ich mir das im ersten Augenblick vorgestellt hatte.
Einmal war er hingefahren, um sich alles anzusehen. Er war dreimal um das Haus herumgeschlichen, hatte den Garten inspiziert. Dann rief er mich an. «Der Kasten hat Atmosphäre, Tom. Damit machen wir Stimmung. Und den Park musst du unbedingt einbauen, da fällt dir bestimmt etwas ein. Damit allein machen wir schon einen guten Eindruck. Wenn du dann noch ein erstklassiges Drehbuch …»
Das sanfte Grauen schön gleichmäßig über gute anderthalb Stunden verteilt, so wie ich es zuvor auf über dreihundert Romanseiten verteilt hatte. Den blanken Horror dazwischen und ab und zu einen Knalleffekt. So hatte Wolfgang es sich vorgestellt. So hat er es letztlich von mir bekommen, und leicht war es nicht. Zweimal war ich nahe daran, alles hinzuschmeißen. Vor allem, als ich zum ersten Mal eigene Erfahrungen mit dem sanften Grauen machte.

Mir war nach dem Gespräch mit Bert nicht mehr nach Arbeiten. Ich hätte mich auch kaum noch konzentrieren können. Danny saß bei Laura in der Küche. Laura hatte einen der riesigen, kartonartigen Bögen vor sich, auf denen sie immer ihre ersten Plakatentwürfe festhielt. Sie schien sehr konzentriert und geistesabwesend. Danny stand mit ergeben hoffnungsvollem Blick neben ihr und bewunderte die deutlich als solche erkennbare Kuh.

«So schön sind meine nicht», erklärte er. «Ich kann überhaupt nicht so schön malen wie du.»

«Das kommt noch», antwortete Laura. «Als ich vier Jahre alt war, konnte ich auch nicht schön malen.»

«Aber ich kann mit dem Bagger eine schöne Straße machen», gab Danny dezent einen Hinweis. Laura nickte nur, betrachtete ihre Kuh, legte den Kopf zur Seite, um die Perspektive zu verändern.

«Dann hol mal deinen Bagger», sagte ich. «Ich gehe mit dir zum Spielplatz.»

Laura sah nur kurz auf und schien dankbar, dass ich ihr den Gang abnahm. Danny spürte nichts von den zwiespältigen Gefühlen, die mich nach draußen getrieben hatten. Ganz selbstvergessen schob er seinen Bagger durch den Sand, führte Selbstgespräche dabei, wie er es immer tat, wenn er spielte. Und ich saß auf einer der Bänke, am Rand des Platzes, und hing dem Gespräch vom Vormittag nach.

Ich fühlte mich hin und her gerissen. Natürlich reizte mich dieses Haus. Ich weiß noch, dass ich dachte, es sei genau der richtige Rahmen für einen Mann, der sein Geld mit Spukgeschichten verdiente. Dass ich mir vorstellte, wie vielleicht eines Tages ein Bericht darüber in einer Illustrierten erschien. Interview mit einem berühmten

Schriftsteller. Tom Westhouse und sein Haus auf dem Hügel. Nur ein paar Wunschträume. Und daneben stand Laura, daneben stand das Kribbeln im Magen, das Gefühl von Kälte in der Herzgegend, daneben stand Angst, schlicht und einfach Angst.

Lauras Eifer, die fanatische Freude, die überschäumende Begeisterung, die sich vielleicht auch ganz anders bezeichnen ließ: Trotz, Wut, innere Zerrissenheit.

Es schien mir mit einem Mal alles so entsetzlich kompliziert. Ein Gefühl, als hätte ich an mehreren Strängen gleichzeitig gezogen, ohne auch nur bei einem genau zu wissen, was geschah, wenn man zog. Das Haus, das Drehbuch, die Handwerker, Lauras Schwangerschaft und die ungelösten Konflikte, die sie mit sich herumtrug, Berts Hoffnung und Sorgen, Mariannes Krankheit, alles zusammen war zu einem Berg angewachsen, vor dem ich nun sehr klein und völlig überfordert stand.

Ich blieb länger als zwei Stunden mit Danny auf dem Spielplatz. Irgendwie tat es gut, einfach nur so tatenlos zu sitzen und sich Gedanken über dies und jenes zu machen. Ich kam fast wieder mit mir selbst ins Reine.

Erst abends sprach ich dann mit Laura. Sie war ganz ruhig, kniff nur einmal leicht die Augen zusammen, als sie erfuhr, dass ich sie angelogen hatte. Die Tatsache, dass es ihrer Mutter wieder einmal sehr schlecht ging, nahm sie fast beiläufig zur Kenntnis.

Als ich jedoch in bemüht harmlosem Plauderton erzählte, was Bert in Bezug auf kaufen oder nicht kaufen gesagt hatte, verwandelte sich Laura innerhalb von Sekundenbruchteilen in eine Furie.

«So weit kommt es noch. Und wenn sie niemals in ihrem Leben einen Fuß über unsere Schwelle setzt, wir kaufen dieses Haus, Tom. Du glaubst doch nicht wirklich, dass ich noch einmal auf irgendetwas verzichte, nur weil sie davon vielleicht ihre Zustände bekommt. Nein!»

Und um das letzte Wort zu unterstreichen, schlug Laura mit der geballten Faust auf den Tisch, starrte mich an mit einem Blick voller Wut, wie ich ihn nie zuvor bei ihr gesehen hatte.

Am nächsten Tag ging sie mir aus dem Weg. Sie fuhr schon sehr früh zu Weber und Wirtz, und ich quälte mich schon wie in den Tagen zuvor bis kurz vor zwölf durch die Unfallszene. Zweimal, dreimal, in allen möglichen Variationen. Der Auftakt zu solch einem Film musste spektakulär sein, dachte ich.

Und wenn ich diese erste Szene schaffte, schaffte ich auch die zweite. Im Geist war ich bereits bei der dritten, der vierten. Und alle folgenden schienen mir besser. Und Lauras Wut hockte mir im Genick wie ein bösartiger Zwerg.

Dreimal schlug der schwere Hammer gegen das Mauerwerk und zweimal gegen den Eingang. Jeder Schlag traf die empfindlichen Ohren des Kindes, als sei der Hammer direkt in seinem Kopf. Es wimmerte nicht mehr, es schrie und kreischte seine Furcht hinaus. Dabei kauerte es sich zusammen, hockte da auf dem kalten Boden wie ein kleines Tier.

Dann wurde es still vor dem Eingang. Es kam noch ein Scharren, die festen Schritte entfernten sich. Das Kind lauschte ihnen nach. Völlig verstört kroch es schließlich zurück in seine Ecke, zog die Beine eng an den Leib und drückte das Gesicht in den weichen Stoffbalg der Puppe. Stunde um Stunde saß es so, fieberte dem Augenblick entgegen, wo eine der beiden Frauen den Eingang öffnen, mit sanfter Stimme nach ihm rufen und all dem Schrecken ein Ende machen würde.

Manchmal wimmerte es leise vor sich hin. Außer diesen Lauten war kein Geräusch zu hören. Außen lag in völliger Stille.

Endlich rollte es sich auf seiner Decke zusammen, nahm die Puppe in den Arm. Da hing immer noch ganz schwach der Geruch der Frau im Stoff. Es drückte sein Gesicht fester auf den Balg, schnupperte und fand ein klein wenig Trost dabei.

Das klägliche Wimmern verstummte allmählich, nur noch vereinzelt klangen Schluchzer auf. Irgendwann schlief es vor Erschöpfung ein. Nach Stunden erwachte es wieder. Es war hungrig und durstig. Und außen war immer noch alles still.

Das Kind lauschte angestrengt, dann kroch es zum Eingang hinüber und tastete mit den Händen, bis es gegen das Holzbrett stieß.

Darauf lag noch das Brot. Es war nicht mehr ganz frisch. Der erste Bissen klebte trocken im Mund. Wieder ließ es die Finger behutsam über den Boden gleiten, suchte nach der Milchflasche, stieß stattdessen gegen den Becher und hob ihn vorsichtig mit beiden Händen zum Mund.

Es nahm einen Schluck, nur einen, weil der Saft bitter war. Dann biss es noch einmal von dem Brot ab. Anschließend musste es gleich wieder trinken. Und bald darauf wurde es wieder müde. Es kroch zurück auf die Decke, streckte sich aus und schlief gleich ein. Es war ein bleischwerer Schlaf, aus dem es erst nach langer Zeit wieder erwachte.

Und es war niemand gekommen. Sein Kopf war noch angefüllt von Müdigkeit. Benommen richtete es sich auf, tastete umher und bekam einen Zipfel der Puppe zu fassen. Es hielt sie mit einer Hand fest und schleifte sie hinter sich her, als es langsam zur anderen Seite seines Raumes hinüberkroch.

Die Milch! Groß und verlockend stand ihm die Flasche vor Augen. Sie musste irgendwo beim Eingang stehen. Seine Bewegungen waren unsicher und schwerfällig. Obwohl es nur auf Händen und Knien vorwärts kroch, gaben die Beine immer wieder nach, knickten unter ihm weg, und der schwere Kopf zog es nach vornüber.

Zweimal lag es minutenlang auf dem Bauch, mit dem Gesicht auf dem rauen Boden, ehe es den Eingang erreichte. Doch so sehr es auch suchte, es fand weder die Milchflasche noch das Häufchen Kekse. Und der Mund war so trocken.

Auf Knien richtete es sich auf, schlug mehrfach mit der Hand gegen die Mauer, kratzte an den Steinen. Die Frau mochte das nicht. Doch in seiner Not wusste es sich nicht anders zu helfen. Der Leib begann zu schmerzen, und im Kopf waren kleine Wirbel, die den Boden und die Mauer schwankend machten. Und die Frau kam nicht. Es kam auch sonst niemand.

Auf dem Boden beim Eingang sitzend, schlang es die trockenen Reste des Brotes in sich hinein, trank ein wenig von dem Saft, wurde erneut müde davon. Es gelang ihm nicht einmal mehr, zurück zu seiner Decke zu kriechen. Mitten in der Kammer rollte es sich auf dem kalten Boden zusammen und schlief weiter.

Nach einer langen Zeit erwachte es wieder. Der Leib schmerzte stärker als zuvor, zog sich in Krämpfen zusammen. Wieder begann es leise vor sich hin zu wimmern, machte sich auf die Suche nach Nahrung. Aber es war

bereits schwach und von der Bitterkeit im Saft benommen.

Die Finger stießen immer nur gegen das leere Holzbrett
und den Becher. Nach einer langen Stille trank es mit viel
Überwindung den Rest Saft. Die Kekse hatte es nicht wieder finden können. Auch die Milchflasche nicht. Und der
Rest aus dem Becher schmeckte noch bitterer.

Das Kind spürte winzige Krümel auf der Zunge und zwischen den Zähnen, versuchte sie auszuspucken und
wischte sich einmal mit der Hand über den Mund.

Dann kroch es mühsam zurück in seine Ecke, legte sich
dorthin, wo es weich war. Es horchte noch minutenlang.
Bis der Schlaf kam und es mit sich nahm.

Steiners Haus

Mein Vater schickte uns zum Wochenbeginn zwei junge Männer, die bereit waren, alle anfallenden Arbeiten zu erledigen. Heinz und Rudolf Meisen, Brüder, beide Mitte zwanzig, gleich groß, zwischen eins achtzig und eins neunzig, ziemlich kräftig gebaut. Heinz, der ältere, war der Chef des Zweimannbetriebes. Er war verheiratet und hatte bereits eine zweijährige Tochter.

Rudolf gestand gleich freimütig, dass er von Beruf eigentlich Kraftfahrer und nur vorübergehend bei seinem Bruder beschäftigt war. Man hatte ihn mit etlichen Promille im Blut hinter dem Steuer erwischt.

«Jetzt ist der Lappen weg», erklärte er. «Sonst hätte ich Ihnen den Lkw fahren können. Aber machen Sie sich mal keine Sorgen, das übernimmt ein Kumpel von Heinz.»

Wir fuhren mit ihnen hinaus. Sie schauten sich alles an und nickten nur. Als wir das Haus verließen, drehte Rudolf sich noch einmal um. «Noble Hütte», meinte er, schniefte kurz und schaute mich fragend an. «Wann wollen Sie denn einziehen?»

Bevor ich dazu kam, ihm eine Antwort zu geben, seufzte Laura vernehmlich. «Am liebsten gleich.»

Heinz schaute sie mit leicht zusammengekniffenen Augen sekundenlang nachdenklich an. Er atmete einmal tief durch, wandte sich an seinen Bruder. «Was meinst du, Rudi?»

Rudolf schob die Hände in die Hosentaschen und hob nur kurz die Schultern.

«Ja», sagte Heinz, nickte, als sei Rudolfs Schulterzucken bereits Zustimmung genug gewesen. «Groß genug ist es ja. Und wenn es Sie nicht stört, dass wir gleichzeitig arbeiten. Wie lange brauchen Sie zum Packen?»

Laura war verblüfft, gleichzeitig jubelte sie: «Zwei Tage!?»

Heinz nickte nur. Laura strahlte mich an, Triumph im Blick. «Also Donnerstag.»

Zwei Tage lang vergaß ich Roman, Film, Drehbuch und ein paar andere Sorgen. Wir verpackten unsere Habe in Kartons, notierten, was sonst noch erledigt werden musste. Nachsendeantrag bei der Post, Ab- und Anmeldung bei den Einwohnermeldeämtern, der Telefonanschluss war schon beantragt, aber da wollte ich noch einmal nachhaken.

Den halben Mittwoch verbrachte ich damit, Wolfgang begreiflich zu machen, dass ich im Haus wesentlich besser vorankommen würde. Allein die Atmosphäre dort würde mich vermutlich zur Höchstform bringen.

Dann standen wir tatenlos dabei, während unsere Möbel auf den Lastwagen verladen wurden. Er war groß genug, fasste die gesamte Einrichtung auf einen Schlag. Wir mussten mit unserem Wagen nur noch hinterherfahren.

Dieser Donnerstag war eine einzige Katastrophe. Wir kamen am Spätnachmittag an. Danny wurde gleich hinaus in den Garten geschickt mit der Ermahnung, sich nicht allzu weit vom Haus zu entfernen. Es war dann bereits Abend, als der Lastwagen mit unserem dritten Mann am Steuer wieder abfuhr.

Und in der Zwischenzeit war Danny rund ein Dutzend Mal irgendeinem vor die Füße gelaufen. Mal hatte er Hunger, mal war er entsetzlich durstig, dann wieder musste er aufs Klo, manchmal wollte er auch unbedingt helfen.

Mir erging es nicht viel besser. Natürlich packte ich mit an, trug Stühle, Kartons und dergleichen ins Haus. Und obwohl ich mich ständig beschäftigte, hatte ich immerzu das Gefühl, den Männern im Weg zu sein wie Danny, nur schickten sie mich nicht zu Laura mit dem Hinweis, die würde mir schon was zu trinken geben.

Und Laura wanderte treppauf, treppab und wieder hinauf und wieder hinunter. Sie war völlig überdreht, erklärte mir rund hundertmal: «Hier bringt mich kein Mensch mehr raus.»

Als gegen sechs Uhr der Lkw abfuhr, ging Laura in den Keller, setzte sich an den Tisch in der Dienstbotenkammer. Und dort blieb sie, bis sich die Meisenbrüder kurz nach acht verabschiedeten. Irgendwie verlassen standen wir bei der Tür und schauten dem altersschwachen Ford Capri hinterher, in dem sie davonfuhren. Laura strahlte mich an. «Wir haben es geschafft, Tom. Ist es nicht herrlich?»

Für meine Begriffe war es das nicht. Ich hatte das dumpfe Gefühl, mitten im Chaos zu stehen. Unsere gesamte Einrichtung stand komplett in der Bibliothek. Lediglich Dannys Bett und unsere Matratzen waren hinauf in den ersten Stock geschafft worden. Aber das störte mich weniger.

«Ich bin völlig in Ordnung», behauptete Laura, als sie meinen Blick sah. «Mach dir um mich keine Sorgen. Ich komme damit zurecht. Ich bin immer damit zurechtgekommen.»

Aus dem Durcheinander der Kartons fand sie treffsicher den mit den Lebensmitteln heraus, nahm ein paar von den Sachen mit in den Keller und kümmerte sich dort um eine rasche Mahlzeit, während ich hinaufging und unser provisorisches Lager mit frischer Wäsche bezog.

Wenig später aßen wir an dem großen Arbeitstisch in der Küche. Die Tür nach draußen stand weit offen. Wir schauten auf vernachlässigten Rasen, auf wild wuchernde Sträucher und die Bäume. Und ich glaube, in der halben Stunde waren wir alle drei einigermaßen zufrieden.

Wenn ich an die nächsten Tage dachte, wurde mir ein wenig mulmig. Laura wirkte immer noch so aufgekratzt und hektisch. Wir brachten Danny zu Bett, wuschen das Geschirr ab, und anschließend wollte Laura unbedingt noch ein Weilchen auf der Terrasse sitzen.

Ich trug zwei von den Küchenstühlen hinaus und um das Haus herum. Die Terrasse nahm fast die gesamte Rückfront ein. Es war ein gewaltiger Unterschied zu dem, was in unserem bisherigen Mietvertrag als Balkon bezeichnet wurde. Aber an diesem Haus war alles gewaltig.

Ausgelegt war die Terrasse mit Natursteinen, ein paar Stufen führten hinunter in den Garten. Und neben den Stufen war das Erdreich zu einer Schräge aufgetürmt, auf der ziemlich hohes Gras und eine Unmenge anderer Pflanzen wuchsen.

Tagsüber war es sehr heiß gewesen, doch der Abend war mild. Stundenlang hätte man im Freien sitzen können. Ein kaum spürbarer Wind ließ die Baumkronen murmeln.

Laura schaute sich um. «Ich habe das Gefühl, jetzt bin ich endlich zu Hause. Nichts gegen unsere Wohnung, aber ich habe immer sehr viel Platz um mich herum gebraucht. Wir werden noch eine Menge Arbeit haben, ehe alles in Ordnung ist. Aber ich fühle mich jetzt schon so wohl. Kannst du den Rasen schneiden, Tom?»

Wenn es nur der Rasen wäre, dachte ich. Selbst später, als wir schon auf den Matratzen lagen, flüsterte sie noch von Dingen, die getan werden mussten. Ich lag noch lange wach neben ihr. Den Kopf voller Gedanken. Und im Magen ein sehr ungutes Gefühl.

Am nächsten Morgen war Laura lange vor mir auf den Beinen, machte Frühstück, lief mit Danny den Garten hinunter und wieder hinauf. Dann weckte sie mich. Sie war ein wenig außer Atem, und ihr Gesicht schimmerte rosig und gesund. «Wie lang, hat Dressler gesagt, ist der Garten?»

Ich wusste es nicht mehr, jedenfalls nicht so früh am Morgen. Es war nicht einmal sieben.

«Der Kaffee ist fertig», sagte Laura. «Jetzt komm endlich, wir haben einen harten Tag vor uns.»

Hatten wir nicht. Gleich nach dem Frühstück fuhr draußen der Ford Capri vor. Heinz und sein Bruder, zweckmäßig gekleidet in Jeans und kurzärmeligen, karierten Hemden. Ihr Handwerkszeug hatten sie gleich mitgebracht.

Sie kamen zuerst noch mit hinunter in die Küche. Laura brühte noch einmal frischen Kaffee auf. Und während wir den tranken, beratschlagten wir, womit am besten begonnen werden sollte.

«Wenn ich mal 'nen Vorschlag machen darf», sagte Heinz. «Dann fangen wir mit dem Schlafzimmer an. Schätze, damit werden wir bis heute Abend fertig. Dann können wir es morgen einräumen, da können Sie dann wenigstens wieder vernünftig schlafen.» Und dabei schaute er sehr flüchtig und verschämt auf Lauras schon leicht gewölbten Leib. «Ist ja nicht das Wahre, mit der Matratze auf dem Boden. Das geht ins Kreuz.»

Laura nickte zustimmend, und Heinz wandte sich an mich. «Ich hab gestern keine Tapeten gesehen», stellte er fest. «Haben Sie noch keine?»

Es war schon ein wenig peinlich, aber immerhin hatten wir bereits die Maße der einzelnen Räume. Und Laura erklärte, dass sie jetzt gleich losfahren würde, um Tapeten zu besorgen.

Es schien ganz so, dass sie sich wieder gefangen hatte. Auf mich wirkte sie jedenfalls ruhig und ausgeglichen. Heinz empfahl ihr einen der üblichen Märkte für Heimwerkerbedarf. Er beschrieb ihr den Weg, und ich brachte Laura zum Wagen.

«Schaffst du das alleine?», fragte ich.

Laura grinste: «Zweifelst du daran, oder hast du nur Angst, dass ich dich mit riesigen Blumenmustern überrasche?» Sie grinste immer noch, als sie hinzufügte: «Geh du nur an deine Arbeit, sonst bekommst du noch Ärger mit Wolfgang.»

Ich küsste sie rasch auf die Stirn. Es war mir nicht recht, sie alleine fahren zu lassen. Ich sah ihr zu, wie sie rückwärts auf die Straße fuhr. Laura hob die Hand, winkte noch einmal kurz, dann war sie weg.

Anschließend suchte ich in der Bibliothek nach meiner Schreibmaschine, trug unseren kleinen Küchentisch ins Wohnzimmer, einen Stuhl hinterher. Dann saß ich da, diese unförmigen, verstaubten Möbelberge vor Augen.

Die Unfallszene strich ich erst einmal aus meinen Gedanken, ebenso die zweite, in der Sandy von einem Arzt erfährt, dass Cheryl nie ein Kind geboren hat.

Dann kam Sandys großer Auftritt. Er ging mir flüssig von der Hand. Das Haus, Sandys Gesicht, die ganze düstere, Unheil verkündende Szenerie. Und gleich weiter.

Der junge Journalist betritt die Eingangshalle. Alle Türen stehen offen. Es herrscht Totenstille. Er ruft nach Sandy, bekommt keine Antwort. Er schaut in die Räume im Erdgeschoss, steht einen Augenblick lang ratlos da, ruft noch einmal ihren Namen und wendet sich der Kellertreppe zu.

Die Trennwand zum Essraum war ganz zur Seite geschoben. Irgendwie störte mich das. Es war so leer in meinem Rücken. Ich hatte das Gefühl, dass hinter mir die Realität aufhörte.

War mit Laura wirklich alles in Ordnung? Was ging in ihr vor, wenn sie die Kellertreppe hinabstieg?

Der Journalist steigt hinab in den Keller.

Und was empfand Laura im Keller? In der Dienstbotenkammer? Beim Anblick von Mariannes Bett mit den verstaubten Bezügen? «Sie war Dienstmädchen dort, mein liebes Kind. Hausmädchen sagten sie dazu.» Fenster putzen, Böden wischen. Irgendwie unvorstellbar. Ich kannte Marianne nur mit gepflegten Händen, nur in eleganter Kleidung. Ob sie damals Schürzen oder Kittel getragen hatte? Ob Laura sie sich in Schürze oder Kittel vorstellte?

Weiter im Text: Aus dem Off plötzlich ein erstaunter Ausruf, Sandys Stimme. Der Journalist geht zurück zur Treppe.

Da fehlte etwas Entscheidendes, die Großaufnahme eines bestimmten Mauerstückes von der Kellerwand. In diesem Mauerstück befand sich die Geheimtür, die ins Labor des Wissenschaftlers führte. Das musste in dieser Szene zumindest angedeutet werden. Also das Blatt aus der Maschine ziehen, noch einmal neu beginnen.

Dann ein Szenenwechsel: Sandy steht in einem komplett eingerichteten, altertümlichen Zimmer. Rüschengardinen mit Rosenmuster, leicht angestaubt. Ein hohes Bett mit einem Baldachin aus dem gleichen Stoff. Durch ein breites Fenster fällt helles Sonnenlicht in den Raum, und doch sind da schattige Winkel. Eine erste Ahnung überzieht Sandys junges Gesicht.

Dies ist das Zimmer ihrer Mutter, ihrer leiblichen Mutter. Auf diesem Bett, das fühlt Sandy, ist sie selbst gezeugt worden.

Und mit Sandys Ahnungen und Gefühlen ist das so eine Sache. Im Roman gar kein Problem. Da war bereits mit den Versuchen an Ratten hinlänglich erklärt, welches Resultat die Experimentierwut des besessenen Wissenschaftlers zur Folge hatte. Und Sandy selbst war ausführlich beschrieben.

Nach menschlichem Ermessen ein Monster. Eine einzige, riesige Körperzelle, genau genommen: Milliarden von Zellen, die sich zu einem Klumpen formiert hatten. Und jede einzelne Zelle trug den kompletten genetischen Code, so weit stimmte das noch mit jedem Biologielehrbuch überein.

Nur war in Sandys Fall keine Zelle spezialisiert. Anders ausgedrückt, jede Zelle war nach Bedarf beliebig ersetzbar. Gesteuert wurde das Ganze von einem immensen Gehirn, das rund dreißig Prozent der Zellmasse ausmachte.

Und in dieser Masse steckte ein überaus sensibles Wesen, sehr empfänglich für menschliche Stimmungen. Verletzlich und verzweifelt. Im Roman hatte ich in allen Variationen beschrieben, wie Sandy in gewissen Momenten die Kontrolle über sich verlor. Wie ihr Körper und ihr Gesicht die Konturen einbüßten. Eine Hand, die plötzlich wie eine breiige Masse auseinander lief. Das hübsche Gesicht ohne Haut, zuerst noch ein roher Fleischklumpen, dann traten die Gehirnwindungen überdeutlich hervor. Dann gab es eine Szene, da stand Sandy unter der Dusche, ganz menschlich, eine wohlgeformte junge Frau. Und plötzlich wurde sie angegriffen.

Ein paar böse Zungen hatten behauptet, da hätte ich abgeschrieben. Ganz so war es nicht. Zwar hielt auch bei mir die Hand, die den Duschvorhang beiseite schob, ein langes Messer. Aber das Grauen ging dann von Sandy aus. Da verwandelte sich der ansehnliche Frauenkörper von einer Sekunde zur anderen in eine überdimensionale Knochenplatte, an der das Messer nur noch wirkungslos herunterkratzte.

Doch vor dem leeren Bett ihrer Mutter stehend, ist Sandy einfach nur ein hilfloses Geschöpf, den widersprüchlichen Empfindungen ausgeliefert, durchgeschüttelt von Ängsten und vagen Erinnerungen. Beseelt von dem Willen, die Wurzeln der eigenen Existenz zu finden.

Ich hatte die Szene genau im Kopf, aber daneben sah ich Laura vor dem Bett in der Dienstbotenkammer stehen. Die Wurzeln der eigenen Existenz. Schwangerschaftspsychose, und vorher war Marianne angeblich ein zwar stiller und in sich gekehrter, aber doch normaler Mensch gewesen. Ein Mensch, der ein paar Jahre lang in Steiners Haus gelebt hatte. Und über mir Möbelrücken, Schritte, treppauf, treppab, dazu die Stimmen.

«Halt das hier mal, Rudi. So, jetzt hab ich es. Kannst loslassen.»

Ich konnte mich nicht konzentrieren. Ertappte mich immer wieder beim Lauschen in Richtung der Tür. Sie brauchten eine knappe Stunde, um Steiners Schlafzimmer auf den Dachboden zu schaffen.

Sie hatten getrennte Schlafzimmer. Das allein sprach noch

nicht gegen eine vorbildliche Ehe. Aber warum hatte seine Frau ihn verlassen?

«… hieß es, er habe sie betrogen. Oder sie ihn … Ich persönlich glaube das nicht …», geisterte Berts Stimme durch meinen Kopf.

Den Blick auf die unter Tüchern verborgenen Schränke gerichtet, saß ich da und horchte. Warum verschenkten Steiners Söhne derartige Kostbarkeiten? Das hatte für mein Empfinden nichts mit Hass zu tun. Hass hat noch nie einen Menschen davon abgehalten, Kapital aus einer Sache zu schlagen.

Furcht schon eher. Aber einen Vater, der alles für die Familie tut, den fürchtet man nicht, den verlässt man auch nicht.

«… wollte sie zwingen, hier wieder einzuziehen …»

Und jetzt waren wir eingezogen. Und Marianne wurde krank bei dem Gedanken. Aber Marianne wurde auch bei anderen Gedanken krank. Vielleicht hatte es gar nichts zu bedeuten.

Dann begann das Scharren und Kratzen. Heinz und Rudolf waren dabei, die alten Tapeten zu entfernen. Die Terrassentür hatte ich ebenfalls geöffnet. Danny spielte direkt davor, obwohl ich nichts von ihm sah. Er hockte vor dem Erdwall und brummte nach Leibeskräften, um den Arbeitseinsatz seines Baggers zu verdeutlichen.

Da mir in dieser Geräuschkulisse nichts Besseres einfiel, hielt ich schon einmal die Duschszene fest. Erst nur in Stichworten, doch daraus entwickelte sich rasch ein erster Ansatz.

Laura kam erst am späten Nachmittag zurück. Ich bemerkte es zuerst nicht einmal. Registrierte nur, dass der

Bagger unter der Terrasse wieder einmal seinen Einsatz unterbrach. Das hatte er in den letzten Stunden häufiger getan. Manchmal war Danny eben durstig, manchmal war er hungrig.

Danny hatte den Wagen kommen hören und war um das Haus herum zur Einfahrt gelaufen. Und Laura bat ihn, einen der Männer zu holen. Einen, der die Kartons für sie ins Haus trug.

So hörte ich, wie Danny durch den Keller hereinkam, wie er die Treppen hinauflief, erst die eine, dann die zweite. Und oben rief er: «Können Sie mal bitte runterkommen.»

Ich hörte es, aber ich dachte nicht darüber nach. Es ging im Augenblick gerade so gut, floss direkt aus den angestaubten Tüchern in die Schreibmaschine. Drei komplette Szenen, die ich später an entsprechender Stelle einfügen konnte. Und selbst beim Lesen des relativ nüchtern gehaltenen Drehbuchtextes spürte man das Grauen, das von Sandy ausging.

Im Geist sah ich bereits, wie das alles in diesem Haus in Szene gesetzt wurde. Wie Sandy wieder und wieder in den Keller schlich auf der Suche nach ihrem Vater. Und wie sie auf der Suche nach ihrer Mutter vor diesem bestimmten Wandabschnitt stand. Hinter der Geheimtür lag nicht nur das komplette Labor. Da waren zahlreiche Nebenräume, oft nur winzige, dunkle Kämmerchen, und da waren die verwinkelten Gänge, die tief in den Hügel hineinführten.

Plötzlich stand Laura hinter mir. Sie machte einen sehr erschöpften Eindruck, wischte sich eine verschwitzte Haarsträhne aus der Stirn. «Die Hitze bringt einen um», murmelte sie. «Der Wagen war wie ein Backofen. Ich bin ganz klebrig und kann mich selbst nicht mehr riechen.»

In der Halle stand ein gutes Dutzend großer, oben offener Kartons, aus denen Unmengen von Tapetenrollen herausragten. Daneben noch vier Eimer, die mit Deckeln verschlossen waren.

«Bist du gut vorangekommen?», fragte Laura. Ich zeigte stumm auf den kleinen Papierstapel neben der Maschine, und sie nickte. Aber es war kein zufriedenes oder gar glückliches Nicken. Es war nur erschöpft.

Ich folgte ihr in die Halle. Heinz war gerade dabei, eine der Rollen aus der Schutzfolie zu ziehen.

Laura erklärte: «Der Verkäufer hat mir ausgerechnet, wie viele ich jeweils brauche. Aber wenn welche zu viel sind, kann ich sie zurückbringen.»

«Und wenn eine zu wenig ist?», fragte ich scherzhaft. Und ich bin mir völlig sicher, dass man den scherzhaften Ton ganz deutlich erkennen konnte. Doch Laura reagierte nicht darauf. Sie starrte mich an und erklärte mit einem Anflug von Wut in der Stimme: «Nur keine Sorge, wenn der Verkäufer sagte, ich brauche zwanzig, habe ich zwei mehr genommen. Ich bin kein Feigling und auch kein Geizkragen wie du.»

Dann ließ sie mich mitten in der Halle zwischen Eimern und Kartons stehen, rannte die Treppe hinauf. Heinz hob verlegen die Schultern. Er grinste unsicher. «Die Hitze kann einen schon nervös machen», meinte er und stieg ebenfalls wieder hinauf.

Oben hörte ich Laura mit Rudolf reden. Ich hatte das drängende Empfinden, dass ich ihr nachgehen sollte. Doch stattdessen ging ich hinunter in die Küche. Im Kühlschrank fand ich einen kleinen Vorrat an Aufschnitt. Neben Wurst, Käse und Schinken lagen zwei Pakete Bauernschnitten. Ganz automatisch trug ich alles zum Tisch und begann, die Brotscheiben mit Butter zu bestreichen. Dann belegte ich sie. Die Männer waren garantiert hungrig. Danny hatte sich zwischendurch mit Keksen und zwei Bananen versorgt. Ein belegtes Brot konnte auch ihm nicht schaden. Ich richtete die fertigen Brote auf einer Platte an, garnierte sie noch mit den Vierteln einiger Tomaten, die ich im Gemüsefach fand, und trug sie hinauf.

Sie waren alle im Schlafzimmer, standen zwischen Bergen von feuchten, klebrigen Tapetenfetzen und betrachteten die nackten Wände. Laura hatte einen Arm um Dannys Schultern gelegt und ihn sehr fest an sich gezogen.

«Soll ich Kaffee machen?», fragte ich und stellte die Platte auf der breiten Fensterbank ab.

«Nimm es wieder mit», sagte Laura. «Wir kommen zum Essen runter in die Küche.»

Ihre Stimme klang sehr müde, und ich fühlte mich, als hätte ich ein Verbrechen begangen.

Dann saßen wir zu fünft um den großen Küchentisch herum. Ich hatte Kaffee aufgebrüht, aber außer mir trank niemand davon. Laura hatte sich ein Glas Mineralwasser genommen, Danny trank Milch. Und die beiden Männer hatten Bierflaschen vor sich.

Ihre karierten Hemden hatten sie ausgezogen, vielleicht wegen der Hitze. Auf Rudolfs mächtigem Brustkorb kräuselten sich Unmengen von dunklen, feucht schimmernden Härchen. Jedes Mal, wenn er die Bierflasche an den Mund hob, ließ er die Muskeln auf seinen Oberarmen spielen.

Laura saß apathisch auf ihrem Platz, kaute lustlos auf einem belegten Brot herum. Ihr Blick schweifte immer wieder zu dieser breiten, behaarten Brust, zu den muskulösen Armen hinüber, verirrte sich dann anschließend regelmäßig zu meinen Händen. Und jedes Mal huschte so etwas wie ein geringschätziges Lächeln um Lauras Lippen. Das war zu viel.

Ich erhob mich, ging auf die Tür zu. Ohne mich umzudrehen, erklärte ich im Hinausgehen: «Ich habe leider keine Zeit für eine ausgedehnte Pause. Ich habe zu arbeiten.»

Zu arbeiten! Im Zusammenhang mit dem, was ich seit dem Morgen geleistet hatte, kam mir das Wort mit einem Mal lächerlich vor. Stillsitzen, Gruselgeschichten auf Papier bringen. Zeitvertreib.

Ich fühlte mich plötzlich wie der typische Vertreter einer übersättigten Generation. Behütete Kindheit, sorglose Jugend, freie Auswahl auf die Zukunft. Das Wort Entbehrung nur ein Begriff aus zehn Buchstaben. Man hatte mich nie in die Pflicht genommen. Hatte mich spielen lassen. Und aus lauter Langeweile schuf ich eine Horrorvision nach der anderen.

Ich hatte niemals richtige Angst oder Sorge vor dem nächsten Tag gehabt. Und jetzt, wo zum ersten Mal ein wirkliches Problem vor mir auftauchte, spielte ich weiter, als ginge mich die Sache nichts an.

Für gewöhnlich neige ich nicht zu solchen Aktionen der Selbstzerfleischung. Früher hatte es mich nicht gestört, wenn Laura abgehetzt aus der Agentur heimkam, über den Putzeimer stolperte, lauwarme Viertelpfünder auf den Tisch legte. Oder sich verschwitzt und keuchend in unsere kleine Küche begab, um noch rasch ein Rührei oder etwas Ähnliches zu brutzeln, weil ich wieder einmal vergessen hatte, für eine Mahlzeit zu sorgen. Weil ich wieder einmal die Ungeheuer tanzen ließ.

Es hatte mich nie gestört, und wir waren uns darüber einig gewesen, dass es so sein musste. Die tanzenden Ungeheuer waren eben mein Beruf. Damit verdiente ich meinen Anteil am Rührei. Und ich hatte in den letzten Stunden nichts anderes getan als in den letzten Jahren. Und ich hatte auch in den letzten Jahren gewusst, dass Laura dazu neigte, ihre Probleme in sich hineinzufressen, sie vor sich herzuschieben. Bis sie dann darüber stolperte und ein paar kleine Details ausspuckte.

Ich stand mitten in der Halle wie der sprichwörtlich begossene Pudel und war nahe daran, die Treppe hinunterzustürmen, Laura in die Arme zu nehmen und mich tausendmal für mein Versagen zu entschuldigen.

Aber dann ging ich doch zurück ins Wohnzimmer, setzte mich an das kleine Tischchen und begann in verbissenem Eifer auf die Tasten einzuschlagen.

Siebte Szene, Nacht.

Schwach ausgeleuchtetes Schlafzimmer. Sandy und der junge Journalist nebeneinander im überdachten Bett. Von weit her ein leises, feines Klirren. Sandy erwacht, in ihrem Gesicht beginnt es zu leben. Die Gardinen bauschen sich vor dem halb offenen Fenster.

Die Gardinen störten mich erheblich. Es war so abgegriffen. Immer wenn es in einer Schlafzimmerszene unheimlich wurde, mussten die Gardinen herhalten. Als ob es keine anderen Möglichkeiten gäbe.

Sandys Gesicht verändert sich weiter, trägt schließlich unverkennbar die Züge der jungen Cheryl. Das Bild wird unscharf. Wolfgang hatte mich davor gewarnt, derartige Anweisungen in den Text einzubringen. Das wäre Sache des Regisseurs, hatte er erklärt. Und die wenigsten Regisseure sähen es gerne, wenn ihnen der Drehbuchautor Vorschriften machte.

DAS BILD WIRD UNSCHARF!

Fast hätte ich den Satz noch unterstrichen. So ging das nicht. Zuerst musste ich mit dieser Wut fertig werden. Laura wollte doch gar nicht reden, wollte nicht bedrängt oder getröstet werden, hatte es nie gewollt. Laura wollte sich und aller Welt beweisen, dass sie ihrer Kindheit und Jugend zum Trotz eine starke, dynamische Persönlichkeit war.

Und ich …

Verdammt, ich hatte den ganzen Morgen über hart gearbeitet. Und soweit ich das beurteilen konnte, waren mir die Szenen gut gelungen. Wenn ich so weitermachte, würde ich ein ansehnliches Sümmchen für dieses Drehbuch erhalten. Ich hatte es nicht nötig, mir hier meine eigene Wand zum Abkratzen zu suchen. Ich konnte meine Zeit besser nutzen. Und wenn ich meine Zeit nutzte, hatte ich das Geld, die Leute zu bezahlen, die mir die Dreckarbeit abnahmen. Notfalls auch einen Arzt, der Laura ein wenig beistand.

Es war ein großartiger Gedanke.

ICH HATTE DAS GELD! Und ich würde es auch morgen, in einer Woche, einem Monat, ich würde es auch in einem Jahr noch haben. Einfach, weil ich auch morgen, in einer Woche, einem Monat, weil ich auch in einem Jahr noch mit den uneingestandenen Ängsten meiner Mitmenschen Klavier spielen, weil ich aus den unerschöpflichen Labyrinthen meines Kellertreppenwinkels immer neue Ungeheuer zutage fördern konnte.

Über mir waren die Schritte der Männer zu hören, ihre Stimmen, leise und undeutlich. Vor der Terrasse nahm der Bagger erneut seine Arbeit auf. Und irgendwo im Haus rauschte Wasser. Ich hörte es nur, weil alle Türen offen standen.

Noch einmal. Allmählich bekam ich die Wut in den Griff. Achte Szene, außen, Nacht.

Vor dem Haus steht ein Personenwagen, ein Modell aus früheren Jahren. Zwei Männer steigen aus, einer beugt sich in den Wagen hinein und zerrt eine hochschwangere Frau heraus. Ob dieses Muskelpaket von arbeitslosem Kraftfahrer es tatsächlich auf Laura abgesehen hatte? Kaum vorstellbar, aber immerhin. Auch mit ihrem Kugelbauch war Laura eine Augenweide. Selbst eben, als sie so verschwitzt, so ausgelaugt am Küchentisch saß … Oder war es umgekehrt? Suchte Laura jetzt nach einem «starken Mann»?

Das Wasserrauschen, alle Türen standen offen. Laura duschte bei offener Tür. Und nebenan wurden die ersten Tapetenbahnen eingekleistert: von zwei jungen, überaus gut aussehenden Männern mit muskulösen Armen und behaarter Brust. Und meinen Händen sah man deutlich an, dass sie für richtiges Werkzeug nicht taugten.

Wann hatte ich zuletzt einen Hammer gehalten? Wann hatten wir uns zuletzt geliebt? Wie oft hatte ich in den letzten Wochen von Laura gehört: «O bitte, Tom, es ist so heiß. Heute nicht.»

Ich erhob mich, ging zur Terrassentür und weiter bis zu den Stufen. Danny hatte ganze Arbeit geleistet. Auf einer Fläche von knapp einem halben Meter Durchmesser wuchs kein Hälmchen mehr. Alles was dort an Pflanzen gestanden hatte, lag nun vor dem Erdwall, zum Teil bereits vertrocknet. Der Bagger stand noch auf der Schräge. Von Danny selbst war nichts mehr zu sehen.

Bedächtig stieg ich in den Garten hinunter und schlenderte mit geballten Fäusten in den Hosentaschen den moosbewachsenen Pfad entlang.

In einiger Entfernung sah ich Dannys blaues T-Shirt durch das Grün schimmern. Er hockte am Boden, unter den Zweigen einer uralten Fichte. Mit der flachen Hand beklopfte er das Erdreich, schaute mir mit einem ernsten und traurigen Blick entgegen. Er war richtig schmutzig, vielleicht zum ersten Mal in seinem Leben. Die Hände mit Erde verklebt, dunkle Streifen auf Stirn, Wangen und im übrigen Gesicht. Die hellblauen Shorts und das etwas dunklere T-Shirt mit dem Mickey-Mouse-Emblem starrten förmlich vor Dreck.

«Ich habe es begraben, Papa», sagte er mit bebenden Lippen. Seine Stimme war wie sein Gesicht, bitterernst und todtraurig. Danny streckte einen Arm aus und zeigte zu einem Gebüsch hinüber.

«Da hat es gesessen. Es war blau und hatte ein weißes Köpfchen. Aber es konnte nicht richtig fliegen. Dann kam diese alte, fette Katze, und …»

Unvermittelt brach Danny in Tränen aus, war nur noch ein verzweifelter Vierjähriger. «Das arme Vögelchen. Es hat so geschrien, Papa», schluchzte er, kroch unter den Fichtenzweigen hervor und kam auf mich zu. Die Tränen hinterließen breite Spuren auf seinen schmutzigen Wangen. Mit den Fingern einer Hand deutete er eine Spanne von etwa vier Zentimetern an. Der Vogel war vermutlich größer gewesen, als Danny es mit seinen kleinen Händen zu zeigen vermochte.

Ich nahm ihn auf den Arm, was er normalerweise nicht duldete. In seinem Schrecken jedoch schien er dankbar dafür. Er schlang beide Arme um meinen Hals, legte sogar den Kopf gegen meine Schulter und flüsterte mir, von Schluchzern unterbrochen, seinen Kampf um ein Vogelleben ins Ohr.

Mit Dreckklumpen hatte er sie beworfen. Gelbgrau war sie gewesen, gestreift wie ein Tiger und sehr, sehr fett. Auf die Dreckklumpen hatte sie nicht reagiert. Da war ihm die Idee mit dem Wasser gekommen. Weiter hinten im Garten hatte er schon am Vormittag einen kleinen Teich entdeckt. Mich überlief es kalt bei der Vorstellung. Wie tief sind Teiche? Er hätte hineinfallen können.

Mit beiden Händen hatte er dort Wasser geschöpft, war zurückgelaufen, wobei er natürlich das Wasser bis auf wenige Tropfen wieder verlor. Aber diese wenigen Tropfen hatten die Mörderin zumindest ein wenig irritiert. Beim zweiten Angriff dieser Art hatte sie von ihrem Opfer abgelassen, ohne es völlig zu zerfleischen.

Ich lobte ihn, tröstete ihn. Und dann fiel mir nichts Besseres mehr ein, als ihn zu fragen, was er denn eigentlich so weit hinten im Garten zu suchen gehabt hatte.

«Ich wollte doch nur mal gucken», entschuldigte er sich. «Und in der Sonne war es so furchtbar heiß. Da wollte ich lieber ein bisschen im Schatten spielen.»

Ich nahm ihn mit ins Haus, steckte ihn in die Badewanne. Die Dusche war feucht, ganz offensichtlich hatte Laura das zweite Bad benutzt. Jetzt lag sie zusammengerollt auf Dannys Bett. Ich wollte sie nicht stören und kehrte an die Schreibmaschine zurück.

Laura schlief bis kurz nach sechs. Ich hörte sie die Treppe hinunterkommen und in den Keller gehen. Mit meiner Konzentration war es ohnehin nicht mehr weit her. Und die ganze Zeit über redete ich mir krampfhaft ein, dass ich für heute genug getan hätte.

Betont lässig stieg ich ebenfalls die Treppe hinunter. Laura saß wieder vor dem Tisch in der Dienstbotenkammer und starrte die Klappe auf dem gegenüberliegenden Mauerstück an. Sie kaute auf ihrer Unterlippe, ein sicheres Zeichen für Nervosität und Angespanntheit. Sie musste meine Schritte gehört haben, beachtete mich aber selbst dann nicht, als ich in der Tür stehen blieb. Erst nach mehr als einer Minute erkundigte sie sich in spöttischem Ton: «Fällt dir nichts mehr ein?»

Auch dabei blieb ihr Blick auf die Klappe gerichtet. Ihre Augen glitten darüber hin und her, es schien fast, als wolle sie damit den schweren Riegel zurückschieben.

«Das Ding macht mich wahnsinnig», murmelte sie nach einer Weile, und endlich drehte sie mir das Gesicht zu. «Hast du das Stück schon, wo Sandy in dem Verschlag gehalten wird wie ein Tier? Wo Cheryl sich noch entsetzlich vor ihr fürchtet, wenn sie sie füttern muss?»

«So weit bin ich noch lange nicht», erklärte ich. «Außerdem meinte Wolfgang, ich sollte das weglassen. Es gibt für den Film nicht viel her.»

Laura lachte rau. «Wolfgang ist ein Idiot. Das sind die besten Szenen im ganzen Roman. Warum haben die das verdammte Ding abgeschlossen?»

«Ich weiß es nicht», sagte ich hilflos.

Und Laura lachte noch einmal. «Du weißt es nicht. Natürlich weißt du es nicht. Woher denn auch? Du weißt nur, an welchen Stellen du deine Spezialeffekte einbauen musst, damit die Leute eine Gänsehaut kriegen. Geh rauf und grab noch ein paar unterirdische Gänge. Ich kümmere mich um das Abendessen.»

Ich wollte ihr darauf antworten, aber mir fiel einfach nichts ein. So blieb ich noch ein paar Sekunden lang bei der Tür stehen, betrachtete Laura mit wachsendem Unbehagen und einem Gefühl der Hilflosigkeit. Dann ging ich wieder hinauf und holte Danny aus dem Garten.

Gegen acht verabschiedeten sich die Männer. Wenig später bat Laura mich, unseren kleinen Tisch und ein paar Stühle auf die Terrasse zu tragen. Sie wollte draußen essen, in der Küche sei es zu heiß, behauptete sie. Sie war immer noch in einer merkwürdigen Stimmung und hatte ein regelrechtes Menü zusammengekocht. Den Abschluss bildete ein Vanillepudding, den sie mit Himbeersaft übergoss. Er war noch lauwarm, und ich hatte ohnehin keinen rechten Appetit.

«Warum hast du dir denn so viel Arbeit gemacht?», fragte ich, um überhaupt etwas zu sagen. Und Laura fauchte mich an: «Lass mich bloß in Ruhe.»

Dann begann sie mit einer Aufzählung, die mir deutlich machen sollte, worin der Unterschied zwischen ARBEITEN und arbeiten bestand.

Gut, ich hatte Danny praktisch nur in die Wanne gesetzt und ihm das Haar gewaschen. Mein Anteil an den Vater-Mutter-Kind-Pflichten. Anschließend war ich zurück an die Schreibmaschine gegangen und hatte mich nicht weiter um ihn gekümmert. Und Danny hatte sich auf seine Weise beschäftigt.

«Das ganze Bad hat er mir unter Wasser gesetzt», behauptete Laura. «Ihm kann man wohl keinen Vorwurf machen. Was erwartest du denn, wenn du einen vierjährigen Jungen mit einer vollen Wanne sich selbst überlässt?»

«Ich wische es gleich auf», sagte ich nur.

«Bemüh dich nur nicht. Das habe ich bereits gemacht. Ist nicht sehr angenehm, mit dem dicken Bauch über den Boden zu kriechen und die Pfützen aufzuwischen, die dein Sohn hinterlassen hat.»

Mein Sohn! Es war das erste Mal, dass sie Danny als meinen Sohn bezeichnete. Als ob sie selbst keinen Anteil an ihm hätte.

Danny starrte sie an, ebenso sprachlos wie ich. Doch im Gegensatz zu mir fand er seine Stimme rasch wieder. Mit einem trotzigen Ausdruck hielt er Lauras Blick stand und erklärte ruhig: «Du hast mir gesagt, ich darf die Männer nicht bei der Arbeit stören, damit sie mit dem Schlafzimmer fertig werden. Du hast mir gesagt, ich muss Papa in Ruhe lassen, damit er schreiben kann. Und du hast dich auf mein Bett gelegt, da konnte ich nicht in meinem Zimmer spielen. Und draußen war es mir zu heiß. Meine Beine brennen. Ich habe sie nur ein bisschen mit dem Wasser abgekühlt. Und ich habe nur ein ganz kleines bisschen danebengeschüttet.»

Und Danny erhob sich, blieb noch einen Augenblick lang neben dem Stuhl stehen, den Blick immer noch auf Laura gerichtet. «Ich wollte das Wasser aufwischen. Aber du hast gesagt, das ist deine Arbeit, sonst bekommst du Ärger mit Papa. Jetzt putze ich mir die Zähne und geh ins Bett.»

Gegen meinen Willen musste ich lächeln. Sein Selbstbewusstsein konnte ihm wirklich niemand absprechen. Und für einen Vierjährigen war es stark ausgeprägt.

Laura machte sich mit verbissenem Gesicht daran, den Tisch abzuräumen. Ich nahm mir ebenfalls ein paar Teller und trug sie hinunter in die Küche. Als ich die Stühle zurückbrachte, war Laura bereits beim Abwasch.

An ihrem Gesichtsausdruck hatte sich noch nichts verändert. So zog ich es vor, die Küche gleich wieder zu verlassen.

Das Schlafzimmer war zwar fertig tapeziert. Aber schlafen konnte man darin noch nicht. Unsere Matratzen lagen im zweiten Kinderzimmer. Ich legte mich gleich hin. Laura kam wenig später nach, kroch wortlos unter das dünne Laken, drehte sich gleich auf die Seite. Zum ersten Mal, seit wir die Nächte zusammen in einem Zimmer verbrachten, schwiegen wir uns in den Schlaf.

Mitten in der Nacht erwachte ich. Der Platz neben mir war leer. Ein Blick auf die Uhr, Viertel nach zwei. Ich horchte, vielleicht war sie im Bad. Es passierte jetzt schon häufiger, dass sie auch nachts zur Toilette musste.

Während der ersten Schwangerschaft war das auch so gewesen. Deshalb dachte ich zuerst nicht weiter darüber nach. Ich versuchte, wieder einzuschlafen. Aber das gelang mir nicht. Im Haus war es so still, beunruhigend still.

Nachdem ich einige Minuten lang gehorcht und auf das Rauschen von Wasser gewartet hatte, stand ich auf, um nach Laura zu suchen. Im Bad war sie nicht. Ein kurzer Blick in Dannys Zimmer. Er lag friedlich da und schlief. Ich schaute noch kurz in die anderen Räume, keine Spur von Laura. Dann ging ich ins Erdgeschoss hinunter.

Ich fand Laura schließlich in der Dienstbotenkammer. Sie lag auf der Seite, die Beine leicht angezogen, das Gesicht in den Kissen vergraben, auf diesem völlig verstaubten Bettzeug, und weinte. Zuerst bemerkte ich es nicht.

Ich stand in der Tür, verdeckte mir selbst das Licht, fragte verständnislos: «Was, um alles in der Welt, tust du hier? Das Zeug ist so schmutzig, du kannst dich doch nicht in solch ein schmutziges Bett legen.»

«Lass mich doch in Ruhe», flüsterte sie.

Und weil es so erstickt klang, fiel mir ihr Weinen auf. Ich ging zum Bett und setzte mich zu ihr auf die Kante, legte ihr eine Hand auf die zuckende Schulter.

«Was ist denn los mit dir?» Keine Antwort, ich sprach weiter. «Es ist doch ein bisschen viel, nicht wahr? Wir hätten warten sollen bis nach der Renovierung. Jetzt stehst du hier mitten im Chaos. Und ich bin dir keine große Hilfe.» Lauras Kopf flog förmlich zu mir herum. Ich konnte ihr Gesicht deutlich erkennen. Vom Gang her fiel ein breiter Lichtstreifen auf das Bett. Und ihr Gesicht war voller Wut. «Wir hätten kaufen sollen», stieß sie hervor, «sofort kaufen. Wir hätten sagen können, besucht uns doch mal, wir würden uns sehr freuen. Ich würde ihr diese Kammer zeigen. Ich würde zu ihr sagen: ‹Damit hast du wohl im Traum nicht gerechnet, dass ich einmal Herrin in diesem Haus bin. Vielleicht nehme ich mir auch ein Dienstmädchen. Wenn Tom weiterhin so erfolgreich ist, können wir uns das leisten. Und eine Dienstbotenkammer haben wir ja schon.› Und ich hätte endlich das Gefühl haben können, dass es mich nicht mehr interessiert, was in ihrem kranken Kopf vorgeht.»

«Komm wieder mit hinauf», bat ich. Aber Laura schüttelte den Kopf. Sie drehte sich auf den Rücken, starrte mit leerem Blick zur Decke hinauf.

«Vielleicht verstehst du das nicht. Ich laufe hier herum, und ich denke die ganze Zeit, wie mag das gewesen sein? Hausmädchen, was hat sie hier gemacht? Staub gewischt, nehme ich an. Die Betten der Herrschaften frisch bezogen. Die Bäder aufgewischt, wenn Steiners Söhne darin herumgeplanscht hatten.»

Laura verschränkte die Arme unter dem Nacken. Sie schaute zur Decke hin, während sie weitersprach.

«Weißt du, dass sie daheim nie einen Finger gerührt hat? Morgens kam eine ältere Frau, die hat ihr die ganze Arbeit abgenommen. Gekocht hat sie manchmal, das hat sie

138

hier wohl nicht tun müssen. Vati sprach doch von einer Köchin, oder?»

Ich erinnerte mich nicht genau, aber ich nickte, und Laura richtete sich halb auf. Auf einem Unterarm abgestützt, schaute sie mich nachdenklich an.

«Und sie war gesund. Vati sagte, sie war gesund. Aber ich habe sie nicht krank gemacht, ich nicht. Das lasse ich mir nicht länger einreden. Es hat etwas mit diesem Haus zu tun. Da bin ich ganz sicher. Warum sonst dieses Theater? Ich laufe hier herum, und ich habe das Gefühl, als müsste ich jeden Augenblick darüber stolpern.»

Laura klopfte mit der Hand auf den Bettbezug. Staubpartikel stiegen in der Lichtbahn auf. «Hier hat sie gelegen», sagte Laura, «jede Nacht. Und sie haben sie nicht schlecht behandelt. Was haben sie dann mit ihr gemacht? Ich will das wissen. Ich frage mich die ganze Zeit schon, wie sie überhaupt zu dieser Stellung gekommen ist. Ich weiß gar nichts von ihr.»

«Komm wieder mit hinauf», bat ich noch einmal. Aber Laura schüttelte den Kopf.

«Ich bleibe noch eine Weile hier. Sie ist doch meine Mutter.»

Das Kind hatte den Ausdruck Mutter nie gehört. Es kannte nur die Frau und die zweite Frau. Es konnte ihre Stimmen unterscheiden und ihre Schritte, auch ihre Gesichter und ihren Geruch. In seinem Schlaf waren sie ihm zu Anfang noch manchmal erschienen. Da waren zuerst die Schritte gekommen, dann kamen die Stimmen. Ihre Hände strichen über seine Wange, und ihre Arme zogen es fest an ihre warmen Körper.

Dann vergingen die guten Bilder, wurden verdrängt von

den Hammerschlägen, von dem mächtigen Schatten, den Er in das helle Viereck warf. Aber schließlich vergingen auch die schlimmen Bilder und Geräusche. Es blieb nur noch der Schlaf.

Das Kind erwachte daraus von einem leichten Scharren, das vom Eingang her in seine Ecke drang. Zuerst lag es ganz still und wartete auf die Frau. Der Eingang wurde geöffnet. Und der Schatten, der sich im hellen Viereck abzeichnete, machte ihm wieder Angst. Er war groß und wuchtig.

Es machte sich ganz klein in seiner Ecke. Da flammte ein grelles, rundes Licht auf. Wie eine kleine Sonne wanderte dieses Licht über den rauen Boden, huschte hin und her, kam immer näher.

Das Kind richtete sich auf, zog die Beine eng an den Leib und duckte sich. Das Licht griff nach seinen Füßen. Und das Kind stieß einen hellen, schrillen Ton aus.

Der Mann vor dem Eingang hörte den Schrei, gleichzeitig zerrte der Lichtkegel die kleinen Beine aus der Ecke. Der Mann schrie ebenfalls auf, starrte noch einen Augenblick lang in den Lichtkegel, drehte sich in panischer Hast um und floh. Auf halber Höhe der Treppe schaute er über die Schulter zurück, ob es ihm folgte. Dabei stolperte er, stürzte, und dann lag er da.

Das Kind hörte die polternden Geräusche und drückte sich tiefer in seinen dunklen Winkel hinein. Nach einer Weile drang ein hilfloses Stöhnen in seinen Raum. Jämmerlich klagende Laute, die seine Furcht noch steigerten, weil es sie nicht einordnen konnte.

Der Mann auf der Treppe bemühte sich, seinen massigen Körper allein mit den Armen hinaufzuziehen. Es gelang ihm nicht. Die Arme waren ohne Kraft.

Die Augen auf den Fuß der Treppe gerichtet, lag er da und stammelte ein paar sinnlose Worte vor sich hin. Das Kind hörte ihn. Aber noch saß es zitternd in seiner Ecke, wartete darauf, dass eine der Frauen kam, um den Eingang wieder zu schließen. Als nichts geschah, kroch es langsam auf die helle Öffnung zu. Dann wartete es wieder, schaute nur mit ängstlichen Augen in die blendende Helle.

Es erkannte die Tür auf der anderen Seite des Ganges. Dahinter musste die Frau sein. Zweimal stieß das Kind einen feinen, dünnen Ton aus. Dann stand es plötzlich draußen, gegenüber der Tür. Sie war geschlossen, zögernd und steif ging es die wenigen Schritte, kratzte zaghaft am Holz. Nichts rührte sich, nur das Ächzen von der Treppe klang wieder auf.

Es fürchtete sich immer noch. Ganz langsam ging es vor, spähte um die Mauer die Stufen hinauf. Es sah ihn dort liegen, mit dem Kopf auf einer der harten Stufen. Er sah es ebenfalls, schüttelte voller Abwehr den Kopf.

«Nein», stieß er hervor. «Nein, geh weg.»

Was die Worte bedeuteten, wusste das Kind nicht. Aber es fühlte die Angst des Mannes und zog sich wieder zurück in seine Ecke. Jetzt, im Licht, sah es die Milchflasche stehen, und daneben lagen die Kekse. Aber es war nicht durstig, nicht hungrig, nicht müde, es war nur da.

Stunde um Stunde saß es ganz still und wartete. Wartete auf die Frau, auf die Wärme ihres Körpers, wartete darauf, dass sie kam, um es zu sich ins Bett zu nehmen. Aber sie kam nicht. Im Haus war es ganz still. Auch der Mann gab keinen Ton mehr von sich. Vielleicht war er nicht mehr da.

Es kroch wieder auf den Eingang zu, stand unsicher davor im Gang, schlurfte zögernd zur Treppe. Schon ein Blick reichte, um zu erkennen, dass er noch so lag wie vorhin. Die Augen hatte er geschlossen. Und unter den Lidern quollen dicke Tropfen hervor.

Das Kind erinnerte sich an die Tropfen, die vom Gesicht der Frau gefallen waren, als sie zum letzten Mal kam. Wieder stieß es einen kleinen, hohen Ton aus, halb fragend, halb ängstlich. Und der Mann öffnete die Augen.

Er sah es kommen, zuerst nur das kleine Gesicht, am Fuß der Treppe. Dann eine Hand, die sich auf das Mauerstück legte.

«Was willst du von mir?», flüsterte er rau. «Geh wieder weg, du bist gar nicht da. Sie hat dich mitgenommen. Sie muss dich mitgenommen haben.»

Es blieb vor der ersten Stufe stehen, fast die ganze Nacht lang, still und geduldig. Als draußen die Dämmerung einsetzte, begann der Mann wieder zu stöhnen.

Dann flüsterte er: «Ich bin so durstig.»

Eines der Worte kannte das Kind, aber es war nicht durstig. Und es hatte niemals gesehen, dass eine der Frauen Nahrung oder Milch brauchte. Der Mann wiederholte das Wort immer wieder. Da ging das Kind in seinen Raum und holte die Flasche, stand zögernd damit vor der ersten Treppenstufe.

«Was hast du da?», fragte der Mann, spähte angestrengt zu ihm hinunter. Als er die Flasche in der Hand des Kindes erkannte, flüsterte er: «Wenn du mir wirklich etwas geben willst, dann komm her. Ich will nur einen kleinen Schluck, bitte.»

Und wieder war unter den vielen Worten eines, dessen Bedeutung das Kind kannte. Komm! Mit Händen und Füßen arbeitete es sich mühsam die Treppenstufen hinauf. Stellte die Flasche immer vorsichtig auf der nächsten Stufe ab. Endlich hatte es den Mann erreicht.

Er hob den Kopf. «Du bist ein gutes Kind», murmelte er und wollte nach der Flasche greifen. Doch sein Arm war ohne Kraft. Mit einem Aufstöhnen legte er den Kopf zurück.

Das Kind fürchtete sich immer noch vor ihm, streckte zaghaft eine Hand aus, berührte mit den Fingerspitzen seine Wange. Die Haut war rau, und er zuckte vor der Berührung zurück. Dann hob er den Kopf wieder.

«Du musst mir helfen», sagte er. «Ich kann die Flasche nicht nehmen.» Keines der Worte hatte einen Sinn für das Kind. Aber es begriff die Hilflosigkeit des Mannes. Es hob die Flasche mit beiden Händen, hielt sie ihm an die Lippen.

Er trank gierig, ließ den Kopf zurück auf die harte Stufe sinken und schloss die Augen wieder.

«Kannst du auch Hilfe holen?» fragte er nach einer Weile. Das Kind stieg noch ein wenig höher hinauf und setzte sich neben seinen Kopf auf die Treppenstufe. Die halb leere Flasche stellte es sich zwischen die Beine. Dann berührte es vorsichtig die schweißfeuchte Stirn des Mannes.

Er hielt die Augen geschlossen, und manchmal stöhnte er leise auf. «Willst du jetzt hier sitzen bleiben?», murmelte er nach einer Weile. «Ich weiß nicht, ob ich das ertrage. Geh lieber, geh ein bisschen nach draußen. Und wenn da draußen jemand ist, dann bring ihn hierher.»

Von all den Worten verstand das Kind nur eines. Draußen. Wie eine warme Flut ergossen sich die leuchtenden Dinge in seinen Kopf. Aber die zweite Frau war nicht da, und so zögerte es.

Nach einer Weile flüsterte der Mann noch einmal: «Geh nach draußen. Du musst gehen. Die Tür ist offen.»

Da erhob es sich endlich, kroch mit den Füßen zuerst die Treppe hinunter. Der Mann sah ihm nach, bis es um die Ecke verschwand. Er hörte die zögernden Schritte, die sich langsam entfernten. Einmal machten sie noch Halt.

Das Kind holte seine Puppe aus dem Winkel. Dann näherte es sich vorsichtig der großen Öffnung. Blieb dabei stehen und spähte hinaus in das Licht.

Länger als eine Stunde wartete es auf die zweite Frau, ehe es den ersten Schritt hinaus wagte. Es schaute sich nicht um, hielt den Blick auf die Dinge gerichtet, die in einiger Entfernung vor ihm waren. Sie waren noch genau so, wie es sie zuletzt gesehen hatte. Ohne Laub, grau und dürr. Der vertraute Anblick half ein wenig.

Die Puppe fest im Arm, ging es mit unsicheren Schritten auf die kahlen Büsche zu. Ging weiter und weiter. Nach vielen Schritten kam das Kind an das große Gefäß. Die Oberfläche glänzte matt, und sein eigenes Gesicht spiegelte sich darin. Und als es mit den Fingern darüber streichen wollte, wurde ihm die Hand feucht und tauchte in die Fläche ein. Da begriff es.

Es hockte sich hin und wedelte mit seiner Hand das Wasser hin und her.

Die ersten Tage in Steiners Haus müssen für Laura eine Katastrophe gewesen sein. Mir klingt das noch im Ohr: «Ich weiß gar nichts von ihr.»

Und was wusste ich von Laura?

Als wir einzogen, kannten wir uns seit neun Jahren, lebten seit acht Jahren zusammen, waren seit sechs Jahren verheiratet. Und für mich war Laura in all den Jahren die ideale Frau gewesen. Kein Problem, das sie nicht mit einem Lächeln und einem Achselzucken beiseite schaffte. Über alles konnten wir reden, solange es mich und meine Arbeit betraf.

Und vor mir die Sintflut. Zwanzig Jahre, die Laura hinter Schloss und Riegel gehalten hatte, von denen nur sporadisch ein Bröckchen an die Oberfläche stieg. Ich hatte sie mir angeschaut, diese Bröckchen, aber wirklich Gedanken darüber hatte ich mir nicht gemacht. Ich machte mir lieber Gedanken über das sanfte Grauen und den blanken Horror.

Bis es dann nicht mehr ging, bis Laura in dieses Haus kam, wo all das Elend seinen Ursprung genommen hatte, wo Laura an den aufsteigenden Bröckchen zu ersticken drohte.

Sosehr ich mich in der Nacht auch bemühte, sie war nicht bereit, mit mir hinaufzugehen. Ich saß eine Weile auf der Bettkante, und Laura beruhigte sich ganz allmählich.

Dann bat sie eindringlich: «Lass mich einfach in Ruhe, Tom. Ich komme schon zurecht damit.»

Sie legte sich wieder auf den Rücken, starrte zur Decke hinauf. Wie in einem Selbstgespräch begann sie vor sich hin zu murmeln. «Seit gestern stelle ich mir vor, dass sie einmal herkommt. Nur einmal, mehr will ich gar nicht. Ich will nur sehen, wie sie reagiert, wenn sie durch das Haus geht. Natürlich würde ich niemals etwas über diese Kammer zu ihr sagen. Keine gehässigen Bemerkungen. Das ist es ja, was mir so zu schaffen macht. Irgendwie steht man immer unter dem Zwang, Rücksicht zu nehmen. Aber wann hat sie denn einmal Rücksicht genommen? Diese Krankheit ist der pure Egoismus. Sie lässt sich einfach hineinfallen. Und dann kann sie tun und lassen, was sie will. Und in all den Jahren mussten wir eben zusehen, wie wir damit fertig wurden, und dass wir sie wieder in die Höhe brachten. Und jedes Mal hatte ich das Gefühl, ich hätte sie hinuntergestoßen. Dann habe ich es so gemacht wie jetzt. Mich in einer Ecke verkrochen, wie ein Kettenhund losgeheult und mir dabei vorgestellt, dass man sie eines Tages einsperrt, dass ich dann endlich frei bin. Es hat meist geholfen.»

Laura richtete sich auf, rupfte an einem Zipfel des verstaubten Kissenbezuges herum, betrachtete die im Lichtstreifen aufsteigenden Staubpartikel.

«Ich bin aufgewacht. Das Baby war so unruhig, dass es mich geweckt hat. Ich wollte nur rasch ins Bad, aber ich musste hinuntergehen, ich musste einfach. Ich hatte den ganzen Tag über schon so ein komisches Gefühl. Ich denke mir, wenn ein Mensch lange in einem Raum gelebt hat, dann hat er vielleicht etwas dort zurückgelassen. Und damals kann sie noch nicht so gewesen sein wie heute. Und ich dachte ...»

Laura zupfte mit nervösen Fingern weiter, stotterte mit gesenktem Kopf, den Blick starr auf die Lichtbahn gerichtet. Sie hob flüchtig die Schultern. «Du erklärst mich wahrscheinlich für übergeschnappt, wenn ich es dir sage. Ich dachte einfach, dass ich hier vielleicht etwas von dem Menschen finde, der sie früher war.»

Jetzt hob sie endlich den Blick, schaute mir ins Gesicht, lächelte sogar andeutungsweise. «Und ich meine, kein Notizbuch oder so was, verstehst du?»

Ich denke schon, dass ich verstand. Deshalb ging ich nach fast einer Stunde alleine nach oben. Dort lag ich noch eine Weile wach und wünschte mir, dass wir in unserer engen Stadtwohnung geblieben wären. Oder dass Laura die Erklärung fand, nach der sie in der Dienstbotenkammer suchte.

Laura fand sie, aber nicht in der Dienstbotenkammer.

Im Dorf gibt es noch einige Leute, die sich recht gut an die junge Marianne erinnern. Ein hübsches, manchmal trauriges Mädchen, so hat man sie uns beschrieben.

Marianne hatte ihre Eltern sehr früh verloren. Den Vater durch einen Arbeitsunfall. Die Mutter unter reichlich mysteriösen Umständen, deren Schilderung bei mir den Verdacht erhärteten, dass ihre Mutter sich kurz nach dem Tod des Vaters umbrachte. Anschließend hatte Marianne einige Monate im Haus eines Onkels gelebt. Dort war sie nicht eben gut behandelt worden, die mittellose Waise, die man nur aus Gnade und Barmherzigkeit aufgenommen hatte, was man sie wohl jeden Tag fühlen ließ. Bis sie schließlich die Stellung bei den Steiners antrat. Da war sie gerade sechzehn gewesen.

Steiner muss zu der Zeit Anfang dreißig gewesen sein. Wir haben in einem Fach des Sekretärs ein paar alte Fotografien gefunden. Sie zeigen einen gut aussehenden Mann, dessen Gesichtsausdruck keinen Zweifel an seiner Dynamik lässt. Ein Mann, der andere mitreißen konnte. Ein verheirateter Mann, gebunden an eine schöne, kluge, hoch begabte und sensible Frau, für die er alles tat.

Wir erfuhren sogar, dass Marianne nicht nur als Hausmädchen eingestellt wurde, dass sie sich auch um Steiners Kinder kümmern musste. Denn Elisabeth Steiner war viel auf Reisen, ging auf Tourneen, gab Konzerte.

Das letzte im November 1956. Da war Marianne seit gut einem Jahr im Haus. Und Elisabeth Steiner gab ihre Karriere nicht auf, weil sie eine Familie hatte. So mag es Bert gegenüber dargestellt worden sein. Aber so war es nicht. Steiners Frau verabschiedete sich von der Öffentlichkeit, weil einen Monat zuvor ein Kind geboren war. Ein Kind, das niemand haben wollte.

Am Samstagmorgen taten wir beide wieder einmal so, als sei nichts gewesen. Es war kurz nach sieben, als mich das Wasserrauschen aus dem Bad aufweckte. Laura lag ausgestreckt in der Wanne. Das Wasser reichte ihr bereits über den vorgewölbten Leib, und sie ließ immer noch mehr zulaufen. Sie lächelte, als ich bei der Tür auftauchte.
«Jetzt wasche ich den Dreck ab», sagte sie. «Und dann brauche ich ein kräftiges Frühstück. Ob es hier wohl einen Bäcker gibt, der morgens frische Brötchen ausliefert?»
Es schien ganz so, als denke sie angestrengt über diese Frage nach. Ich ging hinunter und suchte die Zutaten für ein kräftiges Frühstück zusammen. Orangensaft und Kaffee, Eier, Schinken, Brot. Als Laura wenig später die Küche betrat, war der Tisch gedeckt. Danny schlief noch. Laura überlegte kurz, ob sie ihn wecken sollte, entschied sich dagegen. «Frühstücken kann er auch um zehn noch.»
Dann belegte sie sich zwei Brotscheiben mit Schinken, häufte eine ansehnliche Portion Rührei auf ihren Teller. «Sind noch Essiggürkchen im Kühlschrank?»
Bevor ich dazu kam, nachzusehen, stand sie selbst auf. Sie ging etwas schwerfällig, hielt sich eine Hand in den Rücken, bewegte die Schultern, als sei die Muskulatur verspannt. Und dann stand sie vor dem Kühlschrank, stieß die Luft aus. «Einer von uns dreien scheint einen gesegneten Appetit zu haben. Gestern war das Gurkenglas noch halb voll. Also, Gurken brauche ich, sonst kann ich nicht denken.»

Laura isst, seit ich sie kenne, in Essig eingelegte Gurken, so wie andere Leute Kartoffelchips zum Fernsehen essen. Zum Ausgleich verabscheut sie jede Art von Süßigkeiten. «Ich fahre wohl am besten gleich nach Bedburg. Vielleicht sollte ich mir eine Liste machen, sonst stehen wir morgen wieder da, und es fehlt etwas. Und morgen ist Sonntag, da gibt es nirgendwo was.»
Während sie dann aß, überlegte sie laut, welche Lebensmittel wir für die nächsten Tage brauchten.
Der Teller war leer, Laura nahm sich eine zweite Tasse Kaffee, holte einen kleinen Notizblock und den Kugelschreiber und fertigte ihre Liste an. Wir gingen davon aus, dass die Läden in der Stadt erst um neun öffneten, bis dahin war noch Zeit. Laura nutzte sie, um die riesige Gefriertruhe im Vorratsraum gründlich zu reinigen und in Betrieb zu nehmen.
Ich sah es nicht so gerne, wie sie da mit ihrem Bauch auf der Kante hing, den Kopf tief hinabgebeugt, um auch den Boden der Truhe abwaschen zu können.
«Tu mir einen Gefallen, Tom, meckere nicht an mir herum. Geh an deine Arbeit, und lass mich einfach tun, wonach mir gerade ist. Dann kommen wir bestens zurecht.»
Ächzend tauchte sie aus der Truhe hoch, das Gesicht stark gerötet. Ich konnte mir das Rauschen in ihren Ohren vorstellen, aber sie blieb stur. Dann holte sie endlich ihr Scheckheft und ging zum Wagen. Es war inzwischen Viertel vor neun, und Danny schlief immer noch.
Er erwachte auch nicht, als wenig später die Männer erschienen. Wir standen ein paar Minuten lang in der Halle beisammen und besprachen, was sie heute erledigen sollten.
Das Schlafzimmer einräumen, anschließend den Neben-

raum, mein zukünftiges Arbeitszimmer in Angriff nehmen. Ich ging mit ihnen hinauf, warf einen Blick in Dannys Zimmer. Er erwachte auch nicht, als ich nahe an sein Bett herantrat. Ich ließ die Tür einen Spalt offen. Doch wenn ich gehofft hatte, Danny würde von den Arbeitsgeräuschen der beiden Männer geweckt, wurde ich enttäuscht. Selbst als gegen elf das Kratzen und Schaben in meinem Arbeitszimmer begann, dauerte es noch eine gute halbe Stunde, ehe er hinter mir auftauchte.

Ich hatte ihn nicht kommen hören, steckte mitten in einer Szene, mit der ich einige Schwierigkeiten hatte.

Sandy vor der Kellerwand mit der Geheimtür. Sie fühlt die Nähe ihres Vaters. Fühlt, dass auch ihre Mutter noch in einem stillen Winkel vegetiert.

Das ließ sich beschreiben, aber nicht so einfach in Szene setzen.

Ich probierte ein wenig herum. Eine Möglichkeit waren Geräusche. Ein Stöhnen, ein Wispern, das aus einem verborgenen Winkel nach draußen drang. Sandy war sehr hellhörig.

Als Danny hinter mir zu sprechen begann, fuhr ich zusammen. Seine Stimme klang so trocken und rau. «Wo ist Mama?»

Laura war noch nicht zurück. Bisher hatte ich mir darüber keine Gedanken gemacht. Erst als Danny jetzt nach ihr fragte, wurde mir ihr langes Ausbleiben bewusst. Aber es war Samstag, da herrschte vermutlich Hochbetrieb in den Supermärkten.

«Sie ist in die Stadt gefahren», erklärte ich ihm. «Um ein paar Einkäufe zu machen.»

Dann ging ich mit ihm in die Küche, machte ihm das Frühstück und für mich gleich einen starken Kaffee. Vielleicht dachte es sich damit leichter. Er schlurfte hinter mir her, bekam kaum die Füße vom Boden.

Nachdem er sein Brot verspeist, sich gewaschen und den Schlafanzug mit einer frischen Shorts und einem T-Shirt vertauscht hatte, setzte er sich in die Garageneinfahrt, den Blick unverwandt auf die Straße gerichtet.

Laura kam erst kurz vor zwei zurück. Ich hatte den Wagen nicht gehört, aber ich hörte, wie Danny in riesigen Sätzen die Treppe hinaufkam. «Komm schnell, Papa, du musst ihr helfen.»

Im ersten Augenblick bekam ich einen Schrecken, malte mir eine kleinere Katastrophe aus. Aber es waren nur die Kartons mit den Lebensmitteln, die ich in die Küche tragen sollte. Schwere Kartons, Laura hatte eingekauft, als müsse sie sich hier auf einen langen, einsamen Winter einrichten.

Der Kofferraum des Wagens war bis fast unter den Deckel gefüllt, Bier und Limonade, verschiedene Obstsäfte, drei Kästen Mineralwasser, zwei riesige Tüten mit der Aufschrift eines Fleischerfachgeschäftes, mehrere Brotlaibe, Unmengen von Konserven. Nachdem ich alles in die Küche getragen hatte, kam Laura mir mit zwei sackähnlichen Gebilden entgegen.

«Das ist nicht schwer», behauptete sie.

Es war Bettzeug, ein Kissen, eine leichte Wolldecke und eine wirklich federleichte, mit einer Art Schaumgummiflocken gefüllte Steppdecke. Laura stellte die beiden Plastiksäcke neben die Tür zur Dienstbotenkammer.

«Jetzt schau nicht so entsetzt, Tom. Es war nicht teuer.»

«Ich schaue nicht entsetzt, und ich habe dich nicht nach dem Preis gefragt.»

«Gut», sagte sie. «Ich werde mir das Zimmer herrichten. Mein Arbeitszimmer. Das Bett bleibt stehen, deshalb habe ich die Sachen gekauft. Ich werde es ganz neu beziehen, dann kann ich mich zwischendurch ein wenig ausruhen und muss dazu nicht gleich ins Schlafzimmer.»

Ganz wohl war mir nicht bei der Vorstellung, aber ich tat, als hielte ich es für eine vernünftige Idee, und hoffte nur, dass Laura nicht plante, auch die Nächte in ihrem «Arbeitszimmer» zu verbringen.

Anschließend ging ich wieder hinauf ins Wohnzimmer. Ab und zu hörte ich Dannys helle Stimme von sehr weit her. Ich konnte mich einfach nicht konzentrieren. Das eingespannte Blatt Papier enthielt erst wenige Sätze. Die beiden ersten Versuche lagen auf dem Fußboden. Wie vermittelt man dem Zuschauer das Grauen, das von einer nackten Kellerwand ausgeht? Immer wieder ertappte ich mich beim Lauschen. Da waren die Stimmen der Männer, gedämpft und undeutlich, und sehr gesprächig waren sie nicht. Von Laura hörte ich gar nichts mehr, und auch Danny schwieg jetzt.

Kurz vor fünf kam er plötzlich die Kellertreppe hinaufgestürmt. Ich hatte die Tür zur Halle offen gelassen, um mich nicht gar so einsam und abgeschnitten zu fühlen. Wieder hörte ich ihn nur sagen: «Sie möchten bitte zu meiner Mama kommen.» Dann kam Laura selbst in die Halle und gab die Anweisung, den Sekretär aus Steiners Arbeitszimmer in die Dienstbotenkammer zu schaffen. Ich hörte das knappe «Wird gemacht» und wurde wütend, entsetzlich wütend. Was fiel ihr denn ein?

Die Möbel gehörten uns nicht. Ich hatte nichts einzuwenden gegen die Ledersessel und die Couch im Wohnzimmer. Auch der schwere Tisch konnte von mir aus stehen bleiben. Aber die Schränke aus Kirschbaumholz und der Sekretär, das waren Kostbarkeiten. Wie leicht war da etwas zerkratzt. Wir waren uns doch darüber einig gewesen, was damit geschehen sollte. Sie sollten längst auf dem Dachboden stehen.

Ich ärgerte mich, weil das nicht sofort getan worden war. Das würden sie gleich am Montag erledigen, die Möbel hinaufschaffen, den Sekretär zuerst.

Vor den Männern wollte ich keine Szene machen, also hielt ich mich zurück, ließ sie Lauras Auftrag erledigen. Saß einfach da, wartete und lauschte. Sie brauchten nicht lange, waren schon wieder auf dem Weg nach oben, als Laura noch etwas einfiel. Ich hörte sie durch das ganze Haus rufen: «Sie haben doch Werkzeug dabei. Ich brauche etwas, womit man ein Schloss knacken kann.»

Allein die Vorstellung verursachte mir eine Gänsehaut. Es war ganz so wie damals. Ein kleiner Junge, dessen Phantasie zu sehr ins Kraut schießt. Jetzt war der kleine Junge halbwegs erwachsen und versuchte, seinem Verstand ein paar logische Argumente abzulocken.

Und logische Argumente fand ich rasch. Wer auch immer die Klappe verschlossen hatte, er hatte wohl seine Gründe gehabt. Hatte uns deutlich machen wollen, dass es hier Ecken und Winkel gab, die uns nichts angingen. Vielleicht hatten die Steiners wichtige Unterlagen dort eingeräumt, um sie irgendwann später abzuholen.

Zuerst saß ich noch still, horchte nur auf die Schritte, treppab, durch die Halle, dann die Kellertreppe hinunter. Ich hielt es nicht länger am Schreibtisch aus. Doch als ich im Keller ankam, war es bereits zu spät. Laura, Danny und Heinz standen vor dem Mauerstück. Heinz hielt einen Bolzenschneider in der einen Hand und war gerade dabei, mit der freien Hand das Vorhängeschloss vom Riegel zu entfernen. Laura wirkte sehr zufrieden. «So, das war schon alles. Vielen Dank.»

Heinz griff nach dem schweren Riegel. Doch so einfach ließ der sich nicht zur Seite schieben. Zwei leichte Schläge mit dem Bolzenschneider halfen nach. Jetzt strahlte Laura förmlich. Beinahe sanft zog sie die Eisenklappe von der Wand ab. Ihr Gesicht nahm einen zärtlich wehmütigen Ausdruck an. Dann runzelte sie voller Protest die Stirn und starrte mit zusammengekniffenen Augen in den finsteren Winkel.

Gleich hinter der Klappe lag einer von den großen, blauen Plastiksäcken, wie man sie bei der Stadtverwaltung kaufen kann, um bestimmte Abfälle darin zu verstauen. Der Sack war prall gefüllt, allem Anschein nach mit Kleidung. Wie wir auf den ersten Blick feststellen konnten, lag er auf einem uralten Polsterstuhl, dessen Rückenlehne in die Öffnung hineinragte. Laura drückte den Sack ein wenig zur Seite. Und das Licht vom Gang reichte aus, um dahinter einen Stapel sauber gefalteter, uralter Samtvorhänge zu erkennen, weinrot waren sie. Und oben auf dem Stapel lag der dunkelgrüne Puppenbalg. Irgendwie beruhigte es mich, ihn zu sehen.

Danny starrte mit glänzenden Augen in die Öffnung. Er schien fasziniert von der Dunkelheit und dem ganzen Gerümpel, Laura weniger. «Das ist eine Unverschämtheit», stellte sie fest. «Die haben alles bis in den letzten Winkel mit Müll voll gestopft.»

Ich schob die Klappe zu, bis diese fast wieder auf der Mauer auflag. Nur an der Seite blieb ein winziger Spalt. Dann versuchte ich, den Riegel wieder unter den Krampen zu schieben. Laura protestierte: «Das bleibt offen, Tom.»

«Warum denn?», hielt ich dagegen. «Willst du dir jeden Tag den Müll ansehen? Jetzt weißt du, was unter der Treppe ist, also machen wir das Ding wieder zu.»

«Soll ich?», fragte Heinz und hob bereits den Arm mit dem Bolzenschneider.

«Nein!» Laura schüttelte heftig den Kopf. Sie starrte mich wütend an und stampfte leicht mit dem Fuß auf. «Sie bleibt offen, in meinem Haus wird nichts versperrt. Wenn ich Zeit habe, räume ich den ganzen Kram aus. Dann kann man den Winkel als Abstellraum benutzen.»

Ich konnte nur den Kopf schütteln. Heinz grinste verlegen, bemühte sich um eine Ablenkung. «Wenn nichts Besonderes mehr anliegt, machen wir für heute Feierabend, ist ja schon fast sechs. Mit dem Zimmer oben sind wir fertig. Wenn Sie sich das mal ansehen wollen?»

Sie hatten gute Arbeit geleistet, die Wände sahen richtig elegant aus, so hell und so gleichmäßig.

«Lassen Sie über Nacht das Fenster auf», riet Heinz, «damit die Feuchtigkeit abziehen kann. Wir räumen es dann am Montag ein. Bis dahin sind die Wände völlig trocken.»

Laura hatte sich ihr Zimmer ebenfalls so weit hergerichtet. Der Tisch war unter das Fenster geschoben. An seinem Platz stand jetzt Steiners Sekretär. Alles war sauber, das Bett frisch bezogen. Laura hatte sogar schon damit begonnen, die frei zugänglichen Schubfächer im Aufsatz des Sekretärs auszuräumen. Auf der heruntergeklappten Platte lag ein Durcheinander von alten Papieren, dazwischen eine zierliche braune Hornspange, wie man sie kleinen Kindern ins Haar steckt.

«Die lag zwischen den Matratzen», erklärte Laura knapp. Sie nahm die Spange in die Hand, betrachtete sie nachdenklich. Und nach zwei Sekunden fügte sie zögernd und mit sichtlicher Überwindung hinzu: «Vielleicht hat meine Mutter sie getragen.»

An ein paar verschlossenen Fächern des Sekretärs hatte Laura sich offensichtlich mit einer Nagelfeile zu schaffen gemacht. Bisher ohne Erfolg.

Nachdem Heinz und Rudolf sich verabschiedet hatten, erklärte Laura: «Machen wir ebenfalls Feierabend für heute. Mir tut der Rücken weh, und hungrig bin ich auch.»

Danny stand neben ihr und erkundigte sich irgendwie missmutig: «Was machst du denn zum Abendessen?»

Laura hob unschlüssig die Schultern. «Um großartig etwas zu machen, bin ich zu müde», sagte sie. «Wir essen Brötchen, ich habe welche mitgebracht, und Aufschnitt ist auch genug da.»

Immer noch mit diesem missmutigen Ausdruck im Gesicht, trottete Danny in die Küche und setzte sich gleich an den Tisch. «Immer Brötchen oder Brote», maulte er, «das ist so trocken.»

Dann legte er die Arme auf die Tischplatte und bettete den Kopf darauf. So blieb er, während Laura und ich den Tisch deckten.

Beim Essen gab Laura den unvermeidlichen Bericht über das, was sie bisher im Sekretär gefunden hatte. «Du kannst dir gar nicht vorstellen, was dieser Mensch alles aufgehoben hat. Dreißig Jahre alte Rechnungen, allen möglichen Krimskrams. Das muss ein richtiger Pedant gewesen sein.»

Danny kaute lustlos auf einer Brötchenhälfte herum. Obwohl er bis weit in den Tag hinein geschlafen hatte, wirkte er müde, irgendwie apathisch. Gleich nach dem Essen wollte er ins Bett, nicht einmal die Aussicht auf ein Bad, mit der man ihn sonst jederzeit in helle Begeisterung versetzen konnte, reizte ihn mehr. «Ich bin überhaupt nicht schmutzig», behauptete er.

Laura war nicht ganz bei der Sache, legte ihm nur flüchtig eine Hand auf die Stirn und entschied dann: «Du warst zu lange in der Sonne. Dein Kopf fühlt sich ganz heiß an. Putz dir die Zähne, wasch dir das Gesicht und den Nacken mit kaltem Wasser. Ich komme gleich und bringe dich ins Bett.»

Auch wir blieben nicht mehr lange unten. Nur eine knappe Stunde später gingen wir ebenfalls ins Schlafzimmer.

«Endlich wieder ein richtiges Bett», stellte Laura noch zufrieden fest, legte sich hin, rollte sich gleich auf die Seite und war Minuten darauf bereits eingeschlafen.

Ich lag noch eine Weile wach, horchte ständig in die Dunkelheit hinein. Vielleicht vermisste ich den Straßenlärm, all die vertrauten Geräusche der Stadt. Davon gab es hier draußen nichts. Trotz der drückenden Stille schlief ich dann doch ein. Und ich schlief tief und fest, bis Laura mich am nächsten Morgen weckte.

Kurz bevor Laura mir eine Hand auf die Schulter legte und mich flüsternd beim Namen rief, hatte ich einen verrückten Traum. Ich war bereits wach und lag ganz steif auf dem Rücken. Eine Hand berührte mich an der Schulter, und Laura flüsterte: «Komm mit, ich muss dir etwas zeigen. Jetzt komm schon, es ist sehr wichtig.»

Bereits bei den ersten Worten hatte ich die Augen öffnen wollen, aber es ging nicht. Sie waren wie zugeklebt. Irgendetwas machte die Lider so schwer, dass ich sie beim besten Willen nicht heben konnte. Trotzdem stand ich auf, tappte blind hinter Laura her, horchte angestrengt auf ihre leichten Schritte, weil ich nicht wusste, wohin sie mich führen wollte. Und Lauras Schritte entfernten sich immer weiter von mir. Sosehr ich mich auch bemühte, ich verlor sie schließlich. Ich hielt die Hände nach links und rechts ausgestreckt, aber auf beiden Seiten griff ich damit ins Leere.

Es ging Stufen hinunter. Jetzt sah und hörte ich auch nichts mehr. Doch ich wusste genau, Laura war immer noch bei mir. Dann spürte ich einen leichten Luftzug auf dem Gesicht. Jetzt hatte sie eine Tür geöffnet. Und plötzlich war ihre Hand auf meinem Rücken. Sie versetzte mir einen ungeheuer kräftigen Stoß. Ich streckte beide Hände vor, bekam nirgendwo einen Halt zu fassen und stürzte. Fiel und fiel, es hörte gar nicht auf. Mit den Armen ruderte ich Halt suchend umher. Und dann schlug ich auf, der Ruck ging mir durch sämtliche Knochen. Ich tastete mit den Händen den Boden ab. Er war trocken und staubig. Ich war in das uralte Labyrinth gestürzt.

Als Laura dann tatsächlich die Hand auf meine Schulter legte und mich flüsternd beim Namen rief, war ich völlig konfus und brauchte einige Sekunden, um vollends aufzuwachen.

Mit besorgter Miene stand Laura neben dem Bett, halb über mich gebeugt. Sie winkte mit dem Kopf in Richtung der Tür und bat gleichzeitig: «Komm, ich muss dir etwas zeigen.»

Ich war noch so durcheinander, dass ich heftig den Kopf schüttelte und atemlos hervorstieß: «O nein!»

Laura starrte mich verständnislos an, kniff die Augen zusammen. Und ganz allmählich kam ich zu mir.

Lauras Haar war feucht. Sie hatte bereits geduscht, trug

ein luftig-leichtes, sehr weit geschnittenes Kleid. Ich tappte hinter ihr her, immer noch gefangen in den letzten Bildern dieses verrückten Traumes. Aus der Küche duftete es nach frischem Kaffee.

Vor der Tür ihres Arbeitszimmers blieb Laura stehen und zeigte stumm mit ausgestrecktem Arm zum Bett hinüber. Auf dem Kissen war deutlich der Abdruck eines Kopfes zu erkennen. Auch die Decken lagen nicht mehr so glatt wie am Abend zuvor.

Als sie meinen Blick bemerkte, erklärte Laura bestimmt: «Ich war nicht unten.» Dann fragte sie: «Hast du nichts gehört in der Nacht?»

Ich schüttelte nur den Kopf.

«Ich auch nicht», murmelte sie bedrückt. Sprach dann etwas lauter weiter: «Das hat er bisher noch nie gemacht. Er ist noch nie nachts herumgelaufen.»

Sie schaute mich an, den Blick immer noch voller Sorge. «Er war gestern Abend ziemlich komisch, findest du nicht?»

«Es ist eben alles noch neu und fremd für ihn», erwiderte ich.

Laura seufzte. «Jetzt schläft er jedenfalls tief und fest. Ich habe kurz nach ihm geschaut.»

Dann saßen wir am Tisch, jeder vor seiner Kaffeetasse. Laura legte zwei Brötchen auf den Toaster.

«Wir müssen ein bisschen aufpassen. Wir können ihn hier nicht einfach so herumlaufen lassen. Er hätte ohne weiteres das Haus verlassen können. Die Haustür war nicht abgeschlossen. Und die da», Laura zeigte zur Tür, die hinaus in den Garten führte, «stand sogar offen. Du hast auch nicht daran gedacht, sie zu schließen, als wir ins Bett gingen.» Sie war wirklich in Sorge, machte sich

Vorwürfe. «Sonst muss ich jede Nacht dreimal raus und liege anschließend immer noch wach. Jetzt habe ich durchgeschlafen. Ich war völlig erledigt.»

Danny schlief auch an diesem Sonntag bis kurz vor zehn.

«Das wundert mich gar nicht», sagte Laura nur. «Wenn er hier nachts durch das Haus geistert.»

Sie blieb unten, wollte sich um das Essen kümmern und gleichzeitig ihr Arbeitszimmer komplettieren. Ich trug ihr nur den Karton mit ihren Utensilien hinunter, dann setzte ich mich an die Schreibmaschine. Bis Mittag schaffte ich etliche Seiten.

Ich ließ Sandy durch das Haus schleichen. Ganz menschlich, im wallenden Nachthemd, mit entrücktem Blick, halb gefangen in einem Traum, den die Erinnerung an ihre früheste Kindheit in ihr wachruft.

So ähnlich hatte ich es auch im Roman beschrieben. Kein Mensch erinnert sich normalerweise an seine früheste Kindheit. Darüber hatte ich mich eigens in Fachbüchern informiert. Die ersten drei Jahre bleiben im Dunkeln. Selbst schlimme Erfahrungen und Erlebnisse sind vergessen, bleiben allenfalls als Trauma erhalten und zeigen sich manchmal in zwanghaften Handlungen des Betreffenden. Aber Sandy war kein normaler Mensch. Sie durfte sich erinnern an die Zeit, als sie selbst in einem der Nebenräume des Labors versteckt gehalten wurde.

Szenenwechsel:

Der junge Journalist lässt im Halbschlaf die Hand über den leeren Platz im Bett neben sich wandern. Er erwacht, folgt Sandy in den Keller, sieht sich dort unvermittelt einem wandelnden Fleischberg gegenüber. Aus einer dunklen Öffnung in einem kopfähnlichen Gebilde klingt ihm ein dumpfer Klagelaut entgegen. In Panik wirft sich der junge Mann herum und flieht zurück zur Treppe.

Als Laura mich zum Essen rief, war die Szene fast fertig. Danny spielte im Schatten vor der Küchentür mit finger-großen Kühen und Schweinen. Auf mich wirkte er so normal wie immer. Laura dagegen war geistesabwesend und unkonzentriert. Der Tisch war noch nicht gedeckt, und Laura ging dreimal zum Schrank, um die Teller einzeln zu holen. Als sie dann endlich auf ihrem Platz saß, schweiften ihre Augen rastlos hin und her.

Es machte mich nervös. «Wo bist du denn mit deinen Gedanken?»

Laura schaute mich an, zuckte mit den Schultern und er-klärte beiläufig: «Steiner hat Tagebuch geführt.»

«Interessant», murmelte ich. «Was hat er denn geschrieben?»

Laura zuckte noch einmal mit den Schultern. «Ich habe noch nicht nachgesehen. Das tu ich, wenn ich Zeit habe. Und im Moment habe ich keine.»

Ihre Stimme klang leicht gereizt, als sie anfügte: «Ich krie-ge diese blöden Plakate nicht hin. Milchflaschen!» Sie stieß die Luft aus. «Wenn ich eine Milchflasche sehe, wird mir schlecht.»

Sie starrte gedankenverloren auf ihren Teller, stocherte mit der Gabel im Salat herum.

«Dann lass doch die Plakate», sagte ich. «Du musst sie nicht machen. Weber sagte, es reicht, wenn du die Fern-sehspots übernimmst.»

Laura atmete vernehmlich ein und wieder aus. «Doch», widersprach sie heftig. «Ich muss. Und wenn ich mir die halbe Nacht um die Ohren schlagen muss. Ich werde nicht an einer Flasche scheitern. Das ist doch lächerlich.»

Danny rutschte unbehaglich auf seinem Stuhl hin und her. Sein Blick wanderte von Lauras Gesicht zu meinem und wieder zurück. «Kann ich mit dem Bauernhof hinten im Garten spielen?» Diesen Bauernhof hatte Laura ihm gestern aus Bedburg mitgebracht. Da er noch so neu war, war Danny natürlich fasziniert. Aber ihm lag wohl mehr daran, der gespannten Atmosphäre zu entkommen. «Ich passe ganz bestimmt auf, dass nichts wegkommt.»

Wenig später half ich ihm, all die Kleinteile in den Garten zu schaffen. Schweine, Hühner, Gänse, Kühe, ein paar Pferde, Gebäude und ein kleiner Maschinenpark.

«Das kannst du doch im Gras gar nicht richtig aufbauen», sagte Laura, während sie hinter uns herlief. «Außerdem ist es so heiß draußen.»

Aber Danny hatte bereits eine geeignete Stelle ausgekundschaftet. Nahe beim Teich gab es im Schatten eines alten Kirschbaums ein Stück ebenen Boden, auf dem nicht einmal Gras wuchs. Die Erde war trocken und fest. Bevor wir ihn dort alleine zurückließen, prüfte ich mit einem Ast, den ich im Gras fand, wie tief das kleine Gewässer war.

Es hatte gut zwei Meter im Durchmesser, und bis in die Mitte hinein reichte ich nicht mit dem Stock.

«Du wirst hier am Rand bleiben», befahl Laura. «Geh nicht in das Wasser rein. Und komm nicht auf die Idee, etwas davon zu trinken. Es ist schmutzig, davon wird man krank.» Dann ging sie zurück zum Haus.

Ich schlenderte noch ein wenig kreuz und quer durch den Garten. Im Schatten, unter den Bäumen, war die Luft angenehm. Auch hatte ich draußen nicht das drängende

Gefühl, etwas für Laura tun zu müssen. Ich schaute mir einfach das Haus an. Die Perspektive gefiel mir. Von hier aus betrachtet wirkte es nicht ganz so klobig.

Immer wieder blieb ich stehen und spähte durch Laub und Zweige zurück. Dieser Garten war wirklich die reinste Wildnis. An manchen Stellen reichte mir das Gras bis an die Knie, an anderen hatten sich Nesseln ausgebreitet, bildeten kleine, hochgereckte Inseln, die höllisch brannten, wenn man ihnen zu nahe kam. Von einem solchen Fleck aus hatte man einen besonders guten Blick. Man überschaute die gesamte Rückfront, ebenso die rechte Giebelwand, an der der Eingang zum Keller lag. Die Tür stand offen, und so aus der Ferne wirkte sie wie ein dunkler, drohender Schlund.

Ich ließ den Anblick und das merkwürdige Gefühl dabei eine ganze Weile auf mich einwirken. Dann ging ich zurück und schrieb die gesamte erste Einstellung neu. Mochte der Regisseur beleidigt sein oder scheinbar bessere Einfälle haben.

So würde mein Film beginnen. Anfangen bei dieser Insel aus hüfthohen Nesseln, die mehr als alles andere deutlich machte, dass viele Jahre vergangen waren.

Dann den Blick oder die Kamera durch die oberen Zweige eines kümmerlichen Strauches auf die Rückfront des Hauses gerichtet. Langsamer Schwenk zur Giebelwand, die dunkel gähnende Türöffnung. Um das Haus herum zur Vorderseite, wenn eben möglich bei Einsetzen der Dämmerung, mit tief stehender Sonne über den schwarzen Dachziegeln. Ich war begeistert allein bei der Vorstellung.

Den ganzen Nachmittag über hielt Laura sich in ihrem Zimmer auf. Als ich zurück ins Haus gekommen war, hatte sie die Tür geschlossen. Ein willkommener Anlass, daran vorbeizugehen. Aber nachdem ich die Einführungsszene zu Papier gebracht hatte, mich zwangsläufig wieder Sandy zuwenden musste, drängten sich die Vergleiche gewaltsam auf.

Ich ging hinunter, um zu sehen, was Laura tat. Sie saß vor dem Tisch, den sie sich unter das Fenster geschoben hatte, arbeitete mit Tusche und Pinsel die einzelnen Szenen der Fernsehspots aus.

Vier davon wurden jeweils auf die linken Seiten einer Kladde gezeichnet, rechts daneben stand der Text. Die beiden Plakatentwürfe, von denen Laura beim Essen gesprochen hatte, lagen auf dem Bett ausgebreitet. Auf dem einen waren die Umrisse einer friedlich grasenden Kuh, auf dem zweiten die Konturen einer gefüllten Milchflasche abgebildet.

Und auf der Klappe des Sekretärs lagen Unmengen von Zetteln, auf denen Laura sich die Sprüche notiert hatte, die ihr im Laufe der letzten Tage eingefallen waren. Und zwischen diesen Zetteln lag ein altes, abgegriffenes Buch. Der Einband war aus braunem Leder, aus dem gleichen Material war auch der kleine Riegel mit dem winzigen Schloss, der die beiden Deckel zusammenhielt.

Laura bemerkte meinen Blick sehr wohl, aber sie zeichnete ungerührt weiter. «Wo hast du es gefunden?», fragte ich.

Laura deutete vage in Richtung Sekretär. Offenbar hatte sie mit ihrer Nagelfeile eines der verschlossenen Fächer aufgebrochen.

«Was versprichst du dir eigentlich davon, in Steiners Sachen herumzuschnüffeln?», fragte ich.

Laura hob flüchtig die Achseln. Sie hielt den Kopf über

ihre Kladde gesenkt, als sie mir antwortete: «Vielleicht hat er auch etwas über meine Mutter geschrieben.»

Und endlich drehte sie mir das Gesicht zu. Der Ausdruck darauf war fast schon traurig zu nennen. Laura seufzte einmal. «Ich weiß, dass es dir nicht recht ist, Tom. Aber auf diese Sachen hat niemand Anspruch erhoben. Es wird sich auch niemand darüber aufregen, wenn ich ein paar Fächer aufmache. Es sei denn, du regst dich darüber auf. Wenn wir das Haus gleich gekauft hätten, könnte ich aus dem Sekretär Kleinholz machen, kein Hahn würde danach krähen. Warum kannst du mich nicht einfach in Ruhe lassen? Ich tu doch niemandem weh, wenn ich hier herumschnüffele, wie du das nennst.»

«Niemandem außer dir selbst», sagte ich. «Soll ich mir das ruhig ansehen?»

Laura grinste flüchtig. «Dir wird nichts anderes übrig bleiben, mein Lieber. Und deshalb wäre es für uns beide am besten, du kümmerst dich um deinen Horrorfilm, und ich kümmere mich um den Rest.»

Es klang wieder so bitter und abfällig, dass ich keine Antwort wusste.

Bevor wir an dem Sonntag zu Bett gingen, überprüfte Laura die Außentür der Küche, verschloss eigenhändig die Haustür. Sie schaute sogar nach, ob das Garagentor versperrt war.

Nur das Fenster in ihrem Arbeitszimmer ließ sie einen Spaltbreit offen. Und dieses Fenster begann draußen nur dreißig Zentimeter über dem Erdboden. Die beiden großen Bogen hatte Laura auf dem Tisch ausgebreitet, weil die Tusche noch nicht ganz trocken war. So blieben sie über Nacht liegen.

Danny schlief friedlich, wir standen noch minutenlang an seinem Bett. Die Tür zu seinem Zimmer ließen wir offen, ebenso unsere Schlafzimmertür. Laura war überzeugt, dass sie aufwachen würde, wenn er wieder schlafwandeln sollte. Und ich nahm mir vor, ein wenig auf Laura zu achten. Aber wir hörten beide nichts.

Und wer immer auch der Dienstbotenkammer einen Besuch abgestattet hatte, er hatte sich nicht mit einem Abstecher zum Bett begnügt. Er hatte sich leider auch sehr intensiv mit einem der Plakatentwürfe beschäftigt: Die Milchflasche war völlig verdorben, von dicken und dünneren Strichen umgeben. Es sah fast aus, als hätte jemand sämtliche Stifte, die Laura in einer Schale bei den Zeichnungen aufbewahrte, daran ausprobiert.

Das bunte Gekritzel krampfte mir den Magen zusammen. Laura war den Tränen nahe. «Jetzt schau dir das an, daran habe ich einen halben Tag gesessen.»

Dann rief sie Danny und bemühte sich, in ruhigem Ton zu erklären, dass er ihr in der Nacht die Arbeit eines halben Tages zunichte gemacht hatte.

«Aber ich hab das nicht getan», widersprach er.

Laura seufzte nachdrücklich. «Natürlich hast du es getan. Wer soll es denn sonst gewesen sein? Du kannst dich nicht erinnern, weil du es im Schlaf getan hast.»

Mit der Vorstellung war Danny sichtlich überfordert. Außerdem war er beleidigt. «Ich hab dir noch nie was kaputtgemacht. Das weißt du ganz genau. Ich geh nie an deine Bilder.»

«Wenn das nochmal vorkommt», sagte Laura in meine Richtung, «gehe ich mit ihm zum Arzt.»

Es klang wie eine unverhohlene Drohung. Danny fasste es genauso auf. Gleich nach dem Frühstück verzog er sich in sein Zimmer. Laura hatte ihm verboten, ein paar von seinen Spielsachen mit hinaufzunehmen, weil Heinz und Rudolf diesen Raum als nächsten tapezieren wollten.

So stand Danny nur am Fenster und schaute mit in sich gekehrtem Blick über das Grün da draußen.

Noch vor neun kamen die Meisenbrüder, zuerst wurde mein Arbeitszimmer eingeräumt. Viel war dabei nicht zu tun. Nachdem ich mit der Schreibmaschine umgezogen war, begannen sie mit der Arbeit in Dannys Zimmer.

Er blieb am Fenster stehen, als ginge ihn die ganze Sache nichts mehr an. Als Heinz ihn schließlich aufforderte: «So, kleiner Mann, jetzt muss ich aber mal dahin», rückte er einfach ein Stück zur Seite.

Ein paar Minuten später hörte ich Heinz sagen: «Na, du hast aber heute schlechte Laune. Hast du nicht gut geschlafen?»

Ein einsilbiges «Doch» war die Antwort.

«Keine Lust, ein bisschen im Garten zu spielen?» Heinz ließ nicht locker. Aber Erfolg hatte er erst, als er schließlich vorschlug: «Wenn du schon hier stehst, könntest du uns auch ein bisschen helfen.»

Danny bekam einen Schwamm und einen kleinen, halb mit Wasser gefüllten Eimer zur Verfügung gestellt und durfte Tapeten einweichen. Er war mit Feuereifer bei der Sache. Unentwegt hörte ich ihn plappern. Und unentwegt spürte ich dabei das schlechte Gewissen. Ich hätte ihn Laura gegenüber verteidigen müssen. Ich hätte sie zumindest fragen müssen, was sie so sicher machte, dass er der Übeltäter war. Er war es nicht, davon war ich überzeugt.

«Wenn ich eine Milchflasche sehe …»

Aber ich wollte mir nicht eingestehen, dass mir die Situation über den Kopf wuchs. Und nur ganz flüchtig dachte ich daran, eventuell meinen Vater um einen Rat zu fragen.

Den ganzen Tag über hielt sich Danny bei den Männern auf. Er «half», was er nur konnte, und so ging das natürlich viel schneller. Bis zum Abend waren beide Kinderzimmer fertig. Es roch nach feuchter Tapete, für Laura Grund genug, Dannys Bett in unser Schlafzimmer schaffen zu lassen.

«Über Nacht bleiben die Fenster auf», entschied sie, «morgen kann er dann wieder umziehen.»

Wir machten es uns noch für eine halbe Stunde im Wohnzimmer gemütlich. Auf der Terrasse sitzen wollte Laura nicht. Es dämmerte bereits, und sie hatte sich eine Lektüre mitgebracht.

Das schäbige kleine Tagebuch. Den Verschlussriegel hatte Laura inzwischen zerschnitten. Sie begann gleich zu blättern. «So eines hatte ich auch mal», erklärte sie dabei. «Ein Geburtstagsgeschenk von Vati, als ich zehn wurde.» Sie lachte, es klang ein wenig gehässig. «Damit ich nicht wegen jeder Kleinigkeit zu meiner Mutter rennen musste. Da konnte ich die Kleinigkeiten dann aufschreiben.» Noch so ein kleines, böses Lachen. «Damals habe ich immer gedacht, ein Tagebuch sei nur etwas für Kinder, die mit keinem Menschen reden konnten. Da habe ich mich wohl geirrt.»

Dann schwieg Laura, beschwerte sich nur noch einmal über die Schrift, die kein Mensch lesen könne, und vertiefte sich mit konzentriert gerunzelter Stirn in die Eintragungen, die Steiner vor mehr als dreißig Jahren gemacht hatte. Ab und zu murmelte sie ein Wort vor sich hin, das sie nicht gleich entziffern konnte. Und schließlich kam sie zu mir auf die Couch, hielt das aufgeschlagene Buch so, dass ich ebenfalls hineinschauen konnte.

Die Handschrift war wirklich eine Katastrophe. Nur mit großer Mühe brachten wir die einzelnen Worte zu Sätzen zusammen. Manchmal errieten wir den Sinn eines Satzes nur aus der Konstellation von zwei oder drei Wörtern.

Steiner hatte seine Eintragungen nicht täglich gemacht. Und meist ließ er sich nur ausführlich über die Liebe zu seiner Frau aus. Wie sehr er sie vermisste, wie sehr er sie bewunderte, wie viel sie ihm bedeutete. Ihr Name tauchte immer wieder auf.

Im Januar 56 hatte Steiner anscheinend eine halbe Nacht lang geschrieben. «Der Abschied hat mich fast zerrissen. Sechs Wochen werden es diesmal sein. Ich darf nicht darüber nachdenken, 42 Nächte, ehe ich Elisabeth wieder bei mir habe.»

In diesem Tenor ging es über vier Seiten, Einsamkeit, Sehnsucht, meine geliebte Elisabeth, meine göttliche Elisabeth, meine süße, meine schöne, meine hinreißende Elisabeth.

«Ich dachte immer», sagte Laura spöttisch, «dass Anwälte nüchtern und sachlich sind. So eine Gefühlsduselei kenne ich bei Vati nicht.»

Nach einem Hinweis auf ihre Mutter suchte sie jedoch vergeblich. Mit jeder Eintragung, die sie mühsam entziffert hatte, verlor sich ihr Interesse. Doch dann flammte es noch einmal auf. «Hat Vati nicht etwas von einer Tochter gesagt?»

Als ich nickte, zeigte Laura auf einen kurzen Absatz. Die Eintragung war von August 56. «Seit Tagen trage ich diesen schlimmen Verdacht mit mir herum», hatte Steiner geschrieben. «Ich glaube, sie ist schwanger. Es darf einfach nicht sein. Alles wäre zu Ende, wenn es so wäre. Sie spricht nicht mit mir darüber. Sie weicht mir aus. Und ich kann sie nicht fragen. Ich kann mich nicht aufraffen. Sie schnürt sich den Leib, damit ich es nicht bemerke, aber ich bin doch nicht blind. Meine süße Elisabeth, was soll nur werden?»

«Und im November», sagte Laura, «gab sie ihr letztes Konzert.» Sie klang irgendwie zufrieden, schaute mich von der Seite an, grinste sogar. «Dann kam das dritte Kind, und die göttliche Elisabeth musste ihre Karriere an den Nagel hängen.» Ihr Blick hing immer noch an meinem Gesicht. «Warum hat sie versucht, ihre Schwangerschaft vor ihm zu verbergen?»

Als ich mit den Schultern zuckte, drängte Laura: «Nun komm schon, du bist doch der Mann mit der blühenden Phantasie. Soll ich es dir sagen? Weil das Kind nicht von ihm war. Erinnerst du dich nicht, dass Vati etwas in der Art erzählte? Es hieß, er hätte sie betrogen oder sie ihn. Bitte schön, sie ihn. Das kannst du doch an drei Fingern nachzählen. Im Januar war sie auf Tournee, sechs Wochen lang. Im August stellt er fest, dass sie sich den Leib schnürt. Da muss sie schon ziemlich weit gewesen sein.»

«Und dann?», fragte ich. «Was ist aus dem Kind geworden?»

Laura seufzte vernehmlich. «Vielleicht hat sie es weggegeben.»

«Dann hätte sie ihre Karriere nicht aufgeben müssen.»

Laura klappte das Buch zu. «Vielleicht ist es tot geboren. Wenn sie sich den Leib geschnürt hat. Und vielleicht war die göttliche Elisabeth darüber so schockiert, dass sie nicht mehr spielen konnte.»

Nach ein paar Sekunden Schweigen stellte Laura fest: «Jedenfalls dürfte hier nicht alles so gewesen sein, wie es nach außen den Anschein hatte. Und meine Mutter ist auch ein sensibler Mensch.»

Gegen zehn hörten wir beide, dass Danny in unserem Bad zur Toilette ging. Kurz nach elf gingen wir ebenfalls zu Bett.

Danny schlief, lag auf dem Bauch, den Kopf zur Seite gedreht, so wie immer. Selbst das Licht, das Laura kurz aufflammen ließ, um sich zu überzeugen, dass mit ihm alles in Ordnung war, störte ihn nicht. Laura betrachtete ihn unentschlossen, dann ging sie zur Tür und drehte mit sichtlicher Überwindung den Schlüssel um.

Für mich war es eine unruhige Nacht. Mehrfach schreckte ich auf, wenn Danny seine Position veränderte. Als Laura einmal aufstand, um ins Bad zu gehen, war ich sofort hellwach. Am Morgen war ich sicher, dass Danny unser Zimmer nicht verlassen hatte und Laura nicht im Keller gewesen war.

Ich war an diesem Dienstagmorgen der Erste, der aufwachte. Ganz leise schlich ich zur Tür, sie war noch verschlossen. Ich benutzte die Toilette im zweiten Bad, um niemanden mit der Wasserspülung aufzuwecken. Dann wollte ich hinunter in die Küche, um das Frühstück zu machen.

Mein erster Blick, als ich von der Treppe in den Gang trat, galt der Tür zur Dienstbotenkammer. Sie stand einen Spaltbreit offen. Ich war mir nicht sicher, ob Laura sie am Abend geschlossen hatte. Ich ging darauf zu und trat auf etwas Weiches, das unter meinem Fuß nachgab. Als ich mich hinunterbeugte, sah ich diesen Stoffbalg. Ich stand mit dem rechten Fuß genau auf dem Rumpf, trat ihn völlig platt. Kopf, Arme und Beine der Puppe ragten in fast grotesker Weise in die Höhe. Ich hob das schäbige Ding vom Boden auf und hielt es sekundenlang unschlüssig in der Hand.

Der Mann war eingeschlafen, und zuerst fühlte er nur die kleinen Finger, die über seine Stirn strichen. Sie waren eiskalt und feucht. Als er die Augen öffnete, sah er das Kind direkt neben sich sitzen. Mit einem Arm hielt es einen unförmigen Klumpen aus dunkelgrünem Tuch an sich gedrückt. Den Blick hatte es auf das Gesicht des Mannes gerichtet.

Er versuchte zu lächeln, aber die Furcht und der Schmerz machten daraus nur ein Zucken der Mundwinkel.

«Da bist du ja wieder», sagte er. «Du warst lange weg. Wo warst du denn? Hat dich niemand gesehen?»

Das Kind schaute ihn nur an, und der Mann seufzte.

«Gibst du mir noch ein bisschen von deiner Milch?»

Die Flasche stand neben den Beinen des Kindes auf der Stufe, doch das Kind reagierte nicht auf seine Bitte.

«Die Milch», sagte er und deutete mit dem Kopf zu der Flasche hin. «Ich bin durstig, hungrig bin ich auch.»

Da begriff es. Es hielt ihm die Flasche an die Lippen, nahm sie jedoch gleich wieder fort, nachdem er einen Schluck getrunken hatte. Dann stieg es langsam und unsicher die Stufen hinunter, hielt sich mit einer Hand an der Mauer fest. Er sah ihm nach, bis es um die Ecke verschwand.

Es kam bald darauf zurück, stützte sich wieder mit einer Hand an der Mauer ab und stieg unbeholfen zu ihm hinauf. Setzte immer den rechten Fuß auf eine Stufe, zog den linken nach. In der freien Hand hielt es einen Keks. Zwei

Stufen unter ihm blieb das Kind stehen, streckte ihm den Keks entgegen.

«Das geht ja schon etwas besser mit dem Treppensteigen», sagte der Mann. Den Keks konnte er nicht nehmen. Das Kind kniete sich neben seine Brust und schob ihm den Keks zwischen die Lippen.

«Wo hast du das hergeholt?», fragte er anschließend. Aber es antwortete nicht, schaute ihn nur an. Nach einer Weile stellte er resigniert fest: «Du kannst nicht reden. Du kannst mich nicht verstehen. Du kannst auch niemanden zu Hilfe holen. Vielleicht ist es gut so. Alle sind sie fort, nur wir beide sind übrig. Und jetzt willst du zusehen, wie ich hier krepiere, nicht wahr? Hast du darauf gewartet?»

Er sprach fast eine Stunde lang in der Gewissheit, dass das Kind den Sinn der Worte nicht verstand. Aber den Ton verstand es, die Qual darin, und manchmal legte es ihm wie zum Trost eine Hand an die Wange.

Beim ersten Mal zuckte er noch zusammen. Dann gewöhnte er sich an die kleinen Finger. Gegen Abend sagte er: «Mit deiner Milch kommen wir beide nicht weit. Die Flasche ist fast leer. Gib mir den Rest, du brauchst ihn doch nicht. Bringen wir es hinter uns.»

Aber das Kind strich ihm nur über die Stirn. Und nach einer Weile erhob es sich, stieg die Treppe hinunter und verschwand aus seinem Blickfeld. Die Flasche hatte es zurückgelassen. Sie war noch fast zur Hälfte gefüllt, aber für ihn war sie unerreichbar.

Als er am zweiten Morgen die Augen öffnete, saß es wieder neben ihm. Er zeigte mit dem Kinn auf die Flasche, deutete mit allen Gesten, die ihm dazu in den Sinn kamen, an, dass er durstig war. Aber auf keine davon reagierte das Kind.

Er war nahe daran, zu resignieren. «Wie soll man sich mit dir verständigen», sagte er, «wenn du nicht einmal verstehst, dass ein Mensch hungrig und durstig ist.»

Und da griff es nach der Flasche. Es ließ ihn trinken, holte zwei Kekse für ihn aus dem dunklen Winkel und fütterte ihn damit. Jetzt hatte er begriffen.

«Du kennst schon ein paar Worte, nicht wahr?», sagte er. «Mal sehen, ob du noch mehr kennst, als diese beiden. Ich brauche Hilfe. Du musst noch einmal hinausgehen. Wenn man dich sieht, wird bestimmt jemand kommen. Hilf mir. Hol einen Menschen her. Ich kann nicht ewig hier so liegen.»

Das Kind ließ keinen Blick von seinem Mund. Aber auf einen Ausdruck des Verstehens wartete der Mann vergebens. Nach einer Weile nahm es seinen Kopf mit beiden Händen ein wenig hoch, schob sich darunter und legte sich den Kopf in den Schoß.

Jetzt hatte er das kleine Gesicht dicht vor dem seinen. Er presste einmal kurz die Lippen aufeinander, stieß die Luft aus und fragte zögernd: «Warum tust du das? Ich habe nie etwas für dich getan.»

Es schaute ihn nur an, ohne Ausdruck, ohne Gefühl. Dennoch glaubte er, eine Art von Mitleid in seinem Blick zu erkennen.

«Du bist ein merkwürdiges Kind», sagte er. «Aber es ist gut, dass du da bist. Ich habe mir eingeredet, deine Mutter hätte dich mitgenommen, als sie mich verließ, und ich hätte in Wahrheit gar nichts gehört, als ich die Kammer verriegelte. Aber es ließ mir keine Ruhe. Ich musste mich schließlich davon überzeugen. Und jetzt hilfst du mir. Weißt du denn nicht, wer ich bin?»

Das Kind strich ihm über die Wange und beugte den

174

Kopf noch ein wenig tiefer hinunter. Das Haar kitzelte ihn am Hals, als es vorsichtig mit den Lippen über seine Stirn streifte.

«Ich bin der, der dich eingesperrt hat», sagte der Mann. «Ich nehme an, ich bin dein Vater.»

Dann schwieg er eine Weile, schloss die Augen und fühlte die kleinen Finger auf seinem Gesicht, manchmal auch die Lippen oder die Wange des Kindes. Schließlich sprach er weiter.

«Sie hat es mir verschwiegen, hat nie ein Wort gesagt. Ganz allein hat sie dich auf die Welt gebracht. Dann hat sie dich vor mir versteckt. Aber ich war nicht blind. Und ich war auch nicht taub. Manchmal, wenn ich morgens hier herunterkam, hörte ich dich weinen. Ganz schwach nur, und ich wollte es nicht wahrhaben. Niemand von uns wollte das. Wir alle haben so getan, als ob es dich nicht gibt.»

Und das Kind hörte ihm zu, Stunde um Stunde. Still und reglos saß es da, nur die kleinen Hände bewegten sich.

Später an diesem Tag fand er das Wort, das für ihn zur Hoffnung wurde. Draußen.

Das Kind verließ ihn widerstrebend. Nach mehr als einer Stunde kam es zurück. Der Saum seines Kleides war feucht.

Und am nächsten Tag deutete der Mann auf die leere Milchflasche. «Durstig», sagte er, «draußen.» Mit den Lippen bekam er ein Stück Kleidersaum zu fassen. Er zerrte daran, hielt den Stoff zwischen den Zähnen fest.

«Das meine ich», sagte er. «Draußen ist Wasser, ich bin durstig.»

Es verstand ihn, aber die Flasche beachtete es nicht. Stieg die Treppe hinunter, er horchte den Schritten nach, die einmal kurz Halt machten und sich dann entfernten.

Das Warten wurde ihm zur Qual, und endlich kam es zurück. Es hatte einen Becher bei sich, zur Hälfte gefüllt mit trübem Wasser. Nachdem der Mann davon getrunken hatte, setzte es sich neben ihn, nahm wieder den Kopf in den Schoß.

Sechs Tage lang saß das Kind bei dem Mann auf der Treppe. Es verließ ihn nur, um Nahrung und Wasser für ihn zu holen. Und jeden Tag schickte er es hinaus, hoffte immer, dass jemand aufmerksam wurde, dass Hilfe kam.

Am Abend des sechsten Tages hörte das Kind die Stimme der zweiten Frau. Voller Erwartung schaute es zum Ende der Treppe hin. Der Mann war eingeschlafen. Doch er erwachte, als die Stimme lauter wurde. Dann erschien das Gesicht der zweiten Frau am Fuß der Treppe. Und es verzerrte sich sofort, wurde ganz bleich.

«O nein», murmelte die zweite Frau. Sie fasste sich erst nach einer Weile. «Das kann doch nicht sein», murmelte sie. Dann kam sie hinauf, beugte sich über den Mann und sagte: «Gib mir das Kind. Gib es mir. Damit hast du nichts zu schaffen.»

Und sie nahm das Kind auf den Arm, wie sie es immer getan hatte. Barg den kleinen Körper in ihrer Schürze, drückte sich den Kopf gegen die Schulter. Und selbst durch den Stoff fühlte es die Tropfen, die von ihrem Gesicht fielen.

Die zweite Frau trug es in den dunklen Raum zurück. Dort legte sie es gleich auf die weiche Unterlage, strich noch einmal über sein Gesicht.

«Armes Püppchen», sagte sie leise. «Ich wusste nicht,

dass du noch hier bist. Ich wusste es wirklich nicht. Ich dachte immer, sie hätte dich mitgenommen.»
Als die zweite Frau ging, blieb der Eingang ein Stück weit offen.

Das ist die Geschichte einer Puppe. Und es ist die Geschichte eines Mannes, der mit solchen Geschichten sein Geld verdient. Und wenn mir vor einem halben Jahr jemand gesagt hätte, dass ich eines Tages glaube, was ich schreibe ...

Auch vor zwei Monaten hätte ich noch darüber gelacht. Jetzt ist mir das Lachen vergangen.

Ich sehe mich heute noch da unten im Gang stehen, die Stoffpuppe in der Hand, die Stirn in Falten. Die Eisenklappe stand ein Stück weit von der Mauer ab. Ich drückte sie ganz automatisch zu und ging in Lauras Zimmer.

Das Bett war ganz ohne Zweifel benutzt worden. Es war nicht direkt zerwühlt, aber die Kuhle im Kopfkissen und der Abdruck eines Körpers auf der Steppdecke waren unverkennbar.

Mit einem raschen Blick überzeugte ich mich, dass sonst alles in Ordnung war. Laura hatte die neuen Zeichnungen nicht offen herumliegen lassen. Sie lagen zusammengerollt und in einer Papphülle verstaut auf dem Regal. Und die Kladde mit den Fernsehspots lag oben auf dem Sekretär.

Ich klemmte mir die Puppe unter den Arm und strich das Bettzeug glatt. Dann fiel mein Blick auf das Fenster. Es war noch eines von diesen alten, zweiflügligen Fenstern, bei denen ein Holzkreuz die Scheibe in kleine Vierecke zerteilt. Auf einem der Flügel befand sich ein Griff, mit dem eine Stange bewegt wurde, die jeweils oben und unten einrastete. So wurde das Fenster geschlossen. Und normalerweise hasste Laura alles, was geschlossen war. Sie hatte den rechten Flügel am Abend einen Spaltbreit offen gelassen. Und um zu verhindern, dass das Fenster von außen weiter aufgedrückt werden konnte, hatte Laura die Stange auf eines der bunten Holzklötzchen gedrückt, wie sie zu Dutzenden in Dannys Spielkiste herumlagen. Eine sichere Methode war das nicht, wie sich jetzt zeigte.

Der Fensterflügel stand fast ganz offen. Das Holzklötzchen lag auf dem Fußboden. Dem Abdruck auf dem Bettzeug nach zu schließen, war es ein kleines Kind gewesen. Oder ein erwachsener Mensch hatte nur auf dem Bett gesessen, sich vielleicht mit einer Hand auf das Kissen gestützt.

Danny hatte unser Schlafzimmer nicht verlassen, darauf hätte ich jeden Eid geschworen. Ebenso war ich überzeugt, dass Laura nicht hinuntergegangen war. Aber ich konnte mir auch nicht vorstellen, dass jemand bei uns eingestiegen war, nur um die Puppe aus dem Winkel zu holen.

Als wir das Haus besichtigten, hatte sie auf dem Bett gelegen. Da hatte ebenfalls ein Fenster im Keller offen gestanden. Und da war ein kleines Mädchen im Garten gewesen. Eins und eins ergibt zwei. Aber dass ein kleines Kind nachts unbeaufsichtigt im Dorf herumstrolchte, konnte ich ebenfalls nicht so recht glauben. Außerdem hätte ein kleines Kind die Puppe auf dem Stapel Vorhänge nicht so ohne weiteres erreicht.

Ich zog die Klappe auf, um mir die Sache anzusehen. Der blaue Müllsack war etwas nach hinten gekippt. Die Samtvorhänge dahinter waren ebenfalls verschoben. Der gesamte Plunder war durcheinander geworfen. Ein kleines Kind konnte das unmöglich getan haben. Es hätte sich einen Stuhl aus der Küche holen müssen, um sich mit dem Gerümpel zu beschäftigen.

Ich richtete alles wieder so weit her, legte die Puppe einfach zurück auf die Vorhänge. Dann ging ich in die Küche und brühte den Kaffee auf. Was dabei an Gedanken durch meinen Kopf zog, behagte mir gar nicht.

Laura! Sie musste die Puppe bei der Hausbesichtigung ebenso bemerkt haben wie ich. Eine Puppe auf dem Bett ihrer Mutter. Und Laura hatte vom ersten Augenblick an ein großes Interesse an diesem verdammten Winkel gezeigt, hatte nicht eher Ruhe geben können, bis er geöffnet war. Laura suchte wie besessen nach etwas, von dem sie nicht einmal wusste, was es war. «... dann gehe ich mit ihm zu einem Arzt», hörte ich sie im Geist sagen.

Schlafwandeln, ich hatte vor Jahren darüber gelesen, als Laura mir noch regelmäßig Lektüre über alle möglichen und unmöglichen Phänomene aus der Bibliothek heimbrachte.

Alles was mir dazu jetzt in den Sinn kam, war der Zusammenhang mit Pubertät und der Hinweis: «Bei kleinen Kindern äußerst selten.»

Aber Erwachsene, die an ungelösten Konflikten knabberten, die sich mit Schuldgefühlen herumplagten ...

Ich wollte es bestimmt nicht so machen wie Bert, ich würde Laura beizeiten zu einem guten Arzt bringen, notfalls mit Gewalt.

Während ich den Tisch deckte, hörte ich aus dem oberen Stockwerk ein lautes Juchzen und Kreischen. Dann kam Danny auf nackten Füßen die Treppen hinunter, wischte in die Küche und stand auch bereits hinter mir. Mit beiden Händen griff er an meine Hüften, lugte seitwärts an mir vorbei zur offenen Tür, in der jetzt Laura erschien.

Und kaum, dass er sie zu Gesicht bekam, kreischte Danny wieder los: «Hilfe! Papa, Hilfe!»

Er hüpfte hinter mir auf und ab, schrie mit sich überschlagender Stimme: «Nein! Papa, hilf mir doch! Sie will mich nur wieder kitzeln.»

Laura stand mitten in der Tür, die Hand ausgestreckt, mit dem Zeigefinger lockend. «Komm her, du Murmeltier. Kommst du freiwillig, oder muss ich dich holen? Na warte, ich krieg dich schon noch.»

Sie jagte ihn zwei Runden um den Tisch, dann war wieder Friede. Laura presste eine Hand in die Seite, war ein wenig außer Atem. «Frühsport ist wohl nicht mehr das Richtige für mich.»

Sie waren beide so normal. Ich wusste nicht mehr, was ich denken sollte.

Nach dem Frühstück lief Danny erst einmal hinauf, zog sich an und setzte sich dann in der Einfahrt auf Posten. Dort wartete er geduldig, bis der alte Ford Capri auftauchte.

Beim Frühstück hatte er uns erklärt, dass er heute keine Zeit habe, dass er unbedingt helfen müsste, dass das Wohnzimmer dann garantiert bis zum Abend fertig wäre.

Laura gegenüber erwähnte ich erst einmal nichts. Ich wollte sie nicht aufregen oder beunruhigen. Aber ich war fest entschlossen, mir im Laufe des Tages eine Telefonzelle zu suchen und meinen Vater um Rat zu fragen.

Dann saß ich am Schreibtisch. Und es ging so gut. Zwei wirklich hervorragende Szenen. Doch je weiter ich kam, umso weniger gefiel mir, was ich bisher gemacht hatte. Die allererste Szene, mehr die Einstimmung, war in Ordnung, mehr als das, sie war perfekt. Aber was danach kam, erschien mir jetzt dürftig. Ich war fest entschlossen, das alles noch einmal zu schreiben, ehe ich es an Wolfgang schickte. Als Laura mich zum Mittagessen rief, war ich im ersten Augenblick sogar wütend über die Unterbrechung.

Und kaum war mein Teller leer, ging ich auch schon wieder hinauf. Machte da weiter, wo ich zuvor hatte aufhören müssen.

Rückblende:

Cheryl, die junge Laborassistentin des Wissenschaftlers, wird Zeugin, wie dieser seine Geliebte von zwei Helfern ins Haus zerren lässt. Es ist Nacht, sie kann nicht viel tun. Am nächsten Morgen macht sie sich auf die Suche nach der jungen Frau. Sie entdeckt ein Mauerstück, dessen Fugen an den Rändern nicht dicht geschlossen sind. Die Geheimtür.

Nächste Szene. Das Papier lag griffbereit neben mir in einem offenen Schubfach des Schreibtisches. Jetzt kam die Sache mit dem Schließmechanismus, aber mit meiner Konzentration war es von einer Sekunde zur anderen vorbei. Die Geheimtür, dahinter eine winzige Kammer, finster und unheimlich. Die Klappe, der dunkelgrüne Puppenbalg.

Es war schon später Nachmittag. Minutenlang saß ich nur da und überlegte. Laura hatte bei der Besichtigung mit keinem Wort und keiner Geste auf die Puppe reagiert. Bei der Hornspange jedoch hatte sie gleich die Verbindung zu Marianne hergestellt.

Ich spannte erst gar kein neues Blatt mehr ein, ging hinunter. Laura saß ebenfalls vor ihrer Arbeit. Mittags hatte sie verkündet, dass sie gleich morgen früh zu Weber und

Wirtz fahren wollte, vielmehr, fahren musste. Es war allerhöchste Zeit, dass sie ihre Entwürfe vorlegte.

Als ich bei der Tür auftauchte, schaute Laura kurz auf. «Machst du schon Feierabend?»

Ich nickte stumm.

«Bist du dann so nett und kümmerst dich um das Abendessen?»

«Mache ich», sagte ich und erkundigte mich dann so harmlos wie eben möglich: «Gibt es hier in der Nähe eine Telefonzelle?»

«Wen willst du denn anrufen?»

Damit hatte ich gerechnet. Ich hatte mir auch bereits eine Ausrede zurechtgelegt. «Ich muss mit Wolfgang sprechen. Irgendwie hänge ich da mit einer Szene fest. Ich probiere die ganze Zeit nur herum.»

Laura nickte und erklärte: «Geh einfach ins Dorf. Die Hauptstraße runter. Du kannst die Zelle nicht verfehlen.»

Ich ging ganz gemütlich. Wie ich meinen Vater kannte, war der ohnehin um diese Zeit noch in der Praxis. So war es dann auch. Eine junge Sprechstundenhilfe nahm meinen Anruf entgegen. Ich musste eine Minute warten, dann klang mir Vaters Stimme ins Ohr. «Thomas? Was gibt's denn?»

Ich schilderte ihm die Situation. Vater hörte schweigend zu. Als ich jedoch mit meinen Schlussfolgerungen begann, wurde ich gleich unterbrochen.

«Ach, Quatsch», ein gutmütig sonores Lachen. «Du schreibst zu viele Spukgeschichten. Laura ist völlig in Ordnung, dafür lege ich meine Hand ins Feuer. Du wirst ihr ja wohl kaum zutrauen, ihre eigenen Entwürfe zu verderben. Wer weiß, wer da bei euch eingestiegen ist. Wenn ihr Tür und Fenster offen lasst, dürft ihr euch nicht wun-

182

dem, wenn ihr Besuch bekommt. Aber vielleicht war es auch Danny. Es war halt ein bisschen viel Aufregung für ihn. Vielleicht wollte er sich einfach mal ungestört umsehen.»

«Könnt ihr ihn für ein paar Tage zu euch nehmen?»

«Das solltest du besser deine Mutter fragen. Die muss sich schließlich um ihn kümmern. Aber sie hat bestimmt nichts dagegen. Willst du ihn bringen?»

Das wollte ich eigentlich nicht. Ich hatte mir das eher als einen Überraschungsbesuch der lieben Eltern vorgestellt, die nur einmal sehen wollten, wie weit die Kinder denn nun mit ihrem Einzug ins neue Heim gekommen waren. Die dabei feststellen mussten, dass ihre Lieben noch mitten in einem Chaos hausten und aus Mitleid mit dem Enkel spontan den Vorschlag machten, diesen für eine Weile zu betreuen, bis denn seine Eltern in der Lage waren, dem armen Kind Ordnung und Gleichmäßigkeit zu bieten. So jedenfalls sollte es Laura gegenüber dargestellt werden. Und wenn Danny aus dem Haus war, würde ich schon herausfinden, wer sich nachts in die Dienstbotenkammer schlich.

Vater lachte noch einmal. «Von mir aus. Sagen wir, sieben, halb acht. Ich bin ja doch neugierig auf eure Villa.»

Sie kamen dann allerdings erst kurz nach acht. Ein bühnenreifer Auftritt. Vater ließ sich das Haus zeigen. Mutter jammerte angesichts der noch feuchten Tapeten im Wohnzimmer, dass man von diesem Geruch ja Kopfschmerzen bekomme. Dann kam endlich der Vorschlag: «Was meinst du, Danny? Möchtest du nicht lieber ein paar Tage bei Oma und Opa wohnen?»

Danny mochte nicht, winkte sogleich ab. Er war hier unentbehrlich, musste unbedingt den Meisenbrüdern helfen, die anscheinend ohne ihn überhaupt nicht mehr zurechtkamen. Laura dagegen griff erleichtert zu. Sie ging gleich hinauf, um ein paar Sachen für ihn zu packen. Mutter begleitete sie, und Danny lief resignierend hinterher, um seinen Bauernhof reisefertig zu machen.

Ich blieb mit Vater in der Küche zurück. Er saß mit Blickrichtung zur Tür, betrachtete nachdenklich die Eisenklappe, schaute zu Lauras Zimmer hinüber. «Sie sollte sich ihr Arbeitszimmer oben einrichten», meinte er schließlich. «Da ist doch Platz genug. Und da kommt sie erst gar nicht auf dumme Gedanken.»

Ganz so überzeugt, dass Laura völlig in Ordnung war, war er anscheinend nicht mehr.

Meine Eltern blieben nicht mehr lange. Ich war erleichtert, als sie abfuhren. Danny winkte. Ich legte einen Arm um Lauras Schultern, wir gingen ins Haus zurück, beide gleichermaßen zufrieden.

Heinz hatte uns geraten, die Terrassentür über Nacht nicht ganz zu schließen, damit die Feuchtigkeit abziehen konnte. Das erschien mir zu gewagt.

Bis nach zehn hielten wir uns noch auf der Terrasse auf. Laura versuchte, im Licht, das aus dem Wohnzimmer nach draußen fiel, in Steiners Tagebuch zu lesen. Es gab eine kurze Eintragung von Dezember 56. Die Schrift war verschmiert. Aber Laura war inzwischen hinlänglich geübt, die Kürzel in verständliche Worte umzusetzen. «Wenn Elisabeth nur mit mir reden würde. Sie weint viel, verzeihen wird sie mir nie.»

Laura schaute kurz auf. «Das Kind war doch von ihm», stellte sie fest. «Wahrscheinlich wollte sie keins mehr. Und vielleicht hatte er es satt, alleine hier zu sitzen, während sie auf Tournee ging. Da hat er ihr eben noch ein

Kind gemacht. Ein mieser Trick, und es hat nicht funktioniert.»

Laura blätterte weiter, irgendwie gierig, süchtig auf die nächste Stelle Verzweiflung. Januar 57. Die Ehe der Steiners befand sich offensichtlich in einer schweren Krise. Februar 57, Elisabeth Steiner komponierte wie besessen. Trauerklänge, schrieb er. März 57, Steiner hatte versucht, seine Frau mit einer kleinen Feier aufzumuntern, vergebens.

Laura lehnte sich zurück, das Buch aufgeschlagen auf dem Schoß. «Sie war depressiv, da halte ich jede Wette. Jeden von diesen Sätzen könnte auch Vati geschrieben haben.»

Dann blätterte sie weiter. April, Mai, Juni. Im Juli dann eine kurze Notiz, die Laura zu einem kleinen Aufschrei veranlasste. «Hör dir das an, Tom.»

Nachdem sie sich mit einem kurzen Blick vergewissert hatte, dass ich aufmerksam war, las sie vor: «Sie haben es nicht weggeschafft, das weiß ich jetzt. Die Frauen stecken unter einer Decke. Tun so, als wäre nichts. Aber heute Morgen habe ich es wieder gehört.»

Laura schaute auf, murmelte: «Es.» Sie schaute mich nachdenklich an. «Was meint er mit ‹es›?»

«Woher soll ich das wissen. Die Frauen stecken unter einer Decke. Das kann alles Mögliche bedeuten. Vielleicht haben sie über ihn geredet, und er hat es gehört.»

Ein flüchtiges Grinsen huschte um Lauras Lippen. «Interpretation Nummer eins. Mehr fällt dir dazu nicht ein? Lass deine Phantasie mal ein bisschen spielen. Es, das kann ein Geräusch sein. Und wenn er schreibt ‹wieder›, heißt das, er hat es öfter gehört. Also, ein wiederkehrendes Geräusch.»

Laura sprach geziert, als stehe sie vor einer Gruppe begriffsstutziger Pennäler. «Den ersten Satz dürfen wir natürlich nicht übersehen. Und nun zählen wir eins und eins zusammen. Eine schwangere Frau, die sich bemüht hat, ihren Zustand zu verbergen. Eine verzweifelte Frau, die sich den Leib schnürt. Das muss eine Tortur gewesen sein.»

Plötzlich richtete Laura sich ein wenig auf. «Erinnerst du dich noch? Als ich mit Danny schwanger war, was hat sie mir da nicht für Vorträge gehalten, von wegen Leibschnüren und Schäden beim Kind. Soll ich dir was sagen?»

Auf eine Antwort wartete Laura nicht. Sie nickte voller Genugtuung. «Elisabeth Steiner hat ein behindertes Kind bekommen. Er hat vielleicht verlangt, dass sie es weggibt. Aber das hat sie nicht getan. Sie hat es behalten. Sie hat es sogar vor ihm versteckt. Meine Mutter musste sich darum kümmern. Und das geht ihr nicht aus dem Kopf.»

Ich zuckte mit den Achseln. «Das ist reine Spekulation.»

«Ist es nicht», widersprach Laura heftig. «Das passt alles zusammen, siehst du das nicht?»

«Ich sehe nur», sagte ich, «dass du dieses verdammte Buch da in den Müll schmeißen solltest. Selbst wenn du mit deinen Vermutungen richtig liegst, was ich nicht glaube, ist damit keinem Menschen mehr geholfen. Das alles ist dreißig Jahre her.»

Laura wurde wütend. «Na und? Ich akzeptiere auch eine Ursache, die dreißig Jahre alt ist. Solange sie mich ein bisschen näher an die Tatsachen bringt. Aber mit Tatsachen kannst du nichts anfangen, nicht wahr? Du verkriechst dich lieber in deinen uralten Gängen, da musst du wenigstens nicht sehen, wie es oben auf der Erde zugeht.»

Zuletzt war sie immer lauter geworden. Ich wollte nicht mit ihr streiten. So fragte ich nur ruhig: «Bist du heute Morgen mit dem linken Bein zuerst aufgestanden?»

Laura warf mir einen kurzen Blick zu, zuckte kaum merklich mit den Schultern und klappte das Buch auf ihrem Schoß endlich zu.

«Ich stehe seit Tagen mit dem linken Bein zuerst auf», murmelte sie nach einer Weile. «Wundert mich, dass es dir jetzt erst auffällt. Im Moment kann ich mich selbst nicht leiden.»

Ihr Ton war bereits etwas versöhnlicher. Noch einmal schaute sie mich kurz von der Seite an, seufzte leise. «Ich wollte nicht gemein werden, tut mir Leid. Ich weiß selbst nicht, was mit mir los ist. Vielleicht ist es nur diese blöde Werbekampagne. Früher hat mir meine Arbeit Spaß gemacht, jetzt sitze ich die halbe Zeit da und stöbere in Steiners alten Rechnungen. Ich hasse Milch in Flaschen. Sobald ich eine gezeichnet habe, muss ich sie zerreißen.»

Da ich schwieg, sprach sie nach einigen Sekunden weiter. «Es hat mich zuerst gereizt, und ich dachte auch, ich komme dagegen an. Jetzt würde ich am liebsten alles hinschmeißen.»

Im Lichtstreifen aus dem Wohnzimmer sah ich, dass sie wieder die Augen schloss. «Jeden Abend», sagte sie leise, «kam sie mit ein paar Keksen und einer Milchflasche hinauf. Als ob ich sonst über Nacht verhungert oder verdurstet wäre. Und wehe, das Zeug stand morgens noch da. Ich konnte die Milch nicht mal ins Klo schütten. Ich hätte den Auftrag nicht annehmen dürfen. Ich hätte wissen müssen, dass mir dabei die Nerven durchgehen.»

«Du hast die Zeichnung selbst ruiniert.» Es war eine Feststellung, aber ich hoffte, dass sie nach einer Frage klang.

Lauras Kopf flog voller Entrüstung zu mir herum. «Hältst du mich für so bescheuert, ja? Und dann mache ich dem armen Danny Vorwürfe. Was denkst du eigentlich von mir? Es ist nicht erblich, mein Lieber. Das hat Vati mir oft genug gepredigt. Ich bin nicht verrückt. Diese Zeichnung hätte ich ohne weiteres vorlegen können. Sie war nichts Besonderes, aber sie war auch nicht schlecht.»

«Du hast doch noch ein paar andere Entwürfe gemacht», sagte ich, nachdem Laura sich wieder beruhigt hatte.

Sie zuckte mit den Schultern. «Die taugen nicht viel. Den ganzen Nachmittag über habe ich noch versucht, irgendwas rauszuholen. Ich habe mir wirklich Mühe gegeben, die Sache rein vom Verstand her anzugehen. Glasflaschen sind gut für den Umweltschutz. In dieser Thematik steckt eine ganze Menge drin. Ich wollte etwas mit Natur machen. Natürlichkeit, verstehst du, aluminiumbeschichtete Papptüten sind nicht natürlich. Kein Mensch käme auf die Idee, einem Säugling solch eine Papptüte an den Mund zu setzen. Da nimmt man die Brust oder eben die Flasche.»

Plötzlich sprang Laura auf. «Das halte ich mal kurz fest.» Und weg war sie.

Als ich eine Viertelstunde später ins Haus ging, um zu sehen, wo sie blieb, saß sie vor dem Sekretär in ihrem Kämmerchen und zeichnete mit eingeklemmter Zunge. Sie schaute nicht einmal auf. Murmelte nur: «Geh ruhig schon ins Bett, wenn du müde bist. Ich glaube, ich hab's jetzt. Darauf habe ich die ganze Zeit gewartet.»

«Dann lasse ich die Terrassentür noch auf», sagte ich. «Denkst du daran, bevor du ins Bett kommst?»

Laura nickte nur. Von der Tür aus erkannte ich auf dem

Bogen, den sie vor sich hatte, die dezenten Umrisse einer weiblichen Brust, fast völlig verdeckt vom Kopf eines Säuglings. Etwas abseits davon eine grasende Kuh und groß im Vordergrund eine Milchflasche, vorerst nur in Strichen angedeutet.

Wie lange Laura in der Nacht noch gearbeitet hat, weiß ich nicht. Als ich am nächsten Morgen kurz vor acht erwachte, schlief sie noch fest. Ich stieg so leise wie möglich aus dem Bett, wusch mich im zweiten Badezimmer und ging anschließend hinunter.

In der Halle sah ich, dass die Terrassentür immer noch offen stand. Sie jetzt noch zu schließen lohnte nicht mehr. Ich ging in den Keller. Auch die Tür zu Lauras Zimmer stand offen. Und das Bett sah genauso aus wie am Morgen zuvor. Die Kuhle im Kissen, der Abdruck eines Körpers auf der Steppdecke. Der große Bogen, an dem Laura die halbe Nacht gezeichnet hatte, lag auf dem Boden neben dem Sekretär. Verschmiert war die Zeichnung nicht.

Ich legte sie zurück auf die Klappe, direkt neben eine leere Milchflasche, von der ich annahm, dass Laura sie als Motiv benutzt hatte, strich das Bettzeug glatt und brühte Kaffee auf. Dann ging ich hinauf, weckte Laura.

Während sie duschte, kümmerte ich mich um das Frühstück. Und dann kam Laura herunter, warf auf dem Weg in die Küche einen kurzen Blick in ihr Zimmer, stutzte und brüllte gleich los: «Was fällt dir ein, du Idiot?»

Beide Arme in die Seiten gestemmt, ihr Gesicht zitterte vor Wut und Empörung. Sie stand im Gang zwischen den Türen zu ihrem Zimmer und zur Küche, streckte den Arm aus, zeigte in ihr Zimmer und fauchte mich an: «Das ist billig und gemein.»

Es dauerte eine ganze Weile, ehe Laura sich so weit beruhigt hatte, dass sie bereit war, mir zuzuhören. Ich hatte die Milchflasche nicht hingestellt.

«Wer dann?» Ihre Stimme zitterte immer noch vor Wut. Mit zusammengekniffenen Augen schaute sie mich an, presste kurz die Lippen aufeinander und stellte fest: «Du glaubst tatsächlich, dass ich es war. Du musst mich ja für völlig verrückt halten. Denkst du, ich schleiche nachts hier herum, und am nächsten Morgen weiß ich nichts mehr davon?»

Ich wusste nicht, was ich ihr darauf antworten sollte. Laura nickte einmal kurz. «Tom, ich habe in der vergangenen Nacht hier gearbeitet. Ich habe mich in den letzten Tagen vielleicht ein bisschen merkwürdig benommen. Aber das gibt dir nicht das Recht, mich für verrückt zu erklären.»

«Aber das habe ich doch nicht getan», widersprach ich endlich.

«Nein», sagte Laura voller Sarkasmus, «du hast es nur gedacht. Ich weiß nicht, wer auf dem Bett gelegen hat. Ich war es nicht.»

«Du hast die Terrassentür aufgelassen», sagte ich lahm. Laura erschrak ein wenig und biss sich auf die Lippen. «Dann könnte auch jemand von draußen hereingekommen sein.»

Sie schwieg einen Augenblick. Und ich erklärte: «Und das nicht zum ersten Mal.» Dann erzählte ich rasch, was ich am Tag zuvor im Keller gesehen hatte.

«Es muss ein Kind sein», meinte Laura. Ich nickte. Und gleich darauf wurde Laura wieder aggressiv. «Warum hast du denn gestern versucht, die Sache zu vertuschen? Ich will wissen, was hier los ist. Was hier im Haus vorgeht, betrifft mich ebenso wie dich. Mich vielleicht noch etwas mehr.» Laura funkelte mich an. «Belüg mich nie wieder, Tom. Nie wieder, hörst du!»

Gleich nach dem Frühstück fuhr sie nach Köln. Wann sie zurückkommen würde, hatte sie mir nicht gesagt. Ich sah mit einem unguten Gefühl zu, wie sie den Wagen aus der Garage die Einfahrt hinunter zur Straße trieb. Im Rückwärtsgang, mit heulendem Motor. Die Reifen spritzten den Kies nach beiden Seiten.

«Fahr vorsichtig», brüllte ich noch. Aber gehört hat sie mich bestimmt nicht.

Kurz nachdem Laura abgefahren war, kamen Heinz und Rudolf. Wir machten uns alle drei an die Arbeit, obwohl man bei mir kaum von einer solchen sprechen konnte. Die meiste Zeit saß ich nur vor einem leeren Blatt.

Ich versuchte mir einzureden, es sei alles in Ordnung, dachte über den ungebetenen Gast nach, ein kleines Kind. Das machte mich wütend und lenkte ein wenig von den aktuellen Problemen ab.

Mittags sprach ich mit Heinz darüber. Es war mehr Spekulation als Tatsache. Aber da sah Heinz keinen Unterschied. Er schüttelte mehrfach hintereinander den Kopf und meinte: «Sachen gibt's, das soll man nicht glauben. Wie kann man denn ein kleines Kind nachts unbeaufsichtigt herumlaufen lassen? Anzeigen sollte man solche verantwortungslosen Schweine.»

Dann erzählte er von seiner Tochter, geriet ins Schwärmen, der Vaterstolz ließ sein gutmütiges Gesicht förmlich aufleuchten. Rudolf, der dabeisaß und zu allem schwieg, grinste hin und wieder, um deutlich zu machen, dass sein Bruder da wohl manches etwas übertrieben darstellte.

Bevor Heinz zurück ins Esszimmer ging, wies er mich

nachdrücklich darauf hin, dass man solch eine Sache nicht auf sich beruhen lassen dürfe. «Da muss man was unternehmen. Stellen Sie sich nur mal vor, was dem armen Kind alles passieren kann.»

Da stimmte ich mit ihm überein, nur fehlte mir augenblicklich die Zeit, großartig etwas zu unternehmen. Der Gedanke, dass ich mich nachts auf die Lauer legen müsste, kam mir ein wenig lächerlich vor. Und solange ich nicht einmal wusste, um welches oder wessen Kind es sich handelte, konnte ich nicht viel tun. Ich überzeugte mich lediglich abends davon, dass sämtliche Türen und die Fenster im Erdgeschoss und im Keller geschlossen waren. Und es schien ganz so, dass ich mit dieser Methode Erfolg hatte.

Es war der nächste Nachmittag, als ich das Kind dann zu Gesicht bekam. Heinz und Rudolf waren immer noch im Esszimmer beschäftigt. Die alte Tapete ließ sich nur mühsam und in kleinen Stücken von den Wänden schaben. Laura war im Keller. Ihre Unterlagen für die Wettbewerbspräsentation hatte sie bei Weber und Wirtz abgeliefert, anschließend noch an einer endlosen Diskussion teilgenommen, aber ganz entschieden war die Sache noch nicht. Und ich saß oben vor der Maschine, einfach nur so. Eine Szene hatte ich mir am Vormittag abgequält. Für mein Empfinden war sie äußerst dürftig. Vielleicht hatte ich einfach schon zu viele Horrorsequenzen verheizt. Man konnte nicht ständig mit den gleichen Effekten agieren. Vielleicht war ich auch zu sehr mit der Frage beschäftigt, ob und wie ich Laura helfen konnte. Der Schreibtisch stand wie geplant direkt vor einem der Fenster, und die halbe Zeit schaute ich nur hinaus in den Garten.

Rückblende:

Die junge Laborassistentin steht vor der Geheimtür, der Schließmechanismus macht ihr Schwierigkeiten. Endlich ist auch das geschafft. Sie schleicht durch einen Gang zu einer weiteren Tür, dahinter liegt eine dunkle, enge Kammer. Ein Stöhnen! Das Mädchen lässt den dünnen Strahl einer Taschenlampe durch den Raum wandern. Im Strahl erscheint das weiße Metallgestell eines Bettes. Darauf der Körper einer Frau.

So weit war ich am Morgen gekommen. Jetzt sollte ich beschreiben, in welch erbärmlichem Zustand sich die Geliebte des Wissenschaftlers befindet. Ihr Kind ist gerade erst geboren. Die Geburt hat sie ihre letzten Kraftreserven gekostet. Ganz wund und zerrissen liegt sie da.

Im Roman hatte ich das so schön detailliert beschrieben. Eine klaffende Dammwunde, die Fleischfetzen, zwischen denen immer noch Blut hervorquoll.

Für das Drehbuch wollte ich mich auf ein graues, eingefallenes Gesicht beschränken, schweißfeuchtes Haar, die Augen tief in den Höhlen. Dann sollte die Kamera langsam über blutbesudeltes Bettzeug zu den leicht gespreizten Beinen schwenken. Und zwischen diesen Beinen der Fleischklumpen.

Und den hatte ich für mein Empfinden schon zur Genüge eingesetzt. Hinzu kam, dass ich statt der Romanfigur auf dem schmuddeligen Bettzeug unentwegt Marianne vor Augen hatte.

Eine schreiende, sich windende, mit allen Mitteln gegen die Wehen ankämpfende Marianne. Und ein kleines, hilfloses Bündel, das schließlich mit einem Schnitt auf die Welt gebracht werden musste, das jetzt im Keller hockte und nicht weinen konnte. Das all sein Elend in sich hineinfraß, nur gelegentlich einmal um sich schlug und dann regelmäßig die Falschen traf.

Kein Mensch kann sich auf seine Arbeit konzentrieren, wenn seine Gedanken sich ständig auf Abwegen befinden. Ich versuchte es gewaltsam, rief mir die Einstiegsszene ins Gedächtnis. Das Haus, aus der Perspektive eines Betrachters, der sich vom Garten aus nähert. Mit den Augen fuhr ich die Strecke ab. Da sah ich es dann: ein etwa dreijähriges Mädchen mit dunklen, schulterlangen, glatten Haaren, einem erschreckend blassen Gesichtchen, das zu allem Überfluss noch einen stumpfsinnigen Ausdruck trug. Mir drängte sich unwillkürlich der Gedanke auf, dass dieses Kind geistig behindert sein musste.

Es trug ein grünweiß kariertes Kleid mit langen Ärmeln. Und das bei dieser Hitze. Die Taille war sehr hoch angesetzt, an den Seiten gab es zwei Bänder, die im Rücken zu einer Schleife gebunden waren. Nein, merkwürdig war daran überhaupt nichts. Mit Ausnahme des Kleidchens vielleicht. Es kam mir sehr unmodern vor. Altmodisch, sagt man hier. Und soweit ich vom Fenster aus erkennen konnte, war es keinesfalls aus einem dieser leichten, sommerlichen Stoffe gefertigt. Dazu trug das Kind dicke Wollstrümpfe und feste Halbschuhe. Ich fragte mich unwillkürlich, wer seinem Kind so etwas antun konnte. Danny war in den letzten Tagen nur noch in Shorts, T-Shirt und Sandalen herumgelaufen. Man schwitzte doch schon beim Nichtstun.

Nach ein paar Sekunden setzte die Erinnerung ein. Es war das gleiche Kleid. Ich hatte dieses Kind bereits einmal im Garten gesehen, am Tag der Hausbesichtigung. Und unser nächster Nachbar war gute fünfhundert Meter entfernt.

Im gleichen Augenblick kam die Wut. Wir hatten seit unserem Einzug kaum einen Dorfbewohner zu Gesicht bekommen, gewiss keine Kinder. Ich war mir ziemlich sicher, wen ich da vor mir hatte. Unseren kleinen Gast.

Das Kind stand ziemlich nahe beim Haus. Im Sitzen konnte ich es gerade noch sehen. Es stand völlig unbeweglich. Wie eine Statue, die man in einen Park gestellt hat. Das Gesicht der Hausecke zugedreht.

Ich richtete mich hinter dem Schreibtisch ein wenig auf, um es besser sehen zu können. Da sprang das Kind ganz unvermittelt los. Zuerst tat es einen unbeholfenen Satz in die Luft, dann rannte es vorwärts, auf die ersten Büsche zu. Aber es war mehr ein Stolpern, es schien sehr unsicher auf seinen Beinen.

Als es die Büsche erreichte, blieb es stehen. Und es stand wieder genauso reglos wie zuvor. Ein paar Minuten vergingen. Ich hatte das Fenster weit geöffnet, hörte die Vögel im Garten, das Schaben an den Wänden unter mir.

Das Kind kam langsam zurück auf das Haus zu, und irgendetwas fehlte. Ich brauchte einen Augenblick, bis mir klar wurde, was ich vermisste. Die Stimme. Wenn Danny sich draußen aufhielt, hörte man ihn fast immer. Aber das kleine Mädchen gab keinen Laut von sich. Ob es stumm war? Jetzt stand es wieder auf dem gleichen Fleck wie vorhin, als ich es zuerst bemerkt hatte.

Ich beugte mich über den Schreibtisch vor. Da hörte ich aus dem Erdgeschoss ein dumpfes Poltern. Dem Poltern folgte ein lautstarker Fluch, den Rudolf ausstieß. Für einen Augenblick war meine Aufmerksamkeit abgelenkt. Ich drehte mich unwillkürlich nach hinten, zur offenen Tür hin. Als ich wieder hinausschaute, war das Kind weg.

Es ließ mir keine Ruhe. Ich ging hinunter, warf zuerst einen kurzen Blick ins Esszimmer. Die Trennwand war völlig zur Seite geschoben. Der schwere Esstisch stand in der Mitte des Raumes, die Stühle, mit der Sitzfläche nach unten, waren auf der Tischplatte verteilt.

Als ich bei der Tür auftauchte, schaute Rudolf sich verlegen zu mir um. «Tut mir Leid, wenn ich Sie gestört habe. Einer der Stühle ist umgekippt, ist aber nichts passiert.»

«Mich haben Sie nicht gestört», erwiderte ich. «Aber da war gerade ein kleines Mädchen im Garten. Das haben Sie tüchtig erschreckt.»

Heinz schaute automatisch zur Terrassentür hin. Rudolf zuckte desinteressiert mit den Achseln. «Ich hab nichts gesehen.» Und Heinz hatte offenbar mit dem Rücken zur Tür gearbeitet und ebenfalls nichts bemerkt.

Ich ging hinunter in den Keller. Laura stand in der Küche. Auf dem Tisch lagen ein paar Salatköpfe und anderes Grünzeug. «Was hältst du von einer riesigen, gemischten Salatplatte zum Abendessen?», fragte Laura, als ich hereinkam.

Statt ihr darauf zu antworten, schoss ich gleich auf mein Ziel los. «Wir hatten gerade Besuch im Garten.»

«Wen denn?» Laura runzelte die Stirn und starrte mich fragend an.

Ich zuckte mit den Achseln. «Ein kleines Mädchen.»

Laura seufzte: «Hier ist ja alles offen. Da kann jeder von der Straße aus in den Garten.»

«Ein kleines Kind?», fragte ich nachdenklich. «Würdest du ein kleines Kind hier so einfach herumlaufen lassen?»

Laura starrte mich nur an. «Nein», meinte sie zögernd.

«Und es läuft hier nicht zum ersten Mal herum», erklärte ich. «Es war das gleiche Kind, das ich bei der Besichtigung im Garten bemerkt habe.»

«Dann kennt es sich vermutlich hier aus», erwiderte Laura und deutete mit einer hilflosen Geste auf das Grünzeug. «Gerade war unsere Nachbarin hier. Sie hat mir das mitgebracht, als kleine Gabe zum herzlichen Empfang sozusagen.» Laura zeigte in Richtung Außentür. «Der Bauernhof da hinten. Greewald heißen sie. Sie hat sich ganz förmlich vorgestellt.» Jetzt schüttelte Laura den Kopf. «Das sind schon merkwürdige Leute, diese Dorfbewohner. Sie hat mich angestarrt ... Als ob ich Fühler oder etwas in der Art hätte.» Dabei drehte sie mit einem Finger eine Art Spirale über der Stirn.

«Dann gehörte das Kind sicher zu ihr», sagte ich.

Laura runzelte die Stirn. «Das dachte ich auch schon. Aber das kann ich mir nicht vorstellen. Die Frau war weit in den Fünfzigern.»

«Es könnte ihre Enkelin sein.»

«Ach, Quatsch», widersprach Laura heftig, «wenn sie ein Kind bei sich gehabt hätte, hätte sie es doch nicht im Garten gelassen, bestimmt nicht ein kleines Kind. Außerdem hätte sie sich nicht so lange mit mir unterhalten. Sie war richtig neugierig. Was sie mich alles gefragt hat ...»

Laura schüttelte den Kopf und erklärte noch einmal: «Das Kind gehörte garantiert nicht zu ihr. Ich bin mit ihr hinausgegangen. Sie ging alleine nach Hause.»

Für Laura war der Fall damit entschieden. Allein ihre Haltung machte deutlich, dass sie sich nicht weiter mit diesem Thema beschäftigen wollte.

Ich kehrte zurück in mein Arbeitszimmer. Eine ganze Weile hielt ich noch Ausschau. Und mehrfach war mir, als hätte ich einen Zipfel des grünweißen Kleidchens zwischen den Büschen gesehen. Ich hätte darauf geschworen, dass das Kind sich noch im Garten herumtrieb. Und ebenso war ich mir sicher, dass es zu unseren Nachbarn gehörte. Wenn sie es nachts in der Gegend herumlaufen ließen, war es ihnen tagsüber wohl auch nicht so wichtig.

Am Freitag kam ganz überraschend Bert vorbei. Das Telefon war immer noch nicht angeschlossen, sodass er sich nicht hatte ankündigen können. Er entschuldigte sich auch gleich. «Ich hoffe, ich komme nicht ungelegen.» Dann schaute er sich um, neugierig und mit diesem sentimental ungläubigen Kopfschütteln. «Ich musste einfach mal nachsehen, ob ihr euch schon eingelebt habt.»
Von Einleben konnte noch keine Rede sein. Tagsüber waren die Meisenbrüder mit der Halle fertig geworden. Es roch noch stark nach frischer Farbe, doch die Renovierung war abgeschlossen.
Laura übernahm es, ihren Vater durch das Haus zu führen. Ich ging mit, allein schon aus Besitzerstolz.
Die oberen Räume waren Bert völlig fremd. Verständlich, aus welchem Grund hätte Steiner seine Gäste in die Schlafzimmer führen sollen?
Bert war in guter Stimmung und sehr gesprächig. Aus alter Gewohnheit vermieden wir es, uns nach Marianne zu erkundigen. Damit wurde immer gewartet, bis er Bereitschaft signalisierte. Und wenn er gar keine Anstalten machte, fragte Laura irgendwann. Sie fand immer den passenden Zeitpunkt. Aber vorerst drehte sich das Gespräch noch ausschließlich um das Haus. Und ganz kurz einmal um den fehlenden Danny.
Bert fand es vernünftig, dass wir ihn für eine Weile in die Obhut meiner Eltern gegeben hatten. Er erkundigte sich nicht einmal nach dem Grund, streifte durch die einzelnen Räume im Erdgeschoss, erzählte kleine Episoden.

Wie sie einmal eine ganze Nacht hindurch in Steiners Arbeitszimmer über einen verzwickten Fall diskutiert hatten. Wie hier gefeiert wurde.

Elisabeth Steiner am Flügel. Steiner selbst daneben, voll Stolz und Anbetung für seine schöne, begabte Frau.

«Sie war krank, nicht wahr?» Lauras Stimme klang ruhig und gelassen. Aber davon ließ ich mich nicht täuschen.

Bert schüttelte den Kopf. «Wie kommst du denn darauf?»

«Unsere Nachbarin sprach davon», behauptete Laura.

Bert schüttelte noch einmal den Kopf. «Ich weiß nichts von einer Krankheit.»

«Depressionen», sagte Laura und zog die Unterlippe ein.

Bert tippte sich leicht an die Stirn, erklärte dann jedoch: «Dann hatte sie die wohl überwunden, als ich sie kennen lernte.»

Nachdem er im Erdgeschoss wirklich alles gesehen hatte, bestand Laura darauf, ihm ihr Arbeitszimmer zu zeigen. Bert hatte es sich gerade in einem Sessel gemütlich gemacht und winkte ab.

Aber Laura ließ nicht locker. «Nun komm schon, Vati, du musst dir ansehen, was ich aus Mutters Kämmerchen gemacht habe. Du wirst staunen.»

«Das glaube ich kaum.» Er lächelte und seufzte ergeben, stemmte sich jedoch gleichzeitig aus dem Sessel hoch. «Ich habe Mutters Kämmerchen, wie du das nennst, nie gesehen. Wenn ich in diesem Haus war, dann im Erdgeschoss. Nicht oben und nicht unten.»

Und dann stand Bert versonnen vor dem alten Sekretär. «Früher stand der in einer Ecke im Wohnzimmer. Steiner bewahrte persönliche Dokumente und dergleichen darin auf.»

«Steiner bewahrte alles auf», sagte Laura. «Du kannst dir

gar nicht vorstellen, was ich in den einzelnen Fächern alles gefunden habe. Dreißig Jahre alte Rechnungen.»

«In manchen Dingen war er sehr pedantisch», räumte Bert ein.

Laura hatte die Unterlagen aus dem Sekretär in einen Karton gelegt. Der stand auf einem Regal in ihrem Zimmer. Sie stellte ihn auf den Tisch, begann zu kramen, hielt Bert ein kleines, stark vergilbtes Blatt Papier entgegen. «Hier, das Datum wird dich interessieren. Euer Hochzeitstag.»

Bert griff nach dem Zettel und begann zu lächeln. «Tatsächlich, 6. November 1959. Ein Freitag war das. Morgens um neun habe ich Marianne hier abgeholt, um elf war die Trauung. Ich hätte Steiner gerne als Trauzeugen gehabt, aber er fuhr an dem Tag mit seiner Familie in Urlaub.»

«Im November?», fragte Laura skeptisch.

«Warum nicht?» Bert zuckte mit den Achseln. «Wintersport.»

«Aber seine Söhne mussten doch zur Schule», meinte Laura.

Bert grinste. «Darum dürfte er sich kaum gekümmert haben. Da sprach man ein paar Worte mit dem Lehrer, und schon war die Sache geregelt.»

Doch plötzlich stutzte Bert. Gedankenverloren sprach er weiter. «Als ich hier ankam, stand sein Wagen in der Einfahrt. Die Koffer waren bereits verstaut. Sie schienen alle sehr in Eile, hatten kaum Zeit, sich richtig von uns zu verabschieden. Und dann geht er noch zum Schmied und holt sich einen Riegel und ein paar Krampen?»

Es war so beiläufig, so belanglos. Einen Riegel und ein paar Krampen, gekauft im November vor dreißig Jahren. Warum?

Warum nicht!

Wir setzten uns mit Bert hinaus auf die Terrasse. Dort war es entschieden gemütlicher als im Wohnraum, wo es immer noch nach feuchter Tapete und frischer Deckenfarbe roch. Und die Juniabende waren einfach herrlich. Die Tageshitze war überstanden, aber es war noch genug davon übrig, den lauen Nachtwind zu genießen.

Ganz von sich aus begann Bert, von Marianne zu erzählen. Eigentlich war er auf dem Weg zu ihr, zu einem Besuch übers Wochenende. Deshalb wollte er sich auch nicht zu lange bei uns aufhalten.

Um die Mittagszeit hatte er noch mit ihr telefoniert. Es ging ihr sehr gut. Am Telefon sei sie heiter und ausgeglichen gewesen, erzählte er. «Mal sehen», er hob die Schultern, wirkte verlegen dabei. «Vielleicht kann ich sie nächstes Wochenende mit zurückbringen.»

«Und wann dürfen wir euch einmal hier erwarten?», fragte Laura.

Es sollte beiläufig klingen. Aber die Spannung entging mir nicht. Auch Bert hatte sie bemerkt. Er atmete tief durch, betrachtete Laura mit einem Blick, in dem sich deutliches Bedauern abzeichnete.

«Ich weiß es nicht», sagte er ruhig. Mit den Augen bat er Laura um Verständnis. «Ich möchte sie nicht drängen», erklärte er. «Du weißt doch, wie sie dann reagiert. Vielleicht macht sie von sich aus den Vorschlag, euch zu besuchen. Und wenn nicht, dann werde ich es in der nächsten Zeit schon einmal zur Sprache bringen.»

Bevor er sich verabschiedete, klopfte er mir kameradschaftlich auf die Schulter. «Ich an deiner Stelle hätte auch sofort zugegriffen. So etwas wird einem nicht jeden Tag geboten.»

Wir begleiteten ihn zu seinem Wagen. Auf dem Beifahrer-
sitz lag eine kleine Reisetasche. Bert schaute mit einem
wehmütigen Blick zum Haus hin. «Ich habe mich hier immer sehr wohl gefühlt», sagte er, seufzte leise. «Und ich
dachte immer, bei ihr wäre das ebenso gewesen. Als ich
sie damals abholte, da fiel ihr der Abschied sehr schwer.
Sie konnte sich gar nicht losreißen. Lief noch ein paar
Mal zurück ins Haus, um irgendetwas nachzusehen. Aber
als dann später eine Einladung von Steiner kam, wollte
sie davon nichts wissen. Tagelang war nicht mit ihr zu
reden.»
Bert seufzte vernehmlich. «Ich verstehe das wirklich nicht.»
Er warf Laura einen Blick zu, als bitte er sie um Entschuldigung. Dann stieg er ein und fuhr auch gleich los. Wir
schauten seinem Wagen nach, bis nichts mehr davon zu
sehen war. Dann gingen wir langsam zurück.
«Aber ich verstehe es», murmelte Laura.

Sonntag holten wir Danny zurück. Laura erzählte meinen Eltern bereitwillig, dass die Sache sich geklärt hätte.
Und mein Vater war bezüglich des kleinen Mädchens der
gleichen Ansicht wie Heinz. «Das Jugendamt einschal-
ten», erklärte er bestimmt.
Montag fuhr Laura nach Köln, kam mit trotzig verbissenem Gesicht zurück und erklärte mir: «Ich habe die Spots
und die Plakate übernommen. Viel Zeit für den Haushalt
bleibt mir da nicht mehr.» Und dabei starrte sie mich an,
als müsse ich sie zu lebenslangem Zuchthaus verurteilen.
Am Dienstag entschloss ich mich zur endgültigen
Kapitulation. Ich hatte einen Großteil des Wochenendes
und den Montag damit verbracht, mir meine bisherige
Arbeit genau anzusehen. Es war ein heilloses Durchein-

ander. Es war Schrott, immer die gleiche Schweinerei mit wabbernden Fleischklumpen, zerfließenden Gliedmaßen und literweise Blut.

Kurz nach Mittag ging ich zur Telefonzelle, um Wolfgang zu bitten, er möge einen versierten Drehbuchautor suchen, und anschließend der Post ein wenig einzuheizen. Ich war genau in der richtigen Stimmung, um irgendeine Unschuldige in irgendeiner Telefonzentrale zur Schnecke zu machen. Aber der Apparat in der Zelle war inzwischen demoliert worden. Unverrichteter Dinge machte ich mich auf den Heimweg, was meine Laune nicht eben hob.

Laura schickte mich wenig später zu unseren Nachbarn. «Mein Gott, fragen kann man doch, Tom. Sie haben bestimmt Telefon, und wenn du ihnen das Gespräch bezahlst ...»

Laura war aggressiv, und ich war immer noch in so mieser Stimmung. Fühlte mich auf der ganzen Linie als Versager. Bewaffnet mit einem Fünfmarkstück, wanderte ich zum Hof der Greewalds hinüber. Sie waren alle im Feld, erfuhr ich von einem uralten Großmütterchen, das man wohl zur Bewachung des Hauses zurückgelassen hatte. Wie sie das sagte, klang es ganz fürchterlich nach Krieg. Und genauso führte sich die alte Frau auf. Sie war nicht nur runzlig und zahnlos. Sie war auch entsetzlich misstrauisch.

«Telefonieren wollen Sie? Ja, ich weiß nicht ...»

Was sie nicht wusste, blieb dahingestellt. Als Nächstes kam die Frage: «Sind Sie das, der das Steiner-Haus gekauft hat?»

«Gemietet», sagte ich, «vorläufig nur gemietet.»

Sie nickte versonnen vor sich hin, erkundigte sich in lüsterner Neugier: «Ist was passiert?»

«Nein», sagte ich.

Wieder nickte sie, stellte noch einmal fest: «Aber Sie wollen telefonieren. Weit?»

«Nach Köln», sagte ich.

Sie ließ mich noch geschlagene fünf Minuten vor der Tür stehen, nutzte die Zeit, um sich in sehr bedächtiger Weise nach Einzelheiten zu erkundigen. Mit wem denn? Warum denn? Ist es dringend? Wird es lange dauern? Dann durfte ich endlich die Haustür passieren.

Wolfgang Groner hatte ich inzwischen zähneknirschend von meiner Liste gestrichen. Ich rief nur bei der Telefonzentrale an und erkundigte mich so höflich wie eben noch möglich, wann wir denn mit unserem eigenen Anschluss rechnen könnten. Die alte Frau Greewald, sie war dreiundachtzig und die Mutter des Hofbesitzers, wie ich später erfuhr, stand mit großen Ohren dabei und nickte hin und wieder eine Zustimmung zu meinen Äußerungen.

Ganz besonders schien ihr zu gefallen, dass ich beruflich auf ein Telefon angewiesen war.

«Sie schreiben Spukgeschichten, hab ich gehört. Und wie gefällt Ihnen das Haus?» Sie war geistig durchaus nicht so träge, wie sie sich den Anschein gab. Außerdem hatte ihre Schwiegertochter sie bereits hinlänglich informiert. Ein Schriftsteller und eine Werbegraphikerin, gerade das schien ihr Misstrauen geweckt zu haben. Vermutlich rangierten wir gleich hinter dem fahrenden Volk. Nachdem ich mein Telefongespräch beendet hatte, hielt sie mich noch eine Weile mit ihren Fragen fest. Vor allem Laura interessierte sie.

Dann fiel plötzlich die Bemerkung: «Da sagte die Brigitte, im ersten Moment bin ich zu Tode erschrocken, die junge Frau schaut genau aus wie das Annchen.» Und gleich darauf fiel mir ein, was Laura bezüglich des Anstarrens und der Neugier beim Besuch der jüngeren Frau Greewald gesagt hatte. Und dann fiel bei mir auch endlich der berühmte Groschen.

Sie mussten Marianne kennen, die junge Marianne jedenfalls. Und die Ähnlichkeit zwischen Laura und ihrer Mutter war selbst heute noch verblüffend.

«Meine Schwiegermutter hat früher für die Steiners gearbeitet», erklärte ich. «Sie war Hausmädchen dort bis Ende 59.»

«Meine Schwiegertochter auch», sagte sie. «Die hat gekocht und später auch den Haushalt gemacht. Aber geschlafen hat sie nie da. Die kam abends hierher. Die hat schon unter meinem Dach geschlafen, da waren sie und mein Sohn noch nicht verheiratet. War mir nicht recht, gab viel Tratsch. Aber lieber so als andersrum.»

Im oberen Stockwerk des Hauses begann ein Säugling zu weinen. «Jetzt muss ich», sagte die Alte und bedeutete mir damit, dass ich gehen sollte.

Aber das Weinen aus dem ersten Stock war nur Wasser auf meine Mühle. «Haben Sie noch so kleine Kinder im Haus?», fragte ich.

Sie nickte mit merklichem Stolz. «Ist der Urenkel, der erste. Wenn alle im Feld sind, muss ich ihn versorgen. Aber ich bin noch gut auf den Beinen.»

Ja, das war sie, gut auf den Beinen und geschäftstüchtig. Mein Fünfmarkstück nahm sie mit dem Hinweis, sie könne leider nicht rausgeben. Und bevor ich dann endgültig zur Haustür geschoben wurde, erkundigte sie sich: «Kriegen Sie Eier? Wir liefern ins Haus. Die Brigitte macht morgen ihre Tour.»

Ich nahm an, dass Laura sich für frische Eier begeistern würde, und bestellte zwanzig Stück, dann ging ich zur

Tür. Der Säugling im oberen Stockwerk brüllte inzwischen aus Leibeskräften. Und während sie die Haustür hinter mir schloss, brüllte die Alte ihm entgegen: «Ja! Ja! Ich komm ja schon.»

Mittwoch kam dann Brigitte, Schwiegertochter und ehemalige Köchin im Haus der Steiners, mit den Eiern. Ich saß an meinem Schreibtisch und betrachtete ein leeres Blatt Papier und zwischendurch die Baumwipfel. Ich hörte einen Wagen in der Einfahrt. Brigitte Greewald machte ihre Tour in einem Kombiwagen, der randvoll mit frischen Hühnereiern beladen war. Ich hörte sogar ihre Schritte, als sie um das Haus herum zur Kellertür ging, hörte sie nach Laura rufen.

Und dann sah ich das Kind wieder. Es musste um die Hausecke gekommen sein, die ich von meinem Platz aus nicht sehen konnte. Jetzt sprang es in seinen abgehackt wirkenden Sätzen vor der Terrasse herum. Es trug wieder das grünweiß karierte Kleid, auch die dicken Wollstrümpfe und die Halbschuhe.

Ich schob meinen Stuhl zurück, erhob mich und trat seitlich vom Schreibtisch näher ans Fenster heran. So konnte ich es beobachten, ohne selbst gesehen zu werden.

Zwei, drei Minuten lang hüpfte es da draußen herum, blieb immer wieder einmal mitten aus einer Bewegung heraus stehen. Das wirkte so abrupt und unnatürlich, dass ich jedes Mal befürchtete, es würde hinfallen.

Dann hörte ich wieder die Stimme von Brigitte Greewald. «Wenn nochmal was ist, kommen Sie doch abends vorbei.»

Und Laura antwortete: «Wir bekommen den Anschluss Mitte der nächsten Woche. Das hat man uns fest zugesagt. Aber trotzdem, vielen Dank.»

Ich wartete darauf, dass Frau Greewald nach dem Kind rief. Für mich stand fest, dass es zu ihr gehörte. Von wegen der erste Urenkel, dachte ich noch, da röhrte der Motor des Kombiwagens auf. Und das Kind hüpfte immer noch vor der Terrasse herum.

Seit Tagen war ich nicht eben allerbester Laune. Und das jetzt, das war der bewusste Tropfen, der ein Fass zum Überlaufen bringen kann. Ich stürzte förmlich die Treppe zum Erdgeschoss hinunter. Dort hielt sich niemand auf. Laura war im Keller, und Danny spielte vermutlich beim Teich.

Schon als ich im Wohnzimmer ankam, war draußen niemand mehr zu sehen. Trotzdem ging ich noch über die Terrasse hinaus, schaute mich gründlich um. Aber das Kind war nicht mehr da.

Verständlich, es musste ebenso wie ich gehört haben, dass Frau Greewald abfuhr. Und die Vorstellung, was das arme Geschöpf in diesem Augenblick empfunden haben musste, versetzte mich in eine derartige Wut, dass ich am liebsten irgendetwas zertrümmert hätte.

Ich marschierte um die Ecke zur Kellertür. Auf dem Tisch stand ein Karton mit Eiern. Laura war bereits wieder in ihrem Zimmer. Die Tür hatte sie geschlossen. Sie schaute nicht einmal auf, als ich eintrat. Erklärte nur: «Wenn wir nochmal telefonieren müssen, sollen wir abends kommen. Es war ihr peinlich, wie ihre Schwiegermutter dich abgefertigt hat.»

«Wenn wir nochmal telefonieren müssen», erwiderte ich mit einer Stimme, die Lauras Kopf in die Höhe brachte, «dann werden wir das ganz bestimmt nicht bei den Greewalds tun. Dann werden wir nämlich über die Greewalds reden. Mit dem Jugendamt oder einer anderen kompetenten Stelle.»

«Was ist denn in dich gefahren?», fragte Laura verständnislos.

«Sie hatte das Kind wieder bei sich», erklärte ich. «Aber sie hielt es wohl für überflüssig, das arme Ding einzuladen, bevor sie losbrauste.»

«Bist du völlig sicher, Tom?»

Und ob ich mir sicher war. Gott, ich war so wütend. «Ich werde das nicht auf sich beruhen lassen», schrie ich Laura an. «Und wenn wir uns damit gleich bei sämtlichen Dorfbewohnern unbeliebt machen und in Zukunft auf frische Eier verzichten müssen, ich denke, ein kleines Kind ist wichtiger.»

Laura starrte mich nur an, das Gesicht ebenfalls wütend verzogen. Als ich schwieg, erkundigte sie sich mit sanfter Stimme: «Musst du mich deshalb so anbrüllen?»

«Nein, entschuldige.»

Laura nickte kurz und gnädig. «Und sie hat es wirklich nicht wieder mitgenommen?»

Ich schüttelte nur den Kopf.

«Ist es immer noch draußen?» Laura machte Anstalten, sich zu erheben.

Ich winkte ab. «Nein, vermutlich ist es ihr nachgelaufen.»

«Das kann ich mir gar nicht vorstellen», sagte Laura. «Sie macht einen so netten Eindruck.»

«Du kannst ihr ja beim nächsten Besuch erklären, dass wir nichts gegen behinderte Kinder haben.»

Laura nickte geistesabwesend. Ihr Blick schweifte von meinem Gesicht zum Bett hinüber. «Du meinst, es war dieses Kind, ja?»

«Das meine ich nicht nur», antwortete ich. «Ich bin mir ziemlich sicher. Es gibt nicht viele andere Möglichkeiten.»

«Nein», sagte Laura mit einem langen Seufzer. «Wahrscheinlich nicht. Und meist war ja eine Tür auf.»

Sie seufzte noch einmal, zuckte andeutungsweise mit den Achseln. «Vielleicht sollte ich einfach mal mit ihr reden. Vielleicht wissen sie gar nicht, dass das Kind auch nachts draußen ist. Ich meine ...»

Laura brach ab und lächelte verlegen. «Man muss doch nicht gleich so ein schweres Geschütz auffahren und die Leute anzeigen. Am Ende nimmt man ihnen das Kind weg und steckt es in ein Heim. Das muss man auch bedenken. Damit ist dem armen Ding bestimmt nicht geholfen.»

Was sie sagte, klang vernünftig.

Das Kind begriff die neue Ordnung nicht, aber es fügte sich ein, still und geduldig wie immer. Zuerst füllte sich das Haus mit fremden Schritten und fremden Stimmen. Dazwischen waren noch die Stimmen der zweiten Frau und die des Mannes. Sie klang schwach.

Dann wurde es still, und das Kind wartete auf die Frau. Der Eingang stand immer noch ein Stück weit offen. Ganz deutlich konnte es den fahlen Spalt in der Finsternis erkennen. Es kroch dorthin, drückte den Eingang zaghaft etwas weiter auf.

Da war die Tür, sie stand offen, gab den Blick frei in den Raum der Frau, auf das Bett. Aber die Frau war nicht da. Das Kind ging hinüber, legte sich auf das Bett, hielt seine Puppe im Arm und wartete eine ganze Dunkelheit lang.

Dann zog es sich wieder zurück. Und später kam die zweite Frau wieder. Sie hatte ein kleines Licht bei sich, leuchtete ihm damit in die Augen.

Dann kniete sie nieder, legte ihm ein zartes, duftendes Stück Draußen auf die Brust und ließ ein paar Tropfen auf sein Gesicht fallen, strich ihm über das Haar, und wieder murmelte sie: «Armes Püppchen. Was mache ich denn nun mit dir?»

Dann deckte sie es zu, und den Eingang ließ sie wieder offen. Das Kind teilte sich die neue Zeit ein in Schlafen und Warten. Manchmal ging es während der Dunkelheit in den Raum der Frau und wartete dort. Und wenn es sich dann wieder zurückzog, ließ es manchmal seine Puppe auf dem Bett, damit die Frau sie sah, wenn sie kam. Aber sie kam nicht.

Dann kam die zweite Frau noch einmal. Sie nahm das Kind mitsamt der Decke hoch und trug es eilig fort. Dabei murmelte sie vor sich hin, und ihre warme Stimme klang gehetzt und voller Sorge. Das Kind verstand die Worte nicht, es hörte nur der Stimme zu.

«Du kannst nicht dort bleiben, Püppchen. Sie wollen das Haus verkaufen. Was mache ich denn nur mit dir?»

Die zweite Frau legte es draußen unter einen großen Baum und lief eilig wieder fort. Das Kind befreite sich aus der Decke, sprang eine Weile herum. Ganz leicht fühlte es sich, lief weiter und weiter in den unendlich großen Raum hinein. Erst mit der Dunkelheit lief es zurück und legte sich schlafen. Am nächsten Tag wartete es wieder, aber die zweite Frau kam nie mehr.

Doch später kamen fremde Schritte ins Haus und Geräusche, die es nicht kannte, ein Rücken und Poltern und Schaben. Und fremde Stimmen kamen zu ihm hinunter. Eine davon sagte: «Du wirst diesen Unsinn doch nicht glauben. Nach so langer Zeit, das ist unmöglich.»

Und eine andere Stimme sagte: «Ich glaube gar nichts. Ich möchte mich lediglich davon überzeugen, ob er überhaupt etwas gesehen haben kann.»

Der Eingang wurde hell, das vertraute Viereck fiel auf den Boden, ein Schatten war darin. Dann kam einer zu ihm herein. Und wie die zweite Frau brachte er ein Licht mit, richtete es in den Winkel, stöhnte auf: «Großer Gott. Sieh dir das an.»

Wie zwei schwarze Steine standen sie da, drohend und düster. «Wir müssen das wegschaffen», sagte der eine.

«Bist du verrückt geworden», sagte der andere. «Sollen die Packer sehen, was der Alte hier zurückgelassen hat?»

Ihre Stimmen hatten sie gedämpft, und ihre Worte waren ohne Bedeutung für das Kind. Doch es spürte deutlich die Furcht und das Unbehagen, das in diesen Worten mitschwang.

Dann zogen sie sich zurück, drückten den Eingang fest gegen die Mauer. Aber nicht lange, da wurde der Eingang erneut geöffnet. Und die gleichen Stimmen sprachen weiter.

«Brauchst du Licht?»

«Nein, mir ist lieber, wenn ich nicht zu viel sehe.»

Sie brachten viele Dinge zu ihm herein, zuerst eine Decke, die sie ihm über das Gesicht legten.

«Jetzt kannst du leuchten», sagte die eine Stimme.

Dann sprachen sie nicht mehr, gingen nur geschäftig hin und her, verteilten Dinge, stopften jeden Winkel voll, zuletzt brachten sie noch die Puppe und verschlossen den Eingang.

Und das Haus wurde wieder still. Das Kind schlief. Es erwachte erst wieder, als ganz in seiner Nähe die Stimme einer Frau aufklang. Überdeutlich hörte es sie. Und obwohl sie fremd war, klang sie sehr vertraut. Das Kind richtete sich auf und schaute in gespannter Erwartung zum Eingang hin.

Die Worte verstand es nicht, und da war noch eine zweite Stimme. Dann kam ein Pochen, und die Frau sprach noch einmal. Ihre Stimme klang ungeduldig. Das Kind streifte die Decke ab, legte den Kopf zur Seite und horchte aufmerksam. Dann kroch es langsam zwischen den Dingen zum Eingang hinüber. Dort zog es sich hoch, aber der Eingang blieb geschlossen. Davor wurden Schritte laut, die sich langsam entfernten.

Es kam noch eine Zeit der Stille. Die war nicht sehr lang. Dann begann das Haus zu leben. Stimmen und Schritte. Das Kind lernte rasch, sie voneinander zu unterscheiden. Eine dunkle Stimme und eine helle. Zwei Stimmen, die nur selten in seiner Nähe sprachen. Und die fremde, vertraute, weiche Stimme einer Frau, die in seinem Kopf nachtönte, die die alte Zeit und die alte Ordnung heraufbeschwor.

Und die festen Schritte und die eiligen Schritte und die beiden, die nur selten in seine Nähe kamen, und die leichten Schritte einer Frau, die sich ihm eingeprägt hatten.

Und dann wurde der Eingang geöffnet. Zuerst kam ein Knirschen, dann ein wuchtiger Schlag und noch einer. Das Kind duckte sich tief in die hinterste Ecke. Dann kam noch ein Scharren, und durch die vielen Ritzen und Lücken zwischen den Dingen fiel ein wenig Licht ein.

Später kroch das Kind zum Eingang hinüber und spähte durch einen kleinen Spalt auf den Gang hinaus. Die Stimmen hörte es ganz deutlich. Ebenso deutlich stand ihm das Gesicht der Frau vor Augen. Und dann ging sie am Eingang vorbei. Sie ging in ihren Raum und saß dort lange.

Und ebenso lange blieb das Kind beim Eingang stehen, lugte durch den schmalen Spalt hinüber, ließ keinen Blick

von ihrem Gesicht. Es nahm seine Puppe von den Din-
gen herunter, nahm sie fest in den Arm. Und so stand es
still und geduldig, fühlte sich leicht und warm im Innern.
Alles war gut. Die Frau war endlich zurückgekommen.

Steiners Tochter

An dem Abend kam überraschend Wolfgang Groner vorbei. Wir saßen gerade beim Abendessen. Zwei Huptöne, gleich darauf drang Wolfgangs Stimme zu uns herein. Laura verzog das Gesicht zu einem spöttischen Lächeln und warf mir einen Blick zu, in dem ich unverhohlene Schadenfreude zu erkennen glaubte.

Wolfgang kam um das Haus herum über die Terrasse, blieb kurz bei der Tür stehen und grinste breit. «Da komme ich ja gerade richtig.»

Er trank einen Kaffee mit uns, anschließend gingen wir hinauf. Ich hatte vorgeschlagen, ihm das Haus zu zeigen. Aber er war mehr an meiner Arbeit interessiert.

«Der Mensch entwickelt sich zur Nervensäge», erklärte er. Gemeint war der Produzent. «Ich kann dir gar nicht sagen, wie oft der mich in der letzten Woche angerufen hat. Er hat bereits einen guten Regisseur verpflichtet und will endlich was sehen. Ich habe ihn damit vertröstet, dass du schuftest wie ein Besessener, dass ich dich zur Zeit nur nicht erreichen kann.» Dann setzte Wolfgang sich auf meinen Platz vor den Schreibtisch. «Lass mal sehen.»

Ich war noch nicht dazu gekommen, meinerseits etwas zu erklären. Doch bevor ich ihm eine Szene in die Hand drückte, tat ich das.

Er hörte mir schweigend zu, verzog keine Miene, solange ich noch sprach. Aber schließlich meinte er: «Der Einzug war vielleicht doch etwas überstürzt. So eine tolle Atmosphäre scheint ja hier nicht zu herrschen.» Dann legte Wolfgang seine Hand auf den Packen Papier neben der

Schreibmaschine. «Pass auf, Tom. Geh runter, schneide den Rasen oder tu sonst etwas. Ich schau mir das hier in aller Ruhe an. Wir reden dann darüber.»

Laura hatte Danny inzwischen ins Bett gebracht. Jetzt war sie in ihrem Zimmer. Die Tür hatte sie geschlossen. Das tat sie in den letzten Tagen häufiger. Und wenn sie es tat, ging ich ihr lieber aus dem Weg. Durch die Küche verließ ich das Haus und schlenderte im Garten umher. Ich kam mir schon ein bisschen dumm dabei vor. Wie der kleine Junge, der hinausgeschickt wird, damit die Erwachsenen in aller Ruhe über ihn entscheiden können.

Beim Teich stand noch Dannys Bauernhof. Aber er stand dort nicht wie sonst. Sämtliches Viehzeug lag im weiten Bogen verstreut. Das Dach der Scheune war abgehoben, daneben lag ein einzelner kleiner Gummireifen vom Traktor. Es war gar nicht Dannys Art. Wir hatten uns schon oft darüber amüsiert, dass er beim Spielen ein wahrer Ordnungsfanatiker war. Die Autos immer in Reih und Glied. Und was diesen Bauernhof betraf, da war er mehr als penibel.

Ich hatte ihn in den letzten Tagen mehrfach abends zum Essen geholt, weil er beim Teich Lauras Rufen nicht hörte. Und bevor er mir dann ins Haus folgte, wurden Kühe, Schweine und Hühner ordnungsgemäß in den Stallungen untergebracht, Traktor und andere Maschinen bezogen ihren Platz in der Scheune. Und die Bewohner gingen ins Bett. Dannys letzter Handgriff galt immer dem schwarzen Hofhund. Der wurde vor die Haustür gelegt und hatte dort Wache zu halten.

Ganz mechanisch machte ich mich daran, alles so herzurichten. Ich schäme mich fast ein wenig, es zuzugeben, aber schließlich hockte ich mich auf die staubtrockene

Erde und erzählte dem geduldigen Hund meine gesamte Lebensgeschichte bis hin zu der Erkenntnis, dass es Dinge gab, denen ich anscheinend nicht gewachsen war.

Schon als ich mich wieder aufrichtete, hatte ich das Gefühl, dass jemand hinter mir stand. Es kribbelte im Nacken, zwischen den Schulterblättern, gehört hatte ich keinen Laut, nur mein eigenes Murmeln. Ganz langsam drehte ich den Kopf über die Schulter zurück.

Das Kind stand nur knappe drei Meter von mir entfernt neben einem Fliederbusch. In der Dämmerung unter den Bäumen wirkte es wie ein Schattenriss. Nur das grün-weiße Kleidchen hob sich stärker von der Umgebung ab. Ich richtete mich vollends auf, bemühte mich um ein herzliches, harmloses Lächeln und sprach es leise an. «Hallo, kleines Fräulein.»

Es rührte sich nicht. Die Augen weit aufgerissen, starrte es mir ängstlich ins Gesicht. Ich tat einen ersten Schritt auf das Kind zu, sprach mit freundlicher Stimme weiter: «Was machst du denn um diese Zeit noch hier draußen? So ein kleines Mädchen gehört doch längst ins Bett.»

Keine Reaktion. Ich ging in die Hocke, zeigte zu Dannys Bauernhof hinüber. «Hast du noch ein bisschen gespielt?», fragte ich. Dann nahm ich es auf den Arm.

Im Vergleich zu Danny war es leicht wie eine Feder, dünn, mager. Durch den dicken Kleiderstoff konnte ich die einzelnen Rippen fühlen. Und wie ich das kleine, blasse Gesicht so dicht vor dem meinen hatte, ging mir der Blick durch und durch.

Es hatte so viel Angst. Machte sich auf meinem Arm steif wie ein Brett, bog den Rücken durch und brachte so den Kopf ein wenig von meinem weg. Es atmete nicht vor lauter Furcht.

Zuerst wollte ich mit ihm zum Haus gehen, aber den Gedanken gab ich gleich wieder auf. Ich wollte das arme Ding nicht noch mehr ängstigen, stellte es behutsam auf seine Beine. Und sogleich rannte es los. Hüpfte, sprang in ungelenken Sätzen zurück auf das Haus zu. Ich ging ihm langsam nach. Als die Terrasse vor mir auftauchte, bog das Kind gerade um die Hausecke.

Ich folgte ihm, ging noch vor bis zur nächsten Ecke, aber von dem kleinen Mädchen war nichts mehr zu sehen. Langsam ging ich zur Küchentür zurück. Davor lag die Puppe auf dem Boden. Ich hob sie auf und nahm sie mit ins Haus. Dort zog ich die Klappe auf, schob den gefüllten Sack und die weinroten Samtvorhänge so weit wie eben möglich zur Seite und warf den dunkelgrünen Balg hinter das Gerümpel. Es gab einen feinen, seltsam quietschenden Ton, als er irgendwo aufschlug. Ich hörte ihn zwar, aber ich maß ihm keine besondere Bedeutung bei. So ähnlich quietschten ein paar von den Plüschtieren, die auf Dannys Bett saßen, wenn man ihren Bauch drückte.

Die Tür zu Lauras Zimmer war immer noch geschlossen. Es deprimierte mich. Ich hatte das dringende Bedürfnis, mit ihr zu reden, sie nur einmal für einen Augenblick in die Arme zu nehmen, bevor ich zu Wolfgang ging. Ein paar Sekunden lang stand ich unentschlossen vor der Tür. Dann stieg ich hinauf.

Wolfgang hatte den Papierstapel fast bewältigt, als ich das Zimmer betrat. Er schaute mir mit einem zweifelnden Gesichtsausdruck entgegen. «Da du selbst schon zu der Erkenntnis gekommen bist, dass es so nicht geht», begann er, «brauche ich dir keinen Vortrag zu halten. Obwohl, einige Szenen finde ich nicht so übel.»

Er hatte sie bereits aussortiert. Erklärte gleich: «Der Einstieg ist phantastisch. Da kommt genau die richtige Stimmung auf. Bei dem Unfall könntest du noch etwas herausholen, aber ich bin mir noch gar nicht so sicher, ob du den überhaupt bringen sollst. Solch ein Film sollte nicht mit Krach-Bumm beginnen.»

Dann erklärte er mir, wie der Film seiner Meinung nach aufgebaut werden musste. «In der ersten halben Stunde muss jeder Mensch vor der Leinwand überzeugt sein, dass er es mit zwei Figuren zu tun hat. Dem wabbernden Fleischklops und einer jungen, hübschen Frau. Da muss jeder um Sandy zittern, wenn sie in den Keller geht. Da muss jeder damit rechnen, dass sie im nächsten Augenblick vor Entsetzen aufschreit.»

Er grinste, immer noch zufrieden. «Und dann zwanzig Jahre zurück. Das ist kein Problem, da müssen wir nur deinen Park auf Vordermann bringen. Cheryl am Fenster. Die Schwangere wird ins Haus gezerrt. Anschließend die Geburt, aber ohne den Fleischklops. Als Nächstes die Flucht, dabei kannst du andeutungsweise ein bisschen was zeigen. Nur nicht gleich übertreiben. Die Leute müssen davon ausgehen, dass das Grauen im Keller hockt. Aber du machst das schon.»

Wir saßen bis nach Mitternacht zusammen, besprachen alle Einzelheiten. Als ich Wolfgang endlich zu seinem Wagen brachte, sah ich noch Licht in Lauras Zimmer. Ich nahm an, dass sie noch arbeitete, und wollte sie nicht stören. Aber es war schon so spät.

Ich ging leise bis an das Fenster heran, hockte mich hin und spähte zu ihr herein. Das Fenster stand wie üblich einen Spalt offen, und Laura hätte mich eigentlich hören müssen. Sie saß vor dem Sekretär, den Kopf etwas vorgebeugt und mit beiden Händen gestützt, die Ellbogen auf der Platte.

Eines von den oberen Fächern war aufgebrochen. Deutlich konnte ich die helle Kerbe erkennen, die Laura mit ihrer Nagelfeile im Holz hinterlassen hatte. Und vor ihr auf der Platte lag ein Fotoalbum.

Laura war so vertieft in das Betrachten der einzelnen Fotos, dass sie darüber weder Wolfgangs Auto noch meine Schritte auf dem Kies beachtet hatte. Ich klopfte ganz sanft gegen die Scheibe, und Laura fuhr in sich zusammen, wie vom Blitz getroffen. Mit schreckweiten Augen starrte sie zum Fenster hin, wurde augenblicklich wütend. «Was fällt dir ein? Musst du jetzt selbst schon den Hausgeist spielen?»

Dann kam sie zum Fenster, löste die Stange von dem Holzklötzchen und öffnete den einen Flügel, sodass ich einsteigen konnte. «Willst du mal einen Blick auf die göttliche Elisabeth werfen?», fragte sie dabei. Ihre Stimme troff vor Ironie. Sie zeigte auf das Album.

Auf den aufgeschlagenen Seiten waren insgesamt acht Fotografien festgeklebt. Zwei davon zeigten ein Paar Anfang dreißig hinter zwei Jungen stehend. Die Kinder mochten zum Zeitpunkt der Aufnahme sieben und neun Jahre alt gewesen sein.

Dann gab es ein Foto von doppelter Postkartengröße. Es zeigte Elisabeth Steiner in Abendgarderobe an einem Flügel. Im Geist hörte ich Bert sagen: «Elisabeth Steiner war eine schöne Frau.»

Das war sie in der Tat. Ein edles Gesicht, ein besserer Ausdruck fällt mir dazu nicht ein. Ein graziler Körper, schmale Hände auf der Tastatur.

Und Steiner, nun ja, er sah nicht übel aus. Ein glattes,

markantes Gesicht mit einer faszinierenden Ausstrahlung. Stolz, selbstbewusst, ein Mann, der genau wusste, was er wollte, und das wahrscheinlich auch immer bekommen hatte.

Dann gab es zwei Fotos, auf denen nur die Steiners abgebildet waren, und eine weitere Aufnahme von den beiden Söhnen. Und dann gab es noch zwei Bilder.

Auf dem einen war ebenfalls die komplette Familie zu sehen. Sie und er hinten. Er hatte einen Arm um die Schultern seiner Frau gelegt, lachte sie an. Sie hatte eine Hand auf die Schulter des größeren Jungen gelegt, der direkt vor ihr stand. Und daneben stand ein junges Mädchen mit Lauras Gesicht, das den jüngsten Sohn der Steiners auf dem Arm hielt.

«Wie alt, meinst du», fragte Laura, «war sie da?»

«Sechzehn», sagte ich, «höchstens siebzehn.»

Laura nickte gedankenverloren. «Sie sieht zufrieden aus, findest du nicht? Sogar ein bisschen glücklich. Mit solch einem Gesicht habe ich sie nie gesehen.»

Ich stand neben ihr und wusste nichts mehr zu sagen. Ich hätte sie gerne in den Arm genommen, sie getröstet, entschädigt oder wie immer man es nennen will. Sie beugte sich etwas vor, betrachtete das Bild, als könne sie sich daran nicht satt sehen. «Sieh nur, wie sie den Kleinen hält. Sie war bestimmt gut zu den Kindern.»

Vor lauter Hilflosigkeit wurde ich wütend. Wütend auf Marianne, die Steiners, sogar auf den Fotografen, der diese Aufnahmen gemacht hatte. Aber auch ich traf mit meiner Wut die Falsche. Mit einem satten Plopp! knallte ich den Rückdeckel des Albums nach vorne und schrie Laura an: «Hör auf damit. Mach dich doch nicht selbst fertig. Es gibt eben Dinge, die kann man nicht mehr ändern. Die muss man akzeptieren, oder man muss sich von ihnen befreien.»

Im ersten Augenblick starrte Laura mich nur an, kniff die Augen zusammen und zog die Stirn in Falten, sichere Zeichen ihrer Wut. Dann sagte sie ruhig: «Oder man findet heraus, warum die Dinge so geworden sind. Und das werde ich tun. Ich will wissen, was hier mit ihr passiert ist. Ich will wissen, warum sie so geworden ist. Sie haben sie kaputtgemacht.»

Laura nahm das Album an sich, drückte es mit beiden Händen gegen die Brust. Es hatte einen losen Umschlag, in den die beiden Deckel jeweils nur mit einer Kante eingesteckt waren. Und als Laura es so hielt, fiel ein Foto zu Boden. Es war nicht eingeklebt gewesen wie alle anderen. Es war lose unter den Umschlag gesteckt, versteckt worden.

Ich hob das Bild auf. Darauf war ein Teil des Zimmers zu erkennen, in dem wir standen. Der Tisch, den Laura unter das Fenster geschoben hatte, ein Stuhl davor. Das Bett mit seinen karierten Bezügen. Und Marianne in diesem Bett, ein wenig erschrocken und verlegen in die Kamera lachend, die Decke mit beiden Händen vor der Brust haltend. Darüber die nackten Schultern.

Laura griff nach dem Bild und riss es mir aus den Fingern, bevor ich das verhindern konnte. Sie betrachtete es sekundenlang mit einem Gemisch aus Erstaunen und Abwehr. Dann meinte sie ruhig: «Ich hätte nicht übel Lust, Vati zu fragen, ob sie noch Jungfrau war, als er sie kennen lernte. Wer, schätzt du, hat sie nachts in ihrem Zimmer besucht und das hier aufgenommen?»

Es lag auf der Hand, aber ich blieb ihr die Antwort schuldig. Ich wollte nicht, dass sie sich weiter damit quälte.

Dass sie in Dingen herumstocherte, für die man niemanden mehr zur Rechenschaft ziehen konnte. Ich nahm ihr das Album aus den Händen. Laura ließ es geschehen, ohne sich zu rühren.

Als ich es zurück in den Karton legte, erklärte sie leise: «Ich kann dir sagen, was passiert ist. Seine angebetete Elisabeth war sauer, weil er ihr noch ein Kind gemacht hatte. Sie sprach nicht mehr mit ihm, da steht zu vermuten, dass sie ihm auch auf anderen Gebieten ihre Gunst verweigerte. Und so viel wert war sie ihm doch nicht, dass er verzichten konnte.»

In Lauras Augen begann es verräterisch zu glitzern. Das Lampenlicht spiegelte sich in dem Wasserfilm, der die Pupillen überzog. «Vernascht hat er sie», murmelte Laura. «Und oben lag seine kranke Frau im Bett. Das hat sie nicht verkraftet. Wahrscheinlich hat sie ihn auch noch geliebt, immerhin dürfte er ihr erster Mann gewesen sein.»

Ich legte einen Arm um Lauras Schultern und führte sie zur Treppe. Bevor sie einen Fuß auf die erste Stufe setzte, meinte sie müde: «Wenn er sich nicht schon das Kreuz gebrochen hätte, würde ich es ihm brechen. Glaubst du mir das?»

Ich nickte nur und brachte sie hinauf.

Genau am letzten Junitag bekamen wir endlich unseren eigenen Telefonanschluss. Ich nutzte ihn in den folgenden Wochen sehr intensiv. Mindestens dreimal am Tag griff ich nach dem Hörer, wählte Wolfgangs Nummer. Fast bei jeder Szene holte ich mir seine Zustimmung. Ich war so unsicher geworden, traute mir überhaupt nichts mehr zu. Früher war Laura mein Motor gewesen und der Sensor für Schwachstellen. Und jetzt war Laura so weit weg. Seit sie das Foto gesehen hatte, sprach sie kaum noch. Sie schützte Arbeit vor, um nicht mit mir darüber reden zu müssen, stürzte sich kopfüber in ihren Reklamefeldzug für Milchflaschen. Fast so, als müsse sie sich selbst beweisen, dass sie über den Dingen stand. Sie war viel unterwegs, mindestens jeden zweiten Tag fuhr sie nach Köln, kam immer sehr spät zurück. Müde, ausgelaugt und gereizt.

Wenn sie dann endlich da war, verkroch sie sich in ihrem Zimmer. Ich gewöhnte mich daran, spätnachts noch einen Rundgang ums Haus zu machen. Angeblich, um nach dem Kind Ausschau zu halten. Vielleicht kam es ja wieder einmal her. Aber in Wahrheit sah ich nur nach Laura.

Es gab da eine Stelle in der Einfahrt, von der aus ich jede Einzelheit in ihrem Zimmer beobachten konnte, ohne dass sie selbst auf mich aufmerksam wurde. Manchmal sah ich sie zeichnen, aber meist saß sie einfach nur da, starrte in die offenen Fächer des Sekretärs oder betrachtete die Fotos im Album.

Natürlich versuchte ich, mit ihr zu reden. Aber auf jeden Ansatz reagierte Laura wie eine wütende Katze. «Lass mich in Ruhe. Das ist eine Sache, die nur mich angeht. Mich und meine Mutter. Und mit ihr kann ich nicht darüber reden, also will ich gar nicht darüber reden.»

Ich hätte jede Wette gehalten, dass sie regelmäßig mit Bert telefonierte. Vermutlich von Köln aus, damit ich nicht bemerkte, wie sie ihn anbettelte. Seit dem Freitag, an dem er auf dem Weg zu Marianne bei uns hereinschaute, hatten wir nichts mehr von Bert gehört.

Ich hatte das Gefühl, dass alles um mich herum auseinander brach. Manchmal war die Atmosphäre im Haus so geladen, dass sie auf der Haut prickelte. Und um dagegen anzukämpfen, schrieb ich wie ein Besessener, jeden Tag mindestens drei Szenen.

Und mindestens jeden zweiten Tag waren Danny und ich allein. Auch Danny war nicht mehr der unkomplizierte kleine Kerl. Die Spannungen zwischen Laura und mir konnten ihm gar nicht entgehen. Er wusste nicht, woran er mit uns war, wurde misstrauisch und verschlossen.

Dann stolperte ich wieder über die Puppe. Ein paar Tage nachdem ich sie zum zweiten Mal in den Winkel gestopft hatte, lag das Ding erneut bei der Küchentür im Gras. Ich wollte nicht glauben, dass Laura sie sich geholt hatte. Und es gab keine Anzeichen dafür, dass das Kind noch einmal im Haus gewesen war. Aber vielleicht hatte Danny in der Ecke gekramt. Das war nicht auszuschließen.

Er saß beim Abendbrot, Laura war noch nicht aus Köln zurück. Ich legte die Stoffpuppe neben seinen Teller, und mein Ton war vielleicht etwas härter als beabsichtigt: «Wenn du das Ding noch einmal aus der Ecke holst, bekommst du Ärger mit mir. Du hast in diesem Winkel nichts zu suchen. Da stehen Sachen drin, die uns nicht gehören. Und wenn du hineinsteigst, kannst du dich verletzen. Hast du mich verstanden?»

Danny schaute mich nur ratlos an, kaute auf einem Stück seines Pfannkuchens und schüttelte den Kopf.

Ich setzte mich zu ihm an den Tisch, bemühte mich um einen ruhigen Ton. «Jetzt hör mir mal zu, Danny. Du brauchst mich nicht anzulügen, ich will nicht schimpfen oder sonst etwas. Ich will nur nicht, dass du hier herumturnst. Du musst doch auf einen Stuhl steigen, um da hineinzukommen. Ich hatte die Puppe ganz nach hinten geworfen.»

Er schluckte den Bissen, auf dem er bis jetzt gekaut hatte, gab seinem Teller einen Stoß und sprang vom Stuhl. Dann baute er sich vor mir auf, Entrüstung vom Scheitel bis zu den Fußsohlen. «Ich habe noch nie gelügt.»

«Gelogen», sagte ich ganz automatisch. Aber Danny rannte hinaus, stürmte die Treppen hinauf und knallte die Tür seines Zimmers derart hinter sich zu, dass ich selbst im Keller die Vibration noch unter den Füßen spürte. Später hörte ich ihn weinen.

Selbst am nächsten Morgen schmollte er noch. Laura war wieder unterwegs. Und wie immer, wenn wir alleine waren, hockte Danny den gesamten Vormittag über in einer Ecke meines Arbeitszimmers, um sich herum einen Fuhrpark verteilt.

Er hatte auch früher regelmäßig in meiner Nähe gespielt. Das Gebrumm oder das Kreischen der Bremsen, das er dabei veranstaltete, hatte mich nie gestört. Es störte auch nicht, wenn er zwischendurch irgendwelche Fragen stellte.

Aber an dem Morgen brummte er nur. Und was mich störte, war das schlechte Gewissen. Vielleicht war es mehr als nur das, eine Art Schuldgefühl ihm gegenüber.

Dieser Umzug hatte ihn aus allem herausgerissen, was ihm vertraut war. Seine Freunde waren unerreichbar geworden. Und zu allem Überfluss waren seine Eltern in eine Krise geraten. Es fiel mir schwer, mir das einzugestehen, aber Krise war genau das richtige Wort für unsere derzeitige Situation.

Ich nahm mir vor, ihm ein oder zwei Stunden am Nachmittag zu widmen. Vielleicht konnte ich ihm irgendwie begreiflich machen, was hier vorging. Aber am frühen Nachmittag lief er in den Garten. Die schlimmste Tageshitze war vorbei, und Danny spielte zuerst am Teich, anschließend grub er Löcher in den Erdwall der Terrasse.

Das war der 5. Juli, ein Mittwoch. Und mittwochs war unser Eiertag. Da kam Brigitte Greewald kurz nach vier. Ich wusste nicht, ob Laura inzwischen mit ihr über das Kind gesprochen hatte. Ich selbst hatte es schon fast wieder vergessen. Es fiel mir immer nur dann wieder ein, wenn ich das Kind im Garten sah. Abends schien es nicht mehr zu kommen, aber mittwochs sah ich es fast regelmäßig. Und als Brigitte Greewald an einem Freitag Ende Juni einen halben Zentner mittelfrühe Kartoffeln geliefert hatte, war es auch für ein paar Minuten vor der Terrasse hin und her gesprungen.

Danny war schon seit gut einer Stunde draußen, hockte mit einem Teil seines Fuhrparks vor der Terrasse, als ich den Wagen die Einfahrt hinaufkommen hörte. Ich ging in den Keller, nahm die Eier in Empfang und überlegte noch, ob ich das Kind zur Sprache bringen sollte. Aber ihr persönlich gegenüberzustehen war doch etwas anderes, als in Gedanken den Moralapostel zu spielen.

Sie machte einen so biederen und gutmütigen Eindruck, erkundigte sich in freundlichem Ton nach Laura. Es klang nicht einmal neugierig, eher mitfühlend, wie man sich eben als Nachbarin nach dem Befinden erkundigte. «Ist Ihre Frau wieder unterwegs?»

Ich nickte kurz, und sie meinte: «Dass sie in ihrem Zustand noch so weit mit dem Auto fährt. Und auch noch ganz alleine. Haben Sie keine Angst, dass mal was passiert?»

Als ich lässig den Kopf schüttelte, fragte Brigitte Greewald: «Wann ist es denn so weit?»

«Mitte November», sagte ich.

Sie nickte voller Anteilnahme. «Da hat sie ja noch einige Zeit vor sich. Ist sicher nicht angenehm, bei der Hitze.» Dann kamen ein paar Sätze, an die ich mich nicht mehr erinnere, und schließlich meinte sie: «Der Kleine freut sich sicher schon auf das Geschwisterchen.»

«Ja», sagte ich und schaffte es sogar zu lächeln. «Für ihn war der Umzug ein kleiner Weltuntergang. Er vermisst seine Freunde. Im Dorf scheint es kaum Kinder zu geben.»

Brigitte Greewald lachte leise. «Ach, es gibt schon welche. Aber das Haus hier liegt halt ein bisschen abseits. Warum melden Sie ihn nicht im Kindergarten an? Da findet er bestimmt schnell Kontakt. Reden Sie doch mal mit dem Pfarrer in Kirchherten. Der kann Ihnen bestimmt einen Platz beschaffen.»

Dann sprachen wir über die Mängel des Dorfes, keine Grundschule, keinen eigenen Kindergarten, über den Pfarrer, der ein sehr hilfsbereiter Mann sein sollte, und über den weiten Weg zum Kindergarten des Nachbarortes.

«Da werden Sie ihn morgens hinbringen müssen», sagte Brigitte Greewald. «Das machen alle aus dem Dorf. Man kann so kleine Kinder ja nicht alleine laufen lassen.»

Jetzt konnte ich mich nicht mehr drücken. Sie gab mir das Stichwort. «Da bin ich ganz Ihrer Meinung», hakte ich ein, «aber der Ansicht scheint hier nicht jeder. Hier treibt sich häufig ein kleines Mädchen alleine herum, sogar nachts.»

Zuerst starrte sie mich nur an, irgendwie ungläubig. Es vergingen einige Sekunden, ehe sie fragte: «Hier, bei Ihnen?»

«Ja», sagte ich, seufzte und nickte. «Ich sehe es oft im Garten. Aber es war auch schon mehrfach im Haus.

Wenn hier unten eine Tür aufbleibt oder ein Fenster, dann kommt es und legt sich in das Bett meiner Frau.»

Als sie mich immer noch so ungläubig anstarrte, beschrieb ich das Kind mit ein paar Sätzen, vor allem die auffällige Bekleidung.

Brigitte Greewald schüttelte den Kopf und murmelte: «Das kann doch gar nicht sein.»

«Kennen Sie das Kind?», fragte ich so harmlos wie eben möglich. Auf ihrem Gesicht zeichnete sich deutliches Erschrecken ab, und sie schüttelte heftig den Kopf.

«Sie kommen doch viel rum bei Ihren Touren», sagte ich. «Und es müsste eigentlich in unserer Nachbarschaft leben.»

Mit ihrem Kopfschütteln hatte sie gar nicht aufgehört. «Tut mir Leid», murmelte sie. «So ein Kind habe ich im Dorf noch nie gesehen.»

Es war einfach lächerlich. Ich griff nach ihrem Arm, verlangte leise: «Kommen Sie mit. Vielleicht haben wir Glück und es ist jetzt wieder draußen.»

Dann ging ich mit ihr auf die Tür zu und weiter bis zur Hausecke. Gleich bei der Ecke blieb ich stehen. Brigitte Greewald stand dicht hinter mir. Sie war mir ganz mechanisch gefolgt. Ich legte einen Finger an die Lippen und hoffte inständig, dass mir das Kind keinen Strich durch meine Rechnung machte.

Aber es war da. Ein kurzer Blick um die Hausecke genügte. Es stand dicht bei der Terrasse.

Danny hockte vor ihm auf dem Boden, einen Arm ausgestreckt, eines der kleinen Autos in der Hand. «Hier», hörte ich ihn sagen. «Du kannst es ruhig mal nehmen.»

Danny richtete sich auf, die Hand immer noch ausgestreckt. «Das ist ein Mercedes», sagte er. «Der ist noch ganz neu. Den hat meine Mama mir mitgebracht. Hast du Angst? Der geht nicht so leicht kaputt.»

Ich zog Brigitte Greewald nach vorne, flüsterte: «Da, sehen Sie. Da ist es.»

Ihren Arm hielt ich immer noch. Und so fühlte ich, wie sie zu zittern begann. «Das kann doch nicht sein», flüsterte sie noch einmal.

Ich zog sie von der Ecke zurück, wieder auf die Küchentür zu. Und erst als wir in der Küche standen, fragte ich: «Kennen Sie das Kind wirklich nicht, Frau Greewald?»

Sie schüttelte noch einmal so heftig den Kopf, so voller Abwehr. Es machte mich wütend.

«Nun kommen Sie schon», drängte ich. «Natürlich kennen Sie es. Es gehört zu Ihnen, nicht wahr? Es ist nämlich meist dann im Garten, wenn Sie hier sind. Ist es Ihre Enkelin oder Ihre Tochter? Sie müssen sich doch nicht schämen. Es ist doch keine Schande, solch ein Kind zu haben.»

Ihr Gesicht hatte jede Farbe verloren. Sogar die Lippen waren weiß. Und die Augen, dunkel und weit aufgerissen, starrten mich voller Entsetzen an. «Das ist nicht mein Kind», stieß sie hervor und stürzte aus der Küche. Ich hörte das Klappern ihrer Absätze auf den Steinplatten. Sie hatte es mehr als eilig. Dann röhrte der Motor auf, und ich hörte einen schrillen, sehr hohen und dünnen Schrei.

Ich ging noch einmal hinaus, betont lässig. Als ich um die Ecke bog, war Danny gerade dabei, seine Autos vom Boden aufzusammeln. Er war alleine, leicht erschrocken, sichtlich frustriert und mürrisch.

«Ist das Kind schon wieder weg?», fragte ich.

Danny nickte nur, stopfte sich ein paar von seinen Autos in die Taschen der Shorts.

«Wo ist es denn hin?»

Er zeigte wortlos in den Garten hinein. Dann sah er mich mit einem trotzigen Ausdruck an. «Ich hab ihm nichts getan, Papa, ehrlich. Ich hab es nicht angefasst. Es hat einfach nur so geschrien.»

Die Lust am Garten war ihm vergangen. Mit vollen Händen und Taschen machte er sich daran, die Stufen zur Terrasse hinaufzusteigen. Dabei maulte er vor sich hin. «So ein blödes Kind. Ich wollte doch bloß ein bisschen mit ihm spielen. Meinst du, es hatte Angst vor mir, Papa?» Mitten im Wohnzimmer blieb er stehen und schaute fragend zu mir auf.

Ich zuckte mit den Achseln. «Ich weiß es nicht, vielleicht hat es sich erschreckt, als das Auto losfuhr. Hat Frau Greewald es mitgebracht?»

Danny schüttelte den Kopf.

«Du warst doch draußen», sagte ich. «Du musst doch gesehen haben, woher es kam. Oder war es schon da?»

Noch ein Kopfschütteln.

«Wann kam es denn?» Ich bohrte noch ein wenig weiter in der Hoffnung, Danny könnte mir den letzten Beweis liefern. «Kam es zusammen mit Frau Greewald oder etwas später?»

«Weiß ich nicht.» Danny klang leicht gereizt. «Ich hab ja nicht geguckt. Ich hab doch gespielt, und dann kam es eben.»

Nach diesem Mittwoch war ich meiner Sache absolut sicher.

Für das zweite Wochenende im Juli hatte Laura die gesamte Belegschaft der Agentur eingeladen.

«Wir müssen doch unseren Einzug ein bisschen feiern», sagte sie zu mir. Ich hatte nichts dagegen, fand, dass wir beide ein wenig Abwechslung gebrauchen konnten. Von Lauras Kollegen kannte ich die meisten persönlich. Ich freute mich wirklich darauf.

Den ganzen Vormittag über half ich, kalte Platten anzurichten. Aber dann saßen sie alle im Keller, verteilten sich auf Küche und Lauras Arbeitszimmer, diskutierten Lauras Entwürfe für die Fernsehspots, kritisierten die kurzen Textstücke. Als wir sie endlich alle wieder verabschiedet hatten, war Laura fast am Boden zerstört.

Und danach ging alles in gewohnter Manier weiter. Laura zog sich völlig von mir zurück. Wir sprachen kaum noch miteinander. Wenn sie daheim war, hielt sie sich ausschließlich in ihrem Zimmer auf. Die Tür war immer geschlossen. Nur zu den Mahlzeiten kam Laura hinauf ins Esszimmer. Und nachts kroch sie dann irgendwann in das zweite Ehebett.

Wie oft habe ich in diesen Juliwochen das Haus verflucht. Und nicht nur das Haus, die gesamte Familie Steiner, vor allem das Oberhaupt, aber auch diesen kleinen Buben auf dem Arm der jungen Marianne und natürlich Marianne selbst, letztlich auch Bert, der es nie geschafft hatte, zwischen seiner Frau und der einzigen Tochter für ein harmonisches Verhältnis zu sorgen.

Lauras Schweigen konnte ich nicht brechen. Aber für Dannys Blick, der von Tag zu Tag ängstlicher und unsicherer wurde, fühlte ich mich persönlich verantwortlich. Wenigstens für ihn musste ich die Situation erträglicher machen. Und das tat ich dann auch.

Am 1. August fuhr ich endlich zum Pfarramt nach Kirchherten. Danny nahm ich mit. Um eine Notlage begreiflich zu machen, präsentiert man am besten immer gleich die Beweise.

Der Pfarrer war ein noch relativ junger Mann, Anfang vierzig, schätzte ich, freundlich und aufgeschlossen. Keiner von der Sorte, für die man nur dann ein Kind Gottes ist, wenn man sich regelmäßig in der Messe sehen lässt. Hilfsbereit war er auch. «Aus Köln kommst du also», sagte er zu Danny. «Da hattest du aber bestimmt sehr viele Freunde.»

Danny nickte mehrfach hintereinander.

«Dann wollen wir doch mal sehen, was wir hier für dich tun können», sagte der Pfarrer und griff zum Telefon. Nach einem kurzen Gespräch war die Sache auch schon erledigt. Gleich am nächsten Morgen konnte ich Danny zum Kindergarten bringen.

Er war so begeistert allein bei der Vorstellung, und ich fühlte mich ein wenig leichter. Und da ich einmal dabei war und dieser junge Priester anscheinend ein großes Herz für Kinder hatte, sprach ich gleich noch ein Problemkind an.

Ich gab mir Mühe, Brigitte Greewald nicht allzu sehr ins Unrecht zu setzen. Schilderte das Ganze so, als würde ich davon ausgehen, dass das Kind seiner Großmutter, vielleicht auch seiner Mutter unbemerkt folgte.

Der Pfarrer hörte mir lächelnd zu, aber als ich meine Ausführungen beendet hatte, schüttelte er den Kopf. «Zu den Greewalds gehört das Kind bestimmt nicht», erklärte er. «Da wäre es hier getauft worden, und das wüsste ich. Die Greewalds haben nur einen sechs Monate alten Säugling auf dem Hof.»

«Sie hat es ja auch bestritten», sagte ich, beschrieb ihm die für mein Empfinden doch sehr heftige Reaktion Brigitte Greewalds und schloss: «Und deshalb vermute ich, dass sie das Kind nicht gerne in der Öffentlichkeit zeigen.

Vielleicht ist es ihnen peinlich, ein behindertes Kind zu haben.»

Der Pfarrer schien immer noch skeptisch. «Der junge Greewald hat erst vor zwei Jahren geheiratet», sagte er. «Und seine Frau singt seit Jahren im Kirchenchor. Wenn die vor drei oder vier Jahren schwanger gewesen wäre, das wüsste ich. Und Brigitte Greewald geht auf die Sechzig zu.»

«Was eine späte Geburt nicht ausschließt», sagte ich, «und gerade in dem Alter ist die Gefahr einer körperlichen oder geistigen Missbildung beim Kind am höchsten.»

Ob ich ihn damit überzeugt hatte, war nicht ersichtlich. Aber er versprach, sich um die Sache zu kümmern. «Vielleicht kann ich in solch einem Fall mehr tun als die Polizei oder das Jugendamt», sagte er, als ich mich verabschiedete.

Ich nahm mir vor, im Laufe der nächsten Woche bei ihm nachzufragen. Aber dann geschah das mit Marianne, und darüber geriet das Kind in den Hintergrund.

In der ersten Augustwoche hatte ich ganz beiläufig gefragt, ob wir nicht am nächsten Sonntag einen Besuch bei Bert und Marianne machen sollten. Und Laura erklärte mit eisiger Miene: «Ich setze erst wieder einen Fuß über ihre Schwelle, wenn sie einen über unsere gesetzt hat.»

Und dann kamen sie, nach telefonischer Anmeldung, ob es genehm wäre, am Sonntag, dem 13. August. Gegen drei lenkte Bert den Wagen in die Einfahrt. Danny hatte bereits gewartet, die Haustür stand weit offen, und von Dannys Gebrüll alarmiert, kam ich von oben, Laura von unten in die Halle.

Es war schon sonderbar, und vielleicht hätte uns auffallen müssen, dass etwas nicht stimmte. Marianne kam nicht zögernd ins Haus. Sie kam steif. Bert war dicht hinter ihr, aufmerksam wie ein Wachhund.

Mitten in der Halle blieb Marianne stehen, schaute sich um. «Weiß», sagte sie. «Warum muss so ein großer Raum immer weiß gestrichen sein? Ein helles Beige wäre freundlicher.»

Laura hatte sich viel Mühe gegeben. Eine Obsttorte stand servierbereit in der Küche, auf der Terrasse war der Tisch gedeckt. Im Wohnzimmer blieb Marianne wieder stehen, betrachtete die beiden Kirschbaumschränke, schüttelte den Kopf. Sie drehte sich zu Laura um, die dicht hinter ihr war. «Kannst du dir vorstellen, wie oft ich den Staub von diesen Dingern gewischt habe?», fragte sie und lachte leise. «Und dann musste ich sie polieren. Elisabeth Steiner hatte da eine ganz besondere Mixtur, speziell für dieses Holz.»

Aber das war es dann auch schon. Wir tranken unseren Kaffee, aßen die Obsttorte mit frischer Sahne. Bert ging noch einmal zum Wagen und kam mit einem hübsch eingewickelten Paket zurück. Darin befand sich ein wahres Prachtexemplar von Traktor samt Anhänger, mit dem Danny sich augenblicklich am Erdwall der Terrasse zu schaffen machte. Aber sehr viel anfangen konnte man mit dem Gefährt wohl nicht. Danny schob es eine knappe Viertelstunde lang mit viel Gebrumm hin und her. Dann gesellte er sich wieder zu uns und verkündete diplomatisch, spielen könne er auch morgen. Jetzt möchte er lieber bei Opa und Oma sein.

Sichtlich gerührt von so viel Anhänglichkeit, nahm Marianne ihn auf den Schoß, ungeachtet der schmutzigen

Hände und der Erdkrümel, die aus seinen Sandalen quollen.

Wir saßen den ganzen Nachmittag auf der Terrasse. Ich brachte kurz die übrig gebliebenen Tortenstücke und die Sahneschüssel in die Küche. Bert erkundigte sich nach meinen Fortschritten beim Drehbuchschreiben, hörte mit Interesse und Mitgefühl von den Schwierigkeiten.

Laura beschrieb ihre Werbekampagne, die seit ein paar Tagen für sie selbst abgeschlossen war. Es war wirklich ein gemütlicher Nachmittag. Laura war so gelöst und heiter wie seit Monaten nicht mehr. Natürlich hätte sie ihre Mutter liebend gerne in den Keller geschleppt. Aber sie beherrschte sich.

Kurz nach sieben ging ich dann wieder in die Küche, holte die Salatschüssel und die Platte mit dem Aufschnitt. Beides hatte Laura schon am Vormittag zubereitet. Wir aßen, anschließend wurde Danny überredet, ein Bad zu nehmen. Gegen halb neun lag er endlich in seinem Bett, und wir saßen bei einer Flasche Wein immer noch auf der Terrasse.

Nachdem er ein Glas Wein getrunken hatte, bat Bert um Mineralwasser, schließlich musste er noch zurückfahren. Diesmal war Laura an der Reihe. Sie erhob sich, ging um das Haus herum in den Keller. Durch das Wohnzimmer kam sie zurück. Bei der Tür blieb sie stehen.

Ihr Gesicht trug einen Ausdruck von Zufriedenheit. Sie sprach ungewohnt leise. «Kommst du bitte mal mit, Tom? Ich muss dir etwas zeigen.»

Den fragenden Ausdruck in Berts Gesicht ignorierte sie, drehte sich gleich wieder um und ging durch das Wohnzimmer zur Halle. Ich folgte ihr, und ohne sich nach mir umzudrehen, erklärte Laura schlicht: «Es ist wieder da.»

Sie stieg die Stufen hinunter. Langsam und bemüht, so leise wie möglich aufzutreten. Unwillkürlich schlich ich auf Zehenspitzen hinter ihr her. Laura flüsterte weiter: «Ich dachte, ich sehe nicht richtig. Da liegt dieses arme Ding in meinem Bett und schläft.»

Wir hatten den Gang erreicht, noch ein paar Schritte bis zu Lauras Arbeitszimmer. Die Tür stand weit offen.

«Hast du sie offen gelassen?», fragte ich.

«Nicht so weit», flüsterte Laura. Im Gang brannte das Licht. «Durch die Tür bin ich ja aufmerksam geworden», flüsterte Laura. «Sonst hätte ich es gar nicht bemerkt. Ich wollte doch nur das Wasser für Vati holen.»

Sie hatte die Tür erreicht, streckte den Arm aus. «Da!» Dann verzog sich ihr Gesicht in eine Miene der Enttäuschung. Das Bett war leer, aber die uns schon vertrauten Abdrücke waren unverkennbar. Und auf dem Kissen lag der dunkle Puppenkörper.

«Es ist bestimmt durch das Licht aufgewacht», meinte Laura, «und dann natürlich sofort verschwunden. Es muss es sehr eilig gehabt haben. Es hat seine Puppe vergessen.»

«Das ist nicht seine Puppe», erklärte ich leise. «Erinnerst du dich denn nicht? Die lag schon auf dem Kissen, als wir uns das Haus zusammen mit Frau Dressler ansahen. Nachher lag sie auf den Vorhängen hinter der Klappe, aber … verdammt …»

Ich wollte noch mehr sagen. Doch da war plötzlich so ein merkwürdiges Gefühl. Ein Kribbeln im Magen, die Gänsehaut auf dem Rücken. Ich hatte diesen verdammten Balg doch nun wirklich so weit wie möglich hinter das Gerümpel geworfen. Aber er tauchte immer wieder auf.

Laura starrte mich an, wartete darauf, dass ich weitersprach. «Ich bin schon mehrfach über das Ding gestolpert», erklärte ich. «Ich habe es jedes Mal da reingeworfen.»

Laura folgte mit den Augen meinem ausgestreckten Finger, betrachtete die Klappe mit einem skeptischen Blick.

«Es muss sehr gelenkig sein», meinte sie. «Wenn es sich die ohne Hilfe da rausgeholt hat. Vielleicht ist es doch seine. Damals stand das Küchenfenster offen. Und es treibt sich doch ständig hier herum.»

Und woher hatte das Kind dann gewusst, dass es seine Puppe hinter der Klappe wiederfinden würde? Statt über diese Frage nachzudenken, schloss ich mich lieber Lauras Meinung an.

Es war einfacher, als auch noch über den Stuhl zu grübeln, den ein kleines Kind unbedingt brauchte, um in den Winkel einsteigen zu können. Den es auch wieder zurückbringen musste an seinen ursprünglichen Platz.

Ich hatte Danny mehrfach einen der Küchenstühle tragen sehen. Die Sitzfläche gegen den Bauch gepresst, ein bisschen keuchend mit dem sperrigen Ding. Und Danny war kräftig, kräftiger jedenfalls als dieses Kind.

Die Küchentür stand schon seit Stunden offen. Laura ging hin und schloss sie mit einem energischen Ruck, drehte sogar den Schlüssel um. Ich holte noch die Flasche Mineralwasser für Bert, dann gingen wir zurück. Bert und Marianne schauten uns gespannt entgegen.

«Was war denn los?», fragte Bert.

Laura ließ sich mit einem Ächzen in ihrem Korbsessel nieder.

«Ach», begann sie, «wir haben ein bisschen Ärger. So kann man es eigentlich gar nicht nennen. Das ist eher eine traurige Geschichte.» Laura stieß einen lang gezogenen

Seufzer aus und fuhr fort: «Wir haben uns schon gegenseitig verdächtigt. Aber jetzt steht fest, dass es niemand von uns war. Hier geistert ein kleines Mädchen herum. Es muss schon vor unserem Einzug hier gewesen sein und hat dabei wohl seine Puppe vergessen. Tom hat das Kind schon mehrfach im Garten gesehen. Aber es kommt auch ins Haus und legt sich in das Bett da unten. Tom meint, mit dem Kind wäre etwas nicht in Ordnung. Es ist nicht normal, und seine Eltern scheinen sich nicht darum zu kümmern, sonst würde es kaum um diese Zeit noch draußen herumlaufen. Es ist fast zehn.»

Bert war verständlicherweise sofort interessiert, aber gleichzeitig ließ er Laura deutlich spüren, dass sie ein Tabuthema angeschnitten hatte. Sein rascher Seitenblick zu Marianne hin sprach deutlicher als jedes Wort.

Aber Marianne wirkte ganz ruhig. Und, wie bei ihr nicht anders zu erwarten, ein wenig betroffen. «Hast du es jetzt eben wieder gesehen?»

Laura nickte mit merklicher Zurückhaltung und einem entschuldigenden Blick in Berts Richtung. «Ja, das heißt, ich habe es jetzt eben zum ersten Mal gesehen. Tom sieht es sonst immer im Garten, und ich bin ja meist unten.»

«Und es war hier im Haus?», fragte Marianne.

Noch ein Nicken. Laura machte sich an der Mineralwasserflasche zu schaffen. Drehte umständlich den Verschluss ab, reckte sich über den Tisch nach Berts Weinglas, stellte die Flasche auf den Tisch.

«Ich hole dir ein neues Glas, Vati.»

Die Arme auf beide Sessellehnen gestützt, wollte Laura aufstehen. Marianne hielt sie zurück. «Und was ist mit der Puppe?»

«Die liegt noch unten», sagte Laura. «Das ist nur ein selbst gemachtes Stoffding.»

Marianne atmete hörbar aus. «Wie alt schätzt du das Kind?»

«Drei Jahre», antwortete ich für Laura. Besser, ich bekam nachher den Ärger mit Bert. «Und mit dem Kind stimmt wirklich etwas nicht. Es spricht nicht, hüpft und springt so merkwürdig wie ein kleiner Ziegenbock.»

Laura verzog das Gesicht zu einem Grinsen, verkniff es sich jedoch, ging endlich zur Tür, um ein frisches Glas zu holen. Und ich erzählte kurz von den nächtlichen Besuchen in den ersten Tagen, von meinem Verdacht gegenüber Brigitte Greewald und von deren heftiger Reaktion beim Anblick des Kindes.

«Das ist ja entsetzlich», sagte Marianne tonlos. Bert legte eine Hand auf ihren Arm, schaute mich an und erklärte in bestimmtem Ton: «Ich werde mich gleich Montag darum kümmern.»

Es klang ganz danach, dass das Thema damit erledigt war. Und ich fühlte mich erleichtert. Wenn die Greewalds oder sonst wer tatsächlich ein Kind so sträflich vernachlässigten, war Bert für jede Art von Nachforschung wohl kompetenter als ich oder ein Dorfpfarrer.

Sie blieben nicht mehr lange. Lauras Hinweis auf die Uhrzeit war für Bert Grund genug, zum Aufbruch zu drängen. Wir begleiteten sie zum Wagen, standen anschließend am Straßenrand und winkten ihnen nach. Ich hatte einen Arm um Lauras Schultern gelegt und sie den ihren um meine Hüften. Es war ein so wundervoller Augenblick, so als hätte ich mir die letzten Wochen nur eingebildet. Ich war in diesen Minuten überzeugt, dass wir unsere Krise überwunden hatten.

Als wir zurück ins Haus gingen, sagte ich: «Na also, jetzt ist der Bann gebrochen.»
Und das war er.

Am Montagabend klingelte kurz nach sechs das Telefon. Es war in der Halle installiert. So hörte man das Klingeln meist im ganzen Haus. Laura war nicht da. Sie hatte am frühen Nachmittag einen Termin bei ihrem Gynäkologen gehabt und wollte anschließend noch Einkäufe machen. Ich saß am Schreibtisch, und Danny hockte vor dem Fernseher im Wohnzimmer.
Gleich beim ersten Klingeln zog sich mein Magen zusammen. Ich wusste, dass etwas passiert war. Im ersten Augenblick dachte ich nur an Laura und dass sie in ihrem Zustand wirklich nicht mehr alleine die weite Strecke fahren sollte. Ich rannte die Treppe hinunter, nahm gleich zwei Stufen auf einmal. Danny war noch schneller.
Auf halber Höhe der Treppe sah ich ihn vor dem Telefon stehen. Mit ratlosem Gesicht streckte er mir den Hörer entgegen und rief gleichzeitig: «Papa, komm mal schnell.»
Es war Bert, in irgendwie ruhigem Ton erkundigte er sich zuerst: «Ist Laura in der Nähe?»
«Nein, sie ist …», setzte ich an. Da unterbrach er mich bereits. Jetzt klang seine Stimme sogar zufrieden.
«Das ist gut. Du musst es ihr schonend beibringen. Marianne ist tot. Ich …» Und jetzt versagte ihm die Stimme doch. Er brauchte ein paar Sekunden, um seine Fassung zurückzugewinnen. Dann schilderte er mir, was geschehen war.
Allem Anschein nach hatte Marianne sich bereits am frühen Nachmittag auf dem Dachboden erhängt. Dort hatte

Bert sie gefunden, als er kurz nach fünf aus dem Amt kam und das ganze Haus nach ihr absuchte. Im Augenblick war er allein daheim. Die Polizei hatte sein Haus bereits wieder verlassen.

«Hat sie irgendetwas hinterlassen?», fragte ich.

Zwei oder drei Sekunden vergingen, ehe Bert antwortete: «Eine mir unverständliche Nachricht. Ich fand den Zettel auf dem Wohnzimmertisch. ‹Ich hätte nicht schweigen dürfen›, hat sie geschrieben.»

Laura kam erst nach acht heim. Bis dahin hatte ich nicht einmal denken können. Ich hatte das Abendessen gemacht, Danny gebadet und ins Bett geschickt. Ihm zu erklären, was Bert mir gesagt hatte, war noch einfach gewesen. Bei Laura wurde es fast unmöglich.

Sie kam etwas schwerfällig, aber strahlend in die Küche.

«Da sind noch ein paar Sachen im Wagen, Tom. Bist du so nett und holst sie?»

Ein paar Sachen. Im Kofferraum lag ein Stapel Regalbretter mit den dazugehörigen Wandhalterungen für mein Arbeitszimmer. Auf der Rückbank ein großes Paket mit Vorhangstoff. Außerdem hatte Laura Möbelprospekte mitgebracht.

«Du wirst ja auch in den nächsten Wochen keine Zeit haben, Möbel auszusuchen. Wir setzen uns gleich gemütlich ins Wohnzimmer und schauen uns die Prospekte an. Da können wir uns vielleicht schon auf einen Stil einigen. Zu modern sollte es nicht sein. Das passt nicht zum Haus.»

Sie war so gelöst und ausgeglichen. Und ich schaffte es immerhin eine halbe Stunde lang, mich gelassen zu geben. In der Zeit aßen wir. Laura erzählte, was der Arzt gesagt hatte. «Es wird ein großes Baby. Er meint, es hätte jetzt schon mehr als vier Pfund. Aber ich soll in den nächsten Wochen ein bisschen vorsichtig sein. Nicht mehr schwer heben, auch keine andere körperliche Anstrengung. Meine ständigen Rückenschmerzen gefielen ihm gar nicht.»

Dann gingen wir hinauf. Schon auf der Treppe erkundigte sich Laura: «Hast du wieder Probleme? Du bist so komisch.»

Ich wartete noch, bis sie auf der Couch saß.

«Bert hat angerufen.»

Laura zog nur leicht erstaunt die Augenbrauen hoch. «Jetzt sag mir nicht, er ist den Greewalds bereits auf die Pelle gerückt. Vati ist immer sehr flink in dieser Hinsicht.»

Du musst es ihr schonend beibringen. Wie macht man das? Bert hatte seine Erfahrung damit, ich nicht. Ich starrte nur die Zimmerdecke an, dachte über die Szene nach, die ich zuletzt geschrieben hatte.

Der Sturz auf der Kellertreppe. Ein alter Mann liegt hilflos ächzend auf den Stufen. Sandy beugt sich über ihn. Ein fragendes «Vater?». Das Gesicht des Mannes verzerrt sich vor Entsetzen, abwehrend hebt er eine Hand. Und Sandys Gesicht zerfließt zu einer breiigen Masse.

«Deine Mutter ist tot.»

«Solch ein Film», hatte Wolfgang gesagt, «sollte nicht mit Krach-Bumm beginnen.»

Ich konnte nur Krach-Bumm. Ich konnte nur den nackten Horror zeichnen. Bleiche Gesichter und Krallenhände.

«O nein», sagte Laura und schüttelte den Kopf. Sie starrte mich an.

Und ich senkte den Kopf, nickte andeutungsweise. «Doch! Bert fand sie, als er heimkam. Sie hat sich erhängt.»

«O nein», flüsterte Laura wieder. «Sie war ganz normal. Es ging ihr gut. Es ging ihr wirklich gut.»

«Möchtest du selbst einmal mit Bert sprechen?»

Laura schüttelte den Kopf und erhob sich. Als sie das Wohnzimmer verließ, ging ich ihr nach. Sie stieg die Treppe hinunter, bekam kaum die Füße vom Boden, schleppte sich den Gang entlang zu ihrem Zimmer, als trage sie ein Zentnergewicht mit sich herum.

Sie setzte sich auf das Bett, strich mit einer Hand über das Kopfkissen. Die Puppe lag immer noch da. Laura nahm sie, knetete den Balg durch, schaute mich an. Aber ihr Blick erreichte mich gar nicht.

«Ich will jetzt nicht reden, Tom», sagte sie plötzlich. «Ich will auch nicht weinen oder getröstet werden. Geh rauf und schreib noch ein bisschen. Vielleicht kannst du das irgendwie einbauen. Eine Verrückte, die jahrelang ihre Familie terrorisiert hat und sich dann erhängt, als Happy End sozusagen.»

Ich stand immer noch bei der Tür, wäre so gerne in das Zimmer hineingegangen, hätte sie in die Arme genommen oder sonst etwas für sie getan. Aber Lauras Blick war wie ein mannshoher Zaun aus Stacheldraht. So drehte ich mich um und ging zur Treppe zurück.

Bis um zwei saß ich am Schreibtisch. Saß einfach nur da und horchte. Aber im ganzen Haus war es still. Laura kam nicht, also ging ich hinunter, um nach ihr zu sehen.

Auf dem Gang, in der Küche sowie in ihrem Zimmer brannte Licht. Laura lag auf dem Bett, die Arme im Nacken verschränkt, mit offenen Augen zur Decke starrend.

«Willst du hier liegen bleiben?», fragte ich.

Laura deutete ein Nicken an.

Ich mochte nicht alleine oben sein und blieb ebenfalls im Keller. Nachdem ich das Licht in der Küche und im Gang ausgemacht hatte, legte ich mich neben Laura. Sie zog an einer Schnur, die neben dem Regal an der Wand hing. Augenblicklich war es dunkel.

«Ich verstehe es nicht», flüsterte sie. «Sie war doch gestern völlig in Ordnung. Sie hat sogar erzählt, wie sie hier Staub wischen musste. Hattest du nicht auch das Gefühl, dass sie völlig in Ordnung war, Tom?»

«Doch», erwiderte ich, «doch, auf mich wirkte sie ruhig und ausgeglichen.»

«Und sie kam freiwillig her», murmelte Laura. «Wir haben sie nicht gezwungen. Vati hätte niemals zugelassen, dass sie gezwungen wird.»

«Nein», sagte ich.

Eine unruhige Nacht. Das Bett war zu schmal für uns beide. Wir schliefen nicht, lagen nur da, starrten in die Dunkelheit und schwiegen.

Morgens kam Danny in aller Frühe die Treppe hinunter. Noch ehe er das Zimmer betrat, hörte ich ihn schluchzen. Ich hatte ihn ganz vergessen, das fragend erstaunte Gesicht vom Abend. «Kann sie uns jetzt nie mehr besuchen?» Danny hatte nicht begriffen, was der Satz letztlich bedeutete: «Deine Oma ist gestorben.»

Aber ein leeres Elternschlafzimmer, das begriff er, und das war wirklich ein kleiner Weltuntergang. Er hatte bereits nach uns gesucht und war ziemlich verstört, aber er beruhigte sich rasch, als er uns beide auf dem schmalen Bett liegen sah.

Ich machte ihm Frühstück, Laura blieb noch liegen. Kurz nach acht fuhr ich ihn zum Kindergarten. Dort war er jetzt noch am besten aufgehoben. Und er schien mir sehr erleichtert, als er noch bei der Eingangstür mit zwei anderen Kindern zusammentraf und mit Hallo begrüßt wurde. Ein Junge in seinem Alter legte ihm den Arm um die Schultern. Und Danny winkte mir mit strahlendem Gesicht noch einmal zu. Er hatte also bereits einen Freund gefunden.

Als ich zurückkam, saß Laura vor einem Kaffee am Küchentisch. Sie hatte auch für mich ein Gedeck hingestellt, schaute mit ausdrucksloser Miene zu, wie ich meine Tasse füllte und auf dem Stuhl ihr gegenüber Platz nahm.

«Es hatte nichts mit mir zu tun», erklärte sie. «Da bin ich ganz sicher. Es ist Steiners Schuld. Er hat ihre Jugend und Unerfahrenheit ausgenutzt. Schau dir doch an, wie er auf den Fotos aussieht. Der hat jede herumgekriegt, darauf möchte ich wetten. Und sie war hilflos. Sie war doch fast noch ein Kind, als sie in dieses Haus kam. Er hat sie kaputtgemacht.»

Den ganzen Dienstag blieb Laura am Küchentisch sitzen. Sie stand nur vom Stuhl auf, wenn sie zur Toilette musste. Und dann benutzte sie den kleinen Waschraum der Dienstbotenkammer.

Um zwölf holte ich Danny ab, gleich darauf rief ich meinen Vater an. Er versprach, sofort nach Schließung der Praxis zu kommen. Aber mein Anruf muss ihn ziemlich schockiert haben. Er kam bereits kurz nach vier, alleine und sichtlich in Sorge.

Danny begrüßte ihn vor der Küchentür mit den Worten: «Meine andere Oma ist gestorben. Frau Nehring hat gesagt, sie ist jetzt im Himmel.»

Frau Nehring ist die Kindergärtnerin. Ihre Meinung hat bei Danny einen hohen Wert. Laura schaute nur flüchtig auf, als Vater die Küche betrat. Und als er nach ihrem Arm griff, den Puls tastete, anschließend die Manschette des Blutdruckmessgerätes darüber schob, lächelte sie einmal vage. «Ich bin nicht krank», sagte sie. «Es geht mir gut.»

Vater nickte mit ernster Miene. «Ja, das sehe ich, Laura.» Er legte einen Finger unter ihr Kinn, hob so ihr Gesicht an und zwang sie, ihn anzusehen. «Deine Mutter war seit langen Jahren in einer bösen Verfassung. Sie hätte dringend einen Arzt gebraucht. Und ich verstehe deinen Vater nicht. An seiner Stelle hätte ich sie an den Haaren zu einem guten Psychiater geschleift. Da wäre euch allen sehr viel erspart geblieben.» Vater schüttelte den Kopf, träufelte etwas aus einem Fläschchen auf einen kleinen Löffel, hielt ihr den hin und erklärte gleichzeitig in meine Richtung: «Keine Sorge, das schadet ihr nicht. Nur ein leichtes Beruhigungsmittel.»

Dann schob er ihr den Löffel in den Mund, da sie keine Anstalten machte, danach zu greifen. Laura schluckte, leckte sich kurz über die Lippen.

«Vati konnte gar nichts tun», sagte sie. «Ich habe einmal erlebt, wie er ihr den Vorschlag machte, zu einem Psychiater zu gehen. Damals war ich acht. Sie hatte mich eingesperrt, gleich als ich aus der Schule kam. Ich habe in meinem Zimmer gesungen, da kam sie herein. Sie wollte mir etwas auf den Mund kleben, damit ich still bin. Sie war ganz aufgeregt und sagte: ‹Er darf dich nicht hören.› Aber ich wollte mir den Mund nicht zukleben lassen. Ich habe sie in die Hand gebissen. Sie hat geweint. Und dann hat sie mir doch den Mund zugeklebt und hat mich am Bett festgebunden. Und dann kam Vati heim. Er hat mich losgemacht und versprochen, dass es nie wieder vorkommt. Dann hat er versucht, mit ihr zu reden. Aber in solchen Momenten war er ihr schlimmster Feind.»

Den ganzen Nachmittag blieb Vater mit ihr in der Küche sitzen. Geduldig und aufmerksam hörte er sich an, was Laura aufzählte. All die vielen kleinen Episoden, die bitteren Erinnerungen aus zwanzig Jahren Kindheit und Jugend. Und das Resümee aus dieser Zeit: «Aber sie war doch meine Mutter.»

Kurz nach acht half er mir dann, Laura auf das Bett in der Dienstbotenkammer zu legen. Wir mussten sie förmlich vom Stuhl hochziehen und hinüberschleifen. Sie hob nicht einmal die Füße vom Boden.

«Lass sie hier unten schlafen», meinte er. «Vielleicht hilft ihr das. Du kannst ja ab und zu mal nach ihr sehen.»

«Ich bleibe hier», sagte ich. Und Vater nickte.

Bevor er ging, legte er mir eine Visitenkarte auf den Küchentisch. Ein kurzer Blick zeigte, es war die Karte eines Facharztes für Neurologie und Psychiatrie. «Wenn sie morgen noch in dieser Verfassung ist, rufst du dort an», sagte mein Vater, es war mehr ein Befehl. Und er zuckte mit den Schultern, als er erklärte: «Ich kann in solch einem Fall nicht sehr viel tun.»

Danny war völlig konfus, wollte ebenfalls im Keller schlafen. Mit viel Überredungskunst und dem Versprechen, immer wieder zu ihm hinaufzukommen, schaffte ich ihn in sein Zimmer. Vater verabschiedete sich. Dann saß ich neben Laura.

Es war nicht ersichtlich, ob sie meine Anwesenheit registrierte. Sie lag auf dem Rücken und schaute blicklos zur

Decke. Es mag nach elf gewesen sein, als sie mir plötzlich das Gesicht zudrehte. «Bitte, Tom, lass mich alleine.» Ihre Stimme klang ruhig und gefasst. Als ich nicht gleich das Zimmer verließ, fügte sie hinzu: «Du darfst mir nicht böse sein, Tom. Ich will dich nicht kränken oder zurückstoßen. Aber ich muss jetzt alleine sein. Sie war hier auch alleine.»

Ganz wohl war mir nicht dabei, aber ich ging schließlich hinauf, schaute noch kurz nach Danny. Sein Kissen war feucht. Er hatte sich in den Schlaf geweint. Ich ließ die Tür seines Zimmers offen, ebenso die Tür unseres Schlafzimmers, und legte mich so wie ich war auf das Bett.

Ich war müde, mehr als das. Ich war erschöpft und dabei hellwach. Die Augen fielen mir immer wieder von alleine zu, doch das Gehör arbeitete wie eine überdimensionale Antenne. Jedes noch so feine Geräusch wurde aufgenommen.

Hin und wieder ein leises Knacken irgendwo im Gebälk des Hauses. Der Wind, der draußen durch die Baumkronen strich. Aber das war nur Kulisse. Im Haus standen sämtliche Türen offen. Ich hörte sogar, wie sich in der Küche der Kühlschrank ein- und ausschaltete.

In kurzen Abständen öffnete ich die Augen, musste dazu fast Gewalt anwenden, warf einen Blick auf die Uhr. Die Nacht wollte kein Ende nehmen. Und ich hatte Angst um Laura, um das Baby, richtige Angst. Sie lag wie ein Bleigewicht auf Herz und Magen, presste die Lungen zusammen und trocknete den Körper aus.

Gegen vier kam ein neues Geräusch dazu. Von weit her drang ein verzweifeltes Schluchzen zu mir ins Schlafzimmer. Auf mich wirkte es wie eine Befreiung. Ich blieb reglos auf dem Rücken liegen, horchte angestrengt in die erste, fahle Dämmerung des Morgens. Eine Viertelstunde, eine halbe Stunde.

Manchmal glaubte ich, zwischen den einzelnen Schluchzern ein sinnloses Stammeln zu erkennen. Einzelne verständliche Worte, wie das ohnmächtige «Mutti», trieben mein Herz in schweren Stößen gegen die Rippen. Das Schluchzen verebbte langsam.

Nach einer Weile hörte ich schlurfende Schritte, ein paar nur. Ich nahm an, dass Laura sich etwas aus der Küche geholt hatte. Dann wurde es still. Und ich dachte, dass sie jetzt vielleicht eingeschlafen sei.

Um fünf hielt ich es nicht länger aus. Ich wollte Laura nicht belästigen oder stören. Ich wollte nur einmal nach ihr sehen. Und um sie nicht zu wecken, schlich ich auf Socken die Treppen hinunter.

Schon auf den ersten Stufen zum Keller hörte ich sie reden, leise und für mich unverständlich.

Als ich näher kam, wurde ihre Stimme etwas deutlicher. «Ich weiß, dass du mich nicht verstehen kannst», sagte sie, «wenn du mich verstehen könntest, wäre vielleicht uns beiden geholfen. Ich will mich nicht bedauern, wirklich nicht. Ich mag Leute nicht, die sich selbst bemitleiden. Aber dich sollte ich bedauern, nicht wahr? Du bist ein armes Geschöpf. Ich weiß, wie das ist, wenn man nicht reden kann. Dann frisst man alles in sich hinein, und irgendwann hat man das Gefühl, daran zu ersticken. Kennst du dieses Gefühl? Ich bin sicher, du kennst es. Wir haben viel gemeinsam, wir beide. Ich hatte nie eine richtige Mutter. Und was ist mit dir?»

Ich stand mitten auf der Treppe, lauschte dem seltsamen Monolog, hörte einen lang gezogenen Seufzer.

Dann sprach Laura weiter: «Du hast auch keine richtige Mutter, ich weiß. Aber was ist das überhaupt, eine richtige Mutter? Ich selbst gebe mir Mühe, eine gute Mutter zu sein. Die Leute sehen das vielleicht anders. Als Danny noch ein Baby war, war ich immer unterwegs. Ich dachte mir, das sei besser für ihn. Ich hatte Angst, dass ich es mit ihm sonst eines Tages so mache, wie meine Mutter es mit mir gemacht hat. Sie hat mich oft eingesperrt in meinem Zimmer. Sie wollte mich ganz für sich alleine. Ich durfte nicht lachen, ich durfte nicht weinen. Und Danny sollte ein normales Kind sein. Er wurde gut versorgt, Tom liebt ihn. Ein guter Vater ist ebenso viel wert wie eine gute Mutter. Was ist mit deinem Vater? Du hast doch bestimmt einen Vater.»

Das war kein Monolog. Es war auch kein Zwiegespräch mit Marianne. Da musste jemand sein, der Laura zuhörte. Und viele Möglichkeiten gab es nicht. Es drängte mich, die Treppe ganz hinunterzusteigen und wenigstens bis zur Tür ihres Zimmers zu gehen. Von meinem Platz aus konnte ich nicht einmal in den Gang hineinsehen.

Da hörte ich einen leisen, aber dennoch schrillen und hellen Ton, und Laura lachte kurz auf. «Hat es dich erschreckt? Es ist sehr unruhig. Es spürt, was ich fühle, weißt du. Und jetzt bin ich traurig, da hat es bestimmt Angst, und dann tritt und schlägt es um sich. Hier, pass auf. Da ist es wieder. Kannst du es fühlen? Das ist ein Baby. Ich hoffe, es wird ein ebenso hübsches kleines Mädchen wie du.»

Ich hatte langsam die letzten Stufen genommen und die unterste erreicht. Der Boden im Gang war gefliest. Und vor lauter Bemühen, leise aufzutreten und auch sonst keinen Laut zu verursachen, rutschte ich mit dem Fuß weg und konnte mich gerade noch an der Mauer halten. Das ging nicht ganz ohne Geräusche ab.

Lauras Stimme verstummte abrupt. Sekundenlang war es ganz still. Dann hörte ich das leise Knarren der Tür zum Waschraum, und Laura flüsterte: «Warte, ich mach dir das Licht an. Hier, nimm dein Püppchen mit.»

Als ich die Tür ihres Zimmers erreichte, hockte Laura auf der Bettkante und starrte mir beinahe feindselig entgegen. Ich tat ganz unbefangen. «Ich meine, ich hätte dich reden gehört», sagte ich.

Laura zuckte mit den Schultern. Die Tür zum Waschraum war geschlossen.

«Hattest du Besuch?», fragte ich.

«Ja», erwiderte sie knapp. Ihr Gesicht war verquollen vom Weinen, Wangen, Nase und Augenlider gerötet. Aber sie wirkte ruhiger als zuvor.

«Wie fühlst du dich?», fragte ich, immer noch bei der Tür stehend.

«Es geht wieder», sagte Laura. Dann brachte sie die Beine auf den Boden und erhob sich. Sie reckte sich, bog den Rücken durch und atmete vernehmlich ein und aus.

«Hast du überhaupt geschlafen?», fragte ich.

«Ja, ein bisschen, aber ich bin nicht müde.»

«Es ist noch sehr früh. Willst du dich oben noch für zwei Stunden hinlegen?»

Laura schüttelte den Kopf, kam dabei auf mich zu. Dicht vor mir blieb sie stehen, schlang beide Arme um meinen Nacken und legte das Gesicht an meine Schulter. «Ich bin wirklich nicht müde», murmelte sie. «Und wir sollten uns heute um Vati kümmern. Für ihn muss es schlimmer sein als für mich. Ich bin nicht allein.»

Minutenlang standen wir so bei der Tür. Dann löste

Laura sich von mir, lächelte. «Mach uns ein gutes Früh-stück, Tom. Ich werde schnell duschen.»
Sie zog die Nase kraus, hob einen Arm zum Gesicht und schnüffelte daran. Sie lächelte immer noch. «Mein Be-such riecht ein bisschen merkwürdig, irgendwie süß. Kein Wunder, wenn es tagein, tagaus die gleichen Kleider tra-gen muss.»

Laura ging hinauf, um sich frische Wäsche zu holen. Zum Duschen kam sie wieder herunter. Sie schloss die Tür ihres Zimmers hinter sich. So deutlich hätte sie mir gar nicht zeigen müssen, dass ich in der Küche zu bleiben hatte.
Ich brühte Kaffee auf, deckte den Tisch, bemühte mich, leise zu hantieren, und horchte immerzu nach nebenan.
Dort wurde Wasser in die kleine Wanne eingelassen. Ich hörte Lauras Stimme. «Das ist fein, ja? Na, das weiß ich doch noch aus eigener Erfahrung, wie gerne kleine Mäd-chen im warmen Wasser planschen. Möchtest du ein biss-chen zu mir kommen? Es ist bestimmt Platz für uns bei-de. Nein? Du willst nur planschen?»
Und dann hörte ich nur noch das Wasserplätschern.
Nach einer Weile sprach Laura wieder. «Aber ein Bad würde dir sicher gut tun. Wenn wir dann noch ein frisches Kleidchen für dich hätten, könnten wir dich so richtig fein machen. Weißt du was? Wenn ich das nächste Mal in die Stadt fahre, bringe ich dir etwas Hübsches zum An-ziehen mit. Und wenn du dann herkommst, werde ich dich baden und dein Haar waschen. Dann wirst du duf-ten wie eine ganze Blumenwiese.»
Dann hörte ich das Knarren des alten Fensterflügels, und Laura sagte: «Lauf, Kleine, und komm bald einmal wie-der.»

Sie kam in die Küche, ein Tuch in der Hand, mit dem sie ihr Haar trocknete.

«Warum hast du das Kind weggeschickt?», fragte ich.

Laura biss sich auf die Lippen und zuckte mit den Schultern. «Ich dachte, es ist dir nicht recht, wenn es hier bleibt.»

Sie setzte sich an den Tisch, schaute zu, wie ich ihre Tasse füllte. «Wann ist es gekommen?», fragte ich.

Noch einmal hob Laura kurz die Achseln. «Ich weiß nicht genau, ich war eingeschlafen, und ...»

«Du hast geweint», unterbrach ich sie. «Ich konnte dich oben hören.»

Jetzt nickte sie, erwiderte beinahe trotzig: «Gut, ich habe geweint. Dann bin ich eingeschlafen. Und plötzlich stand es neben dem Bett. Es hat versucht, mich zu trösten. Es war so rührend. Immer wieder wischte es mir über die Wangen, und dann kroch es zu mir ins Bett. Hast du sonst noch Fragen, Tom?»

«Das heißt», sagte ich ruhig, «es läuft die ganze Nacht draußen herum. Da muss man einfach etwas unternehmen.»

Laura starrte mich sekundenlang an. «Ich will nicht, dass es in ein Heim gesteckt wird. Und genau das wird passieren, wenn du die Polizei oder das Jugendamt einschaltest.»

Ich wollte ihr antworten, doch sie sprach gleich weiter, in einer trotzig bestimmten Art. «Wenn es wiederkommt», meinte sie, «bleibt es hier. Da wird sich schon über kurz oder lang einer auf die Suche machen. Und der soll nur kommen. Das regeln wir ganz alleine, wir brauchen keine Amtshilfe. Ich will nicht, dass das Kind in ein Heim gesteckt wird.»

«Das will ich auch nicht», erklärte ich endlich.

Laura atmete einmal tief durch, stellte fest: «Gut, dann sind wir uns ja einig.»

An dem Mittwochmorgen ging Danny nicht in den Kindergarten. Noch vor neun fuhren wir nach Köln. Laura hatte mit ein wenig Schminke und viel kaltem Wasser die letzten Spuren der Verzweiflung aus ihrem Gesicht vertrieben. Und sie gab sich alle Mühe, die beherrschte und kühle Frau zu spielen.

Auch Bert wirkte sehr gefasst, keinesfalls wie ein gebrochener Mann. Er sprach über Mariannes Tod, als lese er uns eine Aktennotiz vor. «Die Leiche ist bereits freigegeben», sagte er. «Ich werde am Nachmittag alles Notwendige für die Beisetzung veranlassen.»

Es störte mich ein wenig, dass er sich Laura gegenüber so kühl und distanziert verhielt. Insgeheim hatte ich damit gerechnet, dass sie sich beide in die Arme nehmen würden, dass sie versuchten, sich gegenseitig ein wenig Trost zuzusprechen.

Aber nichts dergleichen. Sie saßen sich gegenüber wie Schauspieler in einem modernen Theaterstück. Der Text war einstudiert, doch er betraf sie nicht persönlich. Sie mussten darein kein Gefühl investieren. Laura erkundigte sich: «Wirst du uns anrufen, wenn der Termin feststeht?»

Und Bert nickte kurz, erklärte ungefragt: «Ich werde den Sarg gleich schließen lassen. Es ist besser, wenn du sie nicht mehr siehst. Das ist kein schöner Anblick. In deinem Zustand möchte ich dir den ersparen.»

Und da nickte Laura einmal kurz.

Nach knapp einer Stunde brachen wir wieder auf. Bert begleitete uns bis zur Tür. Mit Danny an der Hand ging Laura bereits zum Wagen.

Da legte Bert mir eine Hand auf die Schulter und hielt mich zurück. «Pass auf, dass sie sich nicht kaputtmacht», sagte er. «Ich kenne sie. Sie wird es in sich hineinfressen, sie wird sich Vorwürfe machen. Das darfst du nicht zulassen. Sie hat sich in all den Jahren die Schuld an Mariannes Zustand gegeben. Das war mein Fehler. Ich hätte ihr niemals sagen dürfen, dass Marianne diese Psychose während der Schwangerschaft entwickelte.»

Für einen Augenblick wurde ich wütend auf ihn. «Mach dir nur keine Sorgen», erwiderte ich ruhig. «Ich werde nicht zulassen, dass Laura sich in irgendetwas hineinsteigert. Sobald sich bei ihr die ersten Symptome zeigen, bringe ich sie zu einem guten Therapeuten. Und der wird ihr dann schon erklären, dass sie sich irrt.»

Bert nahm den versteckten Vorwurf mit ruhiger Miene hin.

Gerade das reizte mich, noch etwas anzufügen. «Was immer Marianne auch mit sich herumgetragen hat», sagte ich, «es war keine Schwangerschaftspsychose. Mir kann kein Mensch weismachen, dass sich eine solche Psychose über dreißig Jahre hält. Da war etwas anderes, dafür würde ich meine Hand ins Feuer legen. Und wenn du etwas für Laura tun willst, dann hilf ihr, herauszufinden, woran Marianne gelitten hat.»

Bert schluckte hart, aber er nickte. Seine Hand lag immer noch auf meiner Schulter. Ich spürte einen leichten Druck, als sich die Finger ein wenig fester schlossen.

«Wenn ich helfen kann», sagte er. «Aber nicht sofort. Lass es mich erst auf meine Weise verarbeiten.»

Laura hatte sich bereits in den Wagen gesetzt, Danny hampelte hinter ihr auf der Rückbank herum. Als ich zum

Wagen kam, stieg er in seinen Sitz und befestigte die Gurte. «Kann ich noch ein bisschen in den Kindergarten?», fragte er. «Oder ist es schon zu spät?»

«Du kannst heute Nachmittag gehen», sagte Laura.

Diesen Nachmittag verbrachte ich an der Schreibmaschine. Gegen vier hörte ich Brigitte Greewald kommen. Ich achtete nicht darauf, hielt auch nicht wie sonst Ausschau nach dem Kind. Mir fiel nicht einmal auf, dass Brigitte Greewald erheblich länger als sonst bei Laura blieb.

Spätabends erzählte Laura mir dann, dass sie über Marianne gesprochen hatten. «Sie möchte mit zur Beerdigung», sagte Laura. «Es hat sie sehr getroffen, von Mutters Tod zu hören. Aber ich weiß nicht, ob Vati einverstanden ist, wenn wir sie mitbringen. Er kennt sie doch gar nicht.»

Doch Bert erinnerte sich noch vage an die frühere Köchin der Steiners und erhob keine Einwände gegen Brigitte Greewalds Anwesenheit.

Marianne wurde am Dienstag, dem 22. August, beerdigt. Die Beisetzung fand am frühen Nachmittag statt.

Kurz nach eins erschien Brigitte Greewald. Laura hatte ihr angeboten, dass sie mit uns fahren könne. Ganz in Schwarz gekleidet, mit verweintem Gesicht saß sie hinter Laura im Wagen. Während der ganzen Fahrt sprach sie kein Wort, schniefte nur manchmal leise und kämpfte gegen die immer wieder aufsteigenden Tränen. Neben sich auf dem Sitz hatte sie ein recht üppiges Blumengebinde, an dem sie häufig herumzupfte.

Dann stand sie vor der Trauerhalle, ein Häufchen Elend, das es nicht einmal wagte, Bert eine Hand entgegenzustrecken. Sie ließ keinen Blick von dem Sarg, aber anscheinend traute sie sich auch nicht, ihr Gebinde dabei abzulegen. Erst als ich es ihr aus der Hand nehmen wollte, ging sie langsam nach vorne, legte die Blumen am Fußende des Sarges auf den Boden, blieb noch sekundenlang stehen und strich einmal zaghaft mit der Hand über das dunkle Holz.

«Ännchen», hörte ich sie flüstern, «wie konntest du das tun?»

Es standen nur wenige Menschen um das offene Grab. Zwei Nachbarn von Bert, die sich gleich verabschiedeten, nachdem sie ihre Beileidsbezeugungen gemurmelt hatten. Ein Laienprediger, Frau Greewald, Bert, Laura und ich. Zwei Männer in Arbeitskleidung hielten sich, auf ihre Spaten gestützt, dezent im Hintergrund.

Danny war nicht bei uns. Die Mutter seines neuen Freundes hatte sich bereit erklärt, ihn an diesem Tag zu betreuen.

Nachdem der Sarg hinabgelassen war, verließen wir den Friedhof wieder. Bert hielt sich neben Laura, ich blieb mit Frau Greewald einige Schritte zurück.

«Sei mir nicht böse», hörte ich Bert sagen, «wenn wir auf den Kaffee verzichten.»

Also fuhren wir gleich zurück. Brigitte Greewald schien darüber sehr erleichtert. Sie blieb dann allerdings noch bei uns. Laura bot ihr Kaffee an, den sie auch dankend nahm.

Wir saßen im Wohnzimmer, und hin und wieder bemerkte ich den misstrauischen und ängstlichen Blick, mit dem Brigitte Greewald mich von der Seite streifte. Die erste halbe Stunde verging ohne ein nennenswertes Wort.

Dann wollte Brigitte Greewald sich verabschieden, bedankte sich noch einmal ausdrücklich für die Fahrt nach

Köln und machte Anstalten, sich aus dem Sessel zu erheben.

«Bleiben Sie doch noch ein bisschen», bat Laura. «Da ist so viel, über das ich gerne mit Ihnen reden würde.»

Sie hielt den Kopf gesenkt und zupfte an einem losen Faden des dunkelblauen Umstandskleides. Ein schwarzes hatte sie nirgendwo auftreiben können. Vielleicht gab es im Hochsommer keine Trauerkleidung für Schwangere.

Laura seufzte. Hob den Blick und heftete ihn auf Brigitte Greewalds Gesicht. «Ich habe meine Mutter nur als kranke Frau gekannt. Eine Frau, die stundenlang in einer Ecke sitzen konnte, ohne auch nur einen Laut von sich zu geben. Eine Frau, die unvermittelt in Tränen ausbrach, ohne dass jemand einen Grund dafür gesehen hätte. Und wenn sie weinte, dann konnte sie nicht mehr aufhören. Aber Sie ...», so etwas wie ein Lächeln huschte um Lauras Lippen. «Sie kannten sie anders. Sie haben mir erzählt, dass sie ein nettes und freundliches Mädchen war.»

Frau Greewald nickte. «Ja», murmelte sie hilflos.

«Und sie war gesund», stellte Laura nachdrücklich fest.

Noch ein Nicken.

Ich wollte eingreifen, wollte verhindern, dass Laura sich quälte.

Da kam bereits die nächste Frage. «Hatte Steiner ein Verhältnis mit ihr?»

Brigitte Greewald riss die Augen auf, stammelte: «Er war doch verheiratet, und er liebte seine Frau über alles.»

«Was ihn aber nicht davon abhielt, mit meiner Mutter zu schlafen», widersprach Laura ruhig. «Ich habe ein altes Foto gefunden. Es zeigt sie da unten in ihrem Bett. Sie hat sich bestimmt nicht selbst fotografiert. Oder haben Sie das gemacht?»

Jetzt schüttelte Brigitte Greewald den Kopf. «Nein! Ich ...» Sie brach ab, begann wieder zu stammeln. «Ich war doch nachts nicht hier. Nach dem Abendessen bin ich meist gegangen. Ich habe immer daheim geschlafen.»

Lieber so als andersrum, ging es mir durch den Kopf. Und ich war mir plötzlich sicher, dass Laura mit ihrer Vermutung richtig lag. Ein gut aussehender Mann und ein junges Mädchen. Die Ehefrau auf Konzerttournee. Und zwei schlafende Kinder im ersten Stock. Auszuschließen war es nicht.

Laura erkundigte sich nach Steiners Ehe. «War sie glücklich?»

«Ja, sehr», sagte Frau Greewald, machte jedoch gleich eine Einschränkung: «Aber sie war halt viel unterwegs. Deshalb haben sie Annchen ja ins Haus genommen. Damit jemand bei den Kindern war und natürlich für den Haushalt. Sie hat sich auch später noch viel um die Kinder gekümmert. Da war Frau Steiner zwar hier, aber sie hat den ganzen Tag gespielt, saß immer nur am Flügel, von morgens bis abends. Gerade, dass sie zu den Mahlzeiten an den Tisch kam. Damals habe ich immer gedacht, die Frau Steiner ist krank. Sie spielte so sonderbare Lieder, die hat sie sich selbst ausgedacht.»

Brigitte Greewald nickte versonnen vor sich hin. «Im Keller hörte man sie sehr gut. Und manchmal war einem zum Weinen, so traurige Lieder. Wenn er aus der Kanzlei kam, wurde es noch schlimmer. Da hat sie oft geweint. Ich sah es ihrem Gesicht an, wenn ich das Essen brachte. Und manchmal habe ich gehört, wie er sie anbettelte, dass sie aufhört zu weinen. Aber sie konnte nicht. Die Musik war ihr Leben.»

«Warum hat sie dann aufgehört?», fragte ich. «Hat er sie gezwungen, auf ihre Karriere zu verzichten?»

Brigitte Greewald zuckte flüchtig mit den Achseln, erklärte jedoch gleichzeitig: «Nein, bestimmt nicht. Er war sehr stolz auf sie. Ich weiß noch, sie haben ein Fest gegeben, das war im März 56. Da kam sie von einer Tournee zurück, sechs Wochen hatte sie gedauert, quer durch Europa war sie gereist. Er saß abends immer vor dem Radio, wenn eines von ihren Konzerten übertragen wurde. Da kam ich ins Zimmer, und er sagte zu mir: ‹Hören Sie sich das an, Brigitte. Ist sie nicht wundervoll? Ach, was sag ich, genial ist sie, meine Elisabeth.› Und schon eine Woche bevor sie zurückkam, begann er hier mit den Vorbereitungen. Annchen musste das Haus putzen, vom Keller bis zum Dachboden, alle Vorhänge wurden gewaschen, alle Teppiche geklopft. Und ich stand den ganzen Tag in der Küche. An die dreißig Leute hatte er eingeladen.» Brigitte Greewald zeigte auf die Trennwand zum Esszimmer. «Da stand er, hatte einen Arm um sie gelegt, strahlte wie ein Weihnachtsbaum. Und vor all den Menschen sagte er: ‹Wenn sie jemals aufhören sollte zu spielen, werde ich auf Knien vor ihr auf dem Boden liegen und sie anflehen, weiterzumachen.› Und alle haben in die Hände geklatscht, als er das sagte.»

Laura hatte die ganze Zeit über schweigend zugehört, hatte nur manchmal kaum merklich vor sich hin genickt. Und bei dem Satz ‹Annchen musste das Haus putzen› hatte sie kurz die Lippen aufeinander gepresst.

«Warum hat Frau Steiner dann doch aufgehört?», fragte ich noch einmal. «Weil sich das dritte Kind ankündigte?

Weil dieses Kind vielleicht nicht von ihrem Mann war? Weil sie es auf keinen Fall haben wollte und versuchte, ihren Zustand so lange wie möglich zu verbergen?»

Brigitte Greewald starrte mich an, als hätte ich sie persönlich eines schweren Verbrechens angeklagt. Nach einer vollen Minute Schweigen murmelte sie: «Davon weiß ich nichts.»

«Das glaube ich Ihnen nicht», sagte ich, warf einen Blick zu Laura hin. Sie saß mit gesenktem Kopf da, lächelte vage.

«Meine Frau hat ein altes Tagebuch gefunden», fuhr ich fort, den Blick jetzt wieder auf Brigitte Greewalds Gesicht geheftet. «Daraus geht eindeutig hervor, dass Steiners Frau 1956 schwanger war. Er selbst schien deswegen sehr verzweifelt zu sein. Später, nach seinem Unfall, erzählte er meinem Schwiegervater etwas von einer Tochter, die sich rührend um ihn gekümmert hätte. Aber hier gab es keine Tochter. Was ist aus dem Kind geworden? Es muss Ende 56 geboren sein.»

Als ich es aussprach, sah ich uns plötzlich auf dem Standesamt sitzen, hörte Laura sagen: «5. Oktober 1956.» Und im gleichen Augenblick schoss mir durch den Kopf, was ich über Sandy und Cheryl geschrieben hatte. Die Frau, die sie immer für ihre Mutter gehalten hatte.

Ich registrierte zwar aus den Augenwinkeln, dass Brigitte Greewald mich immer noch so entsetzt anstarrte, aber es war mit einem Mal absolut nebensächlich. Laura!

«Hier steht 7. November 1960», hatte der Standesbeamte gesagt.

Vier Jahre! Bei einem Kind waren vier Jahre Altersunterschied eine Menge. Eine Menge an Größe und Gewicht. Aber bei einer Erwachsenen?

Brigitte Greewald bemerkte sehr wohl, dass ich nicht mehr bei der Sache war. Sie stemmte sich aus dem Sessel, stand noch einen Augenblick reglos da und erklärte dann in unsicherem Ton: «Ich muss jetzt wirklich gehen.»
Laura erhob sich ebenfalls. Und während Brigitte Greewald zur Haustür hinausging, ging Laura in den Keller.

Am nächsten Tag begann sie mit ihrem Hausputz. Es war entsetzlich, und ich konnte nichts tun, überhaupt nichts. Sie putzte sämtliche Fenster, saugte Teppiche und Gardinen. Wenigstens war sie noch so vernünftig, die nicht auch noch zu waschen.
Tagelang hörte ich sie treppauf, treppab gehen, sah sie Putzeimer und Staubsauger schleppen, ständig hatte sie irgendeinen Lappen in der Hand.
Ich war ganz lahm. Nur der Kopf und die Finger blieben geschmeidig, produzierten eine Szene nach der anderen. Beschrieben das Elend, die Verzweiflung und die Hilflosigkeit einer jungen Frau, die ihr eigenes Ich suchte, in einer Weise, die ich vorher nie zustande gebracht hatte.
Am späten Abend lief Laura oft zu den Greewalds hinüber. Wenn sie zurückkam, verkroch sie sich in ihrem Zimmer. In der Woche nach Mariannes Beerdigung schlief sie nicht eine Nacht in unserem Schlafzimmer.
Es mag herzlos klingen, aber ich nutzte selbst diese Zeit, saß oft um zwei in der Nacht noch am Schreibtisch. Es war keine Flucht in die Arbeit. Es war eher so, dass mich unsere Situation in die Lage versetzte, ein anderes Gefühl für die Figuren des Drehbuches zu entwickeln.
Sandy und der junge Journalist entfernten sich ebenso voneinander, wie Laura und ich uns voneinander entfernten. Sandy litt wie Laura um ihre merkwürdige Kindheit.

Und ihr Partner stand hilflos daneben, war zum Zuschauen verdammt und überbrückte die Ohnmacht, indem er sich auf die Suche nach Erklärungen machte. Darüber kam ich auf den Gedanken, das gesamte Drehbuch aus der Sicht eines Icherzählers zu schreiben. Als ich die ersten Szenen an Wolfgang schickte, kam tags darauf gleich ein begeisterter Anruf. «Das ist es, Tom. Ich wusste, dass du die Sache in den Griff bekommst. Es ist phantastisch.»

Es war eher grauenhaft. Drei bis vier Stunden Schlaf jede Nacht. Und jeden Tag die drängende Gewissheit, dass ich mit Bert reden musste. Er musste schließlich wissen, wer Laura war. Aber ich war so wütend auf ihn, manchmal sogar voller Hass, dass ich das Gespräch vor mir herschob.

Freitags fuhr Laura nach Bedburg, um Einkäufe zu machen. Ich nutzte die Zeit ihrer Abwesenheit, um nach Steiners Tagebuch zu suchen. Inzwischen waren sämtliche ursprünglich abgeschlossenen Fächer des Sekretärs aufgebrochen.

Laura hatte darin ihre Fundstücke nach einem gewissen System geordnet. Das Fotoalbum, einen Packen alter Rechnungen. In einem Fach lag die Haarspange. Wahrscheinlich war es sogar ihre. Beweisstücke, aber das Tagebuch fand ich nicht. Und bevor ich das ganze Zimmer danach absuchen konnte, kam Laura zurück.

Neben den Lebensmitteln für die nächste Woche hatte sie für das Kind eingekauft. Ein helles, luftiges Kleidchen, weiße Söckchen, Unterwäsche und ein Paar schwarze Sandalen aus Lackleder.

Sie breitete die Sachen auf dem Bett aus, ein wenig besorgt, ob auch alles die richtige Größe hatte. Eine geschlagene Viertelstunde lang erklärte Laura, warum sie sich für Sandalen und nicht für feste Schuhe entschieden hatte.

Seit der Nacht, in der es zu Laura gekommen war, hatten wir das Kind nicht mehr gesehen, auch mittwochs nicht. Jeden Abend öffnete Laura die Küchentür, sperrte das Fenster ihres Zimmers weit auf. Sie war besessen von dem Gedanken, etwas für das arme, vernachlässigte Geschöpf zu tun. Schwärmte mir vor, wie es dann hier mit uns leben würde.

«Ich werde mit Vati darüber reden», sagte sie. «Vielleicht können wir es adoptieren. Es kümmert sich doch niemand darum. Wir können es zumindest in Pflege nehmen.»

In der Nacht zum Sonntag wurde Lauras Warten endlich von Erfolg gekrönt. Ich bemerkte nichts davon.

Danny weckte mich kurz vor neun. Er stand neben meinem Bett, irgendwie verlegen. «Stehst du jetzt auf, Papa? Machst du Frühstück?»

Er blieb bei mir, als ich ins Bad ging. Sonst führte ihn sein erster Weg immer hinunter zu Laura.

«Schläft Mama noch?», fragte ich.

Danny nickte kurz. Seinem Gesichtsausdruck nach zu schließen, war er mit Lauras Schlaf absolut nicht einverstanden.

«Warum hast du sie nicht geweckt?», fragte ich. «Geh runter und sag ihr, es ist Zeit zum Aufstehen.»

Danny schüttelte den Kopf, und nach ein paar Sekunden erklärte er missmutig: «Das komische Kind liegt bei Mama im Bett.»

Es war so viel Unbehagen in seiner Stimme, dass ich mich lächelnd erkundigte: «Magst du das Kind nicht?»

«Es guckt so doof», maulte Danny.

Während ich mich rasierte, setzte er mehrfach an, mir noch etwas zu erklären. Schließlich fragte er zögernd: «Mag Mama jetzt das Kind lieber, weil es in ihrem Bett schläft?»

Da lag also das Problem. Er erinnerte sich an Lauras vorwurfsvollen Hinweis und sorgte sich um seine Position. Ich beruhigte ihn und ging mit ihm hinunter.

Die Tür zu Lauras Zimmer war geschlossen. Danny ging gleich in die Küche und setzte sich demonstrativ an den Tisch. Ich öffnete die Tür einen Spalt und warf einen Blick auf das Bett. Es war ein so friedliches Bild. Laura lag mit leicht angezogenen Beinen auf der Seite und schlief. Mit ihrem linken Arm hielt sie den kleinen Körper, den rechten hatte sie über die Brust des Kindes gelegt. Ihr Kinn lag auf den dunklen Haaren.

Das Kind war wach und schaute ängstlich zur Tür, drückte sich enger an Laura, drehte sein Gesicht zur Seite und verbarg es zwischen Lauras Brust und dem Halsansatz. Ich zog die Tür behutsam wieder ins Schloss und ging zu Danny in die Küche.

«Ist es noch da?», wollte er wissen. Ich nickte und machte mich daran, den Tisch zu decken.

«Behalten wir das jetzt?», erkundigte Danny sich mit gelindem Misstrauen. Ich stellte nach kurzem Überlegen ein viertes Gedeck hin und erklärte gleichzeitig: «Wir können es nicht behalten. Es gehört uns ja nicht. Seine Eltern werden nach ihm suchen, wenn es nicht heimkommt.»

Von dieser Auskunft sichtlich erleichtert, rutschte Danny vom Stuhl und half mir, den Kühlschrank auszuräumen. Wurst, Käse, Butter, alles, was er erreichen konnte, trug er zum Tisch, sortierte das Besteck neben den Gedecken. «Soll ich sie jetzt aufwecken, Papa?»

Als ich nickte, lief er in den Gang. Er klopfte sogar an, bevor er eintrat. Ich hörte Lauras verschlafene Stimme. «Es ist ja gut, Püppchen. Du musst keine Angst mehr haben. Das ist Danny. Niemand hier tut dir etwas.»

Danny kam zurück, setzte sich wieder an den Tisch. «Wir sollen schon anfangen, sie waschen sich erst noch.»

Eine Viertelstunde später kam Laura in die Küche. Das Kind trug sie auf dem Arm, sein Haar war noch feucht.

«Na», fragte Laura Beifall heischend, «was sagst du nun?»

Aber etwas sagen konnte ich im ersten Augenblick nicht. Das helle Kleid und die weißen Söckchen verstärkten die Blässe des Kindes noch. Beide Arme hatte es um Lauras Hals gelegt, dünne Ärmchen, dünne Beinchen, hinzu kam der angstvolle Ausdruck, mit dem es erst Danny, dann mich betrachtete.

Laura setzte das Kind auf einen Stuhl, bedankte sich bei mir mit einem Lächeln für das vierte Gedeck. «So, meine Süße», erklärte Laura, «jetzt werden wir erst einmal frühstücken.»

Sie war so ausgeglichen, so gelöst, fast schon heiter. Und das wirkte nicht gestellt oder erzwungen. Ganz offensichtlich lenkte dieses Kind sie von allem anderen ab.

Danny trank zum Frühstück immer Milch. Laura füllte die Tassen der beiden Kinder, bestrich eine Scheibe Weißbrot mit Butter, zeigte über den Tisch. «Was möchtest du essen? Wurst oder Käse oder Marmelade?»

Keine Antwort, das Kind folgte zwar mit dem Blick Lauras Finger, doch anschließend schaute es ihr nur ausdruckslos ins Gesicht.

Laura zuckte mit den Achseln, lächelte zärtlich. «Versuchen wir es zuerst einmal mit gekochtem Schinken.»

Sie belegte die Brotscheibe, schnitt sie in mundgerechte Stücke und schob den Teller vor das Kind. Dann schaute sie mich an. «Stell dir vor, es trug noch Windeln. Aber die waren trocken. Ich habe ihm keine mehr angezogen.»

Das Kind saß reglos da, betrachtete abwechselnd die Brotstücke auf seinem Teller und Lauras Gesicht. Laura nickte ihm aufmunternd zu. «Nun iss auch schön.»

Keine Reaktion. Laura nahm eines der Stücke, schob es sich in den Mund, kaute darauf herum und verdrehte die Augen. «Hm, das schmeckt gut. Und jetzt du.»

Aber auch das gute Beispiel wirkte nicht. Es saß einfach nur da, die Augen huschten hin und her, die kleinen Hände hielt es reglos im Schoß.

Als Laura nach der zweiten Tasse Kaffee zur Toilette ging, rutschte das Kind vom Stuhl. Ich dachte schon, es wollte ihr folgen, aber es ging zur Küchentür, drehte sich dort noch einmal nach mir um, dann lief es hinaus.

Anschließend machte Laura mir Vorwürfe. «Warum hast du es denn nicht festgehalten?»

«Man kann es nicht zwingen, hier zu bleiben», sagte ich. «Es hat überhaupt nichts gegessen.»

Laura ging ebenfalls hinaus, suchte eine Weile, rief und lockte, kam unverrichteter Dinge und ein wenig deprimiert zurück. Sie blieb in der Küche. Ich ging hinauf, Danny folgte mir.

Während er sich anzog und dann in den Garten lief, setzte ich mich an den Schreibtisch.

Lauras Ausgeglichenheit verflog im Laufe des Vormittags völlig. Als sie das Essen auf den Tisch brachte, wirkte sie wieder so versteinert wie in den letzten Tagen.

Kurz nach Mittag klingelte das Telefon. Laura nahm den

Anruf entgegen. Ich hörte nur ihre Stimme. «Nein, wir haben nichts vor. Von mir aus kannst du kommen.» Es klang teilnahmslos und beiläufig. Gleich nach dem Gespräch hörte ich, wie der Wagen gestartet wurde. Von Danny erfuhr ich anschließend, wohin und warum Laura unterwegs war. «Opa kommt uns gleich besuchen. Mama holt Kuchen.»

Als Bert kam, war Laura noch nicht zurück. Aber ich schaffte es nicht, ihn gleich mit meinem ungeheuerlichen Verdacht zu überfallen.

Bert schien dankbar, Danny und mich alleine anzutreffen. Er nutzte die Zeit, um sich nach Lauras Befinden zu erkundigen. «Ich habe in den letzten Tagen viel nachgedacht», sagte er, nachdem ich Lauras Zustand knapp umrissen hatte. «Es ist wohl zu spät für eine Entschuldigung, und damit ist ihr auch kaum geholfen. Aber ich sagte ja schon, wenn ich ihr helfen kann, bin ich dazu gerne bereit. Für Marianne kann ich nichts mehr tun. Aber vielleicht kann ich Laura klarmachen, dass Marianne sich durchaus bemüht hat, ihr eine gute Mutter zu sein.»

Er hatte Fotoalben mitgebracht. Ließ sie mich kurz durchblättern, vergewisserte sich, dass ich keine Einwände erhob. Alte Fotografien, die ihn und Marianne als junges Paar zeigten.

Einige der Aufnahmen waren offensichtlich hier im Garten gemacht worden. Das Haus im Hintergrund war deutlich zu erkennen. Auf einem der Bilder saß Bert neben Marianne auf einer bunten Decke im Gras. Ihm gegenüber Steiners Söhne. Zwischen sich hatten sie ein Spielbrett.

«Das war im Sommer 58», erklärte Bert, «während der Ferien. Wenn die Kinder hier waren, verzichtete Marianne immer auf ihren freien Tag. Ich bin dann am Wochenende hergekommen, um mit ihr zusammen sein zu können.»

Dann erzählte er mir, dass Steiners Söhne bereits Anfang 58 in ein Internat gebracht worden waren. Dass besonders der Jüngere sehr darunter gelitten hätte. Dass Steiner die Kinder vorübergehend wieder heimholen musste.

Das alles interessierte mich herzlich wenig. Ich wollte auch nicht hören, wie zärtlich und besorgt Marianne mit den beiden Buben umgegangen war. Mir lag nur Laura am Herzen.

Dann ein Hochzeitsfoto, nur eine standesamtliche Trauung. Marianne im eleganten, dunklen Kostüm, das Haar festlich frisiert, das Gesicht so steif wie eine Gipsmaske.

Und dann stieß ich auf das erste Bild von Laura. Ein Baby im Alter von drei oder vier Wochen. Im ersten Augenblick fühlte ich mich enttäuscht, gleich darauf kam die Erleichterung. Es gab mehrere Fotos mit dem Säugling. Einmal auf dem Arm einer strahlenden Marianne, einmal auf Berts Arm.

«Sie sieht nicht aus, als hätte sie zu der Zeit unter einer Psychose gelitten», stellte ich fest.

Bert zuckte mit den Achseln. «Aber es war so», erklärte er. «Es kam in Schüben, tagelang war sie völlig normal, dann kam plötzlich eine Phase. Als Laura sechs Wochen alt war, habe ich eine Säuglingsschwester eingestellt, weil Marianne …»

«Das Kind irgendwo einsperrte», unterbrach ich ihn.

Zuerst starrte Bert mich noch an, dann nickte er schwerfällig.

«Und du hast dich nie gefragt, warum sie das tat?»

Jetzt hob er die Schultern, erklärte nach einer Weile: «Natürlich habe ich das, aber es gab keine Antwort.»

«Es gibt immer eine Antwort», widersprach ich. «Man muss nur an den richtigen Stellen danach suchen. Laura hat eine Antwort gefunden.»

Bert starrte mich immer noch an.

«Steiners Tagebuch», sagte ich. Und zählte ihm der Reihe nach Lauras Vermutungen auf. Ungewollte Schwangerschaft, Schweigen, ein ungewolltes Kind, um das Marianne sich kümmern musste, weil seine Mutter es ablehnte. Ich erwähnte sogar kurz den Verdacht, der mich gequält hatte.

Bert lachte einmal kurz auf. «Du hast wirklich viel Phantasie, Tom. Aber du hast die Fotos gesehen, genügt dir das als Beweis?» Er wurde gleich wieder ernst. «Hier war kein Kind, Tom. Das weiß ich ganz sicher. Wenn Elisabeth Steiner wirklich ein drittes Kind bekommen hat, dann ist es vielleicht gestorben, bevor ich zum ersten Mal herkam. Aber das lässt sich feststellen. Es muss ja irgendwo registriert sein. Was sagt denn Frau Greewald dazu? Sie müsste doch davon wissen.»

Als Laura wenig später zurückkam, legten wir das Thema zur Seite. Wir setzten uns auf die Terrasse. Wie ich zuvor, blätterte nun Laura in den Alben. Bert beobachtete mit sichtlich angespannter Miene ihren Gesichtsausdruck. Und der war nichts sagend, desinteressiert.

Nachdem sie eine Weile die unzähligen Fotos betrachtet hatte, erkundigte sich Laura mit gelangweiltem Unterton: «Was soll das, Vati? Warum schleppst du mir diesen Kram hier an? Ich kenne die Bilder. Ich kenne jedes einzelne davon.»

«Ich dachte», begann Bert und warf mir einen hilflosen

273

Blick zu, «es würde dir helfen. Du kannst dir ein paar von den Fotos aussuchen, wenn du möchtest.»

«Vielen Dank», gab Laura sarkastisch zurück, «aber ich möchte nicht. Das ist eine Zeit, die ich liebend gern aus meinem Gedächtnis streichen würde.»

Bert seufzte vernehmlich, seine Stimme klang leicht gereizt. «Einige davon zeigen immerhin, dass sie zumindest versucht hat, dir eine gute Mutter zu sein. Sie war eine liebevolle und sehr besorgte Mutter. Vielleicht ein wenig zu besorgt.»

Laura lachte auf, es klang gehässig, fast schon bösartig. Sie lehnte sich im Sessel zurück und betrachtete ihn spöttisch. «Tut mir Leid, Vati. Ich weiß, dass du immer nur ihre Seite gesehen hast. Doch mit ihren Versuchen ist sie kläglich gescheitert.» Wieder klang so ein kleines, böses Lachen auf. «Aber es war nicht ihre Schuld, das weiß ich inzwischen. Dein hochverehrter Doktor Steiner ist die Wurzel des Übels. Mutti hat nur so allergisch auf dieses Haus reagiert, weil er ihr darin das Leben zur Hölle gemacht hat. Ich hatte in den letzten Tagen ein paar sehr aufschlussreiche Gespräche mit unserer Nachbarin. Mutti war in diesem Haus nicht mehr und nicht weniger als ein Fußabtreter. Putzen, wischen, waschen, die lieben Kinderlein hüten und dem Hausherrn zu Diensten sein, wenn die werte Frau Gemahlin ihrer Passion nachging.»

«Was redest du dir denn da ein?», fuhr Bert auf.

Laura winkte lässig ab. «Reg dich nicht auf, Vati. Er hatte was mit ihr, das steht fest. Er hat mehr als eine Nacht in der Dienstbotenkammer verbracht. Wenn die werte Gemahlin allzu lange aus dem Haus war, hat er bei Mutti ein bisschen Trost gesucht. Und er hat bestimmt nicht nur ihr Händchen gehalten. Das lief natürlich alles ganz diskret. Es wurde nicht darüber gesprochen, und wenn die Dame des Hauses von ihrer Reise zurückkam, ging alles weiter wie gehabt. Frau Greewald sagte: ‹Annchen hat sehr darunter gelitten. Sie wollte doch nichts Böses tun. Sie verehrte die Frau Steiner. Aber gegen ihn konnte sie sich nicht wehren. Sie war halt zu jung. Sie hat ihm geglaubt, wenn er ihr erzählt hat, dass er sie doch auch sehr gerne mag, und dass es nicht ans Tageslicht kommt.› Du kannst mir einen Gefallen tun, Vati. Erzähl mir von den letzten Jahren des Herrn Steiner.»

«Da gibt es nichts zu erzählen», sagte Bert ruhig.

Aber Laura war ganz krank vor Hass. «Nun komm schon, Vati», drängte sie ihn erneut. «Du hast ihn besucht. Du wirst dich doch daran erinnern, wie es ihm ging. Und mehr will ich gar nicht wissen.»

«Schlecht», erwiderte Bert einfach. Er bemerkte das Funkeln in Lauras Augen ebenso wie ich. Und nach einer Weile fügte er hinzu: «Steiner war immer ein sehr aktiver Mann gewesen. Er war sportlich. Und er war sehr stolz. Wie, glaubst du, ist solch einem Mann zumute, wenn er dann plötzlich an ein Bett gefesselt ist? Wenn er darauf angewiesen ist, dass andere ihn waschen, ihn auf die Toilette setzen.»

«Hundeelend, hoffe ich», sagte Laura. «Hatte er Schmerzen?»

Bert stieß die Luft aus. «Jetzt reicht es.»

«O nein!» Lauras Stimme klirrte wie Eiswürfel in einem Glas, gleichzeitig schüttelte sie so heftig den Kopf, dass Bert die Augen zusammenkniff. «Es reicht noch lange nicht. Er schuldet mir eine gute Mutter und zwanzig Jahre. Er schuldet dir eine gesunde Frau und noch etliche

Jahre mehr. Er hat sie auf dem Gewissen, auch wenn du das nicht sehen willst.»

«Das redest du dir ein», sagte Bert. Aber sehr überzeugend klang seine Stimme nicht mehr.

Laura schüttelte noch einmal den Kopf und erhob sich aus dem Sessel. Sie ging auf die Tür zu, blieb dort noch einmal stehen und drehte sich zu uns um. Mich beachtete sie gar nicht, hatte nur Augen für ihn. «Glaubst du mir, wenn ich es dir beweise?»

«Ich wüsste nicht, was du beweisen könntest», sagte Bert ruhig.

Mit einem flüchtigen und irgendwie zufriedenen Lächeln drehte Laura sich endgültig um und ging durch die Halle zur Kellertreppe.

Bert seufzte und fuhr sich mit der Hand über die Wange. «Sie ist so bitter geworden», meinte er. «Sie steigert sich da in etwas hinein. Selbst wenn Steiner ein Verhältnis mit Marianne gehabt hätte ...»

Bert schüttelte den Kopf und ließ den Rest unausgesprochen.

Schon nach wenigen Minuten stand Laura wieder draußen, in der einen Hand ein paar Fotografien, in der anderen das alte Tagebuch. Sie legte alles wortlos vor Bert auf den Tisch.

«Was ist das?», fragte er.

«Meine Beweise, Vati. Jetzt zeige ich dir mal ein paar Fotos. Schau sie gut an. Du gehst doch täglich mit Beweisen um, da weißt du auch, wie man sie auslegen muss.»

Mit raschen Bewegungen fächerte sie die Fotos auseinander. «Hier», sagte sie und hielt ihm das Bild entgegen, das aus dem Umschlag des Albums gefallen war.

Bert betrachtete es sekundenlang mit gelindem Misstrauen. Lauras Miene verzog sich zu einem spöttischen Grinsen.

«Und das ist noch nicht alles», erklärte sie. Bert bewegte unbehaglich die Schultern. Laura griff nach dem kleinen Buch, schlug es auf und hielt es so, dass er hineinsehen konnte. Ihr Zeigefinger tippte auf eine bestimmte Stelle. Wieder sagte sie: «Hier!» Fügte dann mit belegter Stimme hinzu: «Sie war nicht einmal siebzehn, als sie schwanger wurde. Und sie war ihm nicht einmal so viel wert, dass er ihren Namen in dieses Buch schrieb.»

Lauras Stimme kippte verdächtig, als sie in verächtlichem Ton weitersprach. «Neben seiner göttlichen Elisabeth war Mutti nur eine x-beliebige Sie.»

Bert warf mir einen Blick zu, so voller Hilflosigkeit und gleichzeitig mit dem Ansatz des Begreifens. Mir erging es ähnlich.

Laura setzte sich endlich. Das Buch hatte sie nicht hergegeben. Sie schlug ein paar Seiten um und begann vorzulesen.

«‹Sie haben es nicht weggeschafft. Die Frauen stecken unter einer Decke.› Damit hat er Brigitte Greewald und Mutti gemeint. ‹Heute Morgen habe ich es wieder gehört.› Damit meint er das Baby. Sie haben es gemeinsam betreut und versucht, es vor ihm und seiner Frau zu verstecken. Mutti hat sich so geschämt. Sie hat es ganz alleine bekommen, ohne jede Hilfe. Kannst du dir das vorstellen?»

Bert reagierte nicht. Er betrachtete das Buch in Lauras Hand, ließ den Blick dann zu den Fotografien auf dem Tisch wandern und schaute einmal kurz zu mir herüber.

«Er hat genau gewusst, dass es da war», murmelte Laura. «Aber er hat Mutti deutlich fühlen lassen, dass er damit nichts zu tun haben wollte. Seine Frau hat es natürlich auch bemerkt. Ziemlich früh schon. Ihr war aufgefallen, dass Muttis Blusen feucht wurden. Sie hat wohl Milch verloren.»

Lauras Stimme war kaum noch zu verstehen. «Frau Greewald sagte: ‹Es war ein armes Geschöpf. Immer allein. Annchen hatte doch keine Zeit, hatte auch Angst, dass die Steiners etwas bemerken und sie mitsamt dem armen Wurm vor die Tür setzen. Es hat mir immer in der Seele wehgetan, wenn ich es weinen hörte.› Es ist dann gestorben», flüsterte Laura, «und Mutti ist darüber verrückt geworden.»

Bert schwieg immer noch. Ich sah, wie seine Brust sich unter den gepressten Atemzügen hob und senkte. Wie seine Hände auf den Armlehnen des Sessels sich verkrampften.

«Frau Greewald meint», flüsterte Laura erstickt, «dass Mutti nur deswegen gestorben ist. Weil sie es nicht verkraften konnte, noch einmal in dieses Haus zu kommen. Sie hat das all die Jahre mit sich herumgetragen, dass sie ihr eigenes Kind einsperren musste, dass sie ihm so nahe war und es doch nicht bei sich haben konnte. Dass es unter diesen Umständen ganz verkümmert ist. Frau Greewald sagte: ‹Es war ein süßes Kind. Aber zuletzt war es nur noch wie ein kleines Tier.› Kannst du dir vorstellen, wie Mutti darunter gelitten haben muss? Das war ihr Kind, und sie hat es bestimmt geliebt.»

Da stand Bert mit einem ächzenden Ton aus dem Sessel auf, er ging zu den Stufen, stieg hinunter und ging noch ein paar Schritte. Dabei schüttelte er unentwegt den Kopf.

«Hast du wirklich nichts davon gewusst?», rief Laura ihm hinterher.

Und er schüttelte weiter nur den Kopf. Bert stand minutenlang reglos auf einem Fleck. Laura ließ ihn nicht aus den Augen. Und endlich drehte er sich um. Er wischte mit einer Hand über die Wangen und kam langsam zur Terrasse zurück. Vor Laura blieb er stehen, schüttelte noch einmal den Kopf. «Es tut mir Leid, Liebling. Es tut mir so Leid», murmelte er. «Ich habe wirklich nichts davon gewusst. Wenn ich auch nur etwas geahnt hätte ...»

Laura nickte einmal kurz und zog die Unterlippe ein. «Schon gut, Vati. Es ist ja nicht mehr zu ändern.»

«Wenn ich auch nur etwas geahnt hätte ...» Das kaufte ich ihm nicht ab. Zu deutlich war mir die Unterhaltung mit Lauras Gynäkologen im Gedächtnis. Ein wenig Recherche für *Das Haus auf dem Hügel*. Woran erkennt man, ob eine Frau geboren hat?

Es gibt ein paar untrügliche Zeichen, war mir erklärt worden, die einem Laien allerdings nicht unbedingt auffallen müssen. Dehnungsstreifen im Bereich des Unterbauches, aber die entstehen auch durch Übergewicht. Die Brustwarzen werden bei einer Schwangerschaft dunkler. Ein bräunlicher Streifen wird sichtbar, der sich von der Schamgegend bis zum Nabel hinzieht, später jedoch wieder verblasst. Am deutlichsten sind die Anzeichen am Geschlechtsteil.

Bei einem Dammschnitt bleibt immerhin eine Narbe zurück. Und ohne ärztliche Hilfe war wohl eher ein Dammriss anzunehmen, der anschließend nicht versorgt worden war, folglich eine auffällige Narbe zurückgelassen haben musste.

Und ebenso gut war mir die Unterhaltung mit meiner Mutter in Erinnerung. Sie hatte in jungen Jahren mehr als eine alte Frau gepflegt, deren Dammwunde nach einer

Geburt unversorgt geblieben war. Einfach, weil es damals nicht üblich war, darum viel Aufhebens zu machen. «Sie konnten einem wirklich Leid tun, ganz zerfranst waren sie da unten rum. Es sah scheußlich aus. Ich habe immer gedacht, dass ein Mann doch unmöglich noch Gefallen daran finden konnte. Aber die Männer waren früher nicht so empfindlich wie heute.»

Ich wollte Bert darauf ansprechen, aber das war wohl kaum der richtige Augenblick. Er war so betroffen, schlich förmlich zu seinem Sessel zurück, ließ sich darin nieder wie ein alter Mann. Laura zupfte einen imaginären Fussel von ihrem Kleid.

«Du hast uns einmal erzählt, dass Steiner von einer Tochter sprach, die sich um ihn gekümmert hätte», murmelte Laura nach einer Weile.

«Er hat phantasiert», erklärte Bert bestimmt. Es schien ganz so, dass er sich wieder gefasst hatte. «So wie sich das jetzt darstellt, war es vielleicht Wunschdenken.»

Mit sichtlichem Widerwillen gab er preis, was Steiner ihm vor Jahren anvertraut hatte. Und immer wieder kamen die Hinweise: «Er war verwirrt.» Oder: «Er war nicht mehr bei klarem Verstand. Er wollte, dass ich irgendeinen Professor aus Freiburg informiere. Angeblich der einzige Fachmann für ein Spezialgebiet der Grenzwissenschaften in der Bundesrepublik. Bender oder Binder oder so ähnlich. Natürlich habe ich niemanden informiert. Dann verlangte er von mir, ein neues Testament für ihn aufzusetzen. Seine Söhne sollten das Haus nur erben, wenn sie bereit waren, hier zu leben und für das Kind zu sorgen. Er behauptete, das Kind habe ihm das Leben gerettet. Es habe ihn mit Milch und Keksen versorgt, als er hilflos auf der Treppe lag.» Bert lachte einmal leise auf. «Und das ist unmöglich, nicht wahr? Du hast eben selbst gesagt, dass das Kind gestorben ist.»

Laura nickte mechanisch. Ihre Stimme klang dumpf, als sie begann, das Ungeheuerliche zu schildern, so wie sie es von Frau Greewald erfahren hatte. «Aber es war noch hier. Und es war bei ihm, als Frau Greewald ihn fand. Steiner hatte es sich geholt.» Laura lachte einmal kurz und hysterisch auf. «Er hatte es so auf die Treppe gesetzt, dass er den Kopf in seinen Schoß legen konnte.»

«Großer Gott», murmelte Bert. Und nach einer Weile meinte er: «Aber das kann doch auch nicht sein. Überleg doch, Laura. Wir haben im November 59 geheiratet. Da war das Kind doch vermutlich schon tot. Steiner ist im August 86 verunglückt. Das sind fast siebenundzwanzig Jahre. Nach so langer Zeit war nichts mehr da, was er sich hätte holen können.»

Bert schwieg für eine Sekunde, warf mir einen auffordernden Blick zu. Offensichtlich war ihm daran gelegen, dass ich mich am Gespräch beteiligte. Aber mir war absolut nicht danach.

Grenzwissenschaft, Fachmann auf einem Spezialgebiet. Ich hatte schon von Professor Bender gehört, auch eine Menge darüber gelesen. Lehrstuhl für Parapsychologie an der Universität Freiburg. Bender und sein Team traten immer dann in Aktion, wenn es irgendwo nicht mit rechten Dingen zuging, leger ausgedrückt.

«Gehen wir mal davon aus», begann Bert nach seinem auffordernden Blick, «dass sie das Kind hier irgendwo begraben hatten, vielleicht im Garten. Ohne Sarg, vermute ich. Hast du eine Vorstellung, wie schnell eine Leiche in Verwesung übergeht? Nach ein paar Monaten ist nur noch das Skelett da.»

Und Bert hielt uns einen Vortrag über Mikroben, Zersetzungsprozesse, Zerfallsdauer von Röhrenknochen. Es klang alles sehr amtlich und sogar ein wenig wissenschaftlich. Dann schüttelte er den Kopf, warf Laura ein aufmunterndes Lächeln zu. «Ich sag dir was, Liebling. Frau Greewald hat dir einen riesengroßen Bären aufgebunden. Der Himmel allein weiß, was sie gesehen hat. Am Ende war da gar nichts. Man muss auch berücksichtigen, dass die Frau sich dem Kind gegenüber vermutlich ebenso schuldig gefühlt hat wie Steiner.»

Laura zuckte mit den Schultern und schwieg.

Bert wartete minutenlang, legte sich eine andere, glaubwürdigere Theorie zurecht. Mir schien, er war nachdenklich geworden. Dann seufzte er vernehmlich und räumte ein: «Es besteht natürlich auch die Möglichkeit, dass ein Kind aus der Nachbarschaft bei ihm war.» Eine winzige Pause, dann erklärte Bert: «Nach allem, was er mir erzählt hat, halte ich das für sehr wahrscheinlich. Das Kind sei so zärtlich und fürsorglich gewesen, sagte er. Aber es war nicht ununterbrochen bei ihm. Es sei immer wieder hinausgelaufen, sei oft stundenlang weggeblieben, sagte er. Jeden Abend ging es, und morgens kam es zurück.» Anscheinend hatte Bert sich mit seinen letzten Ausführungen selbst überzeugt. Er lächelte wieder, nickte versonnen. «Und dann versorgte es ihn mit Milch und Keksen. Vielleicht brachte es morgens sein eigenes Frühstück mit.»

Nach einer Weile fiel ihm noch etwas ein. «Die Ärzte wunderten sich, das weiß ich noch. Steiner war körperlich, bis auf die Auswirkungen des Sturzes, in einer recht guten Verfassung. Er hatte sich allerdings eine leichte Diarrhö zugezogen. Angeblich hat das Kind ihn auch

Wasser trinken lassen, das es irgendwo draußen geholt hat. Die Ärzte glaubten nicht, dass er fast eine Woche auf der Treppe gelegen hatte.»

Bert blieb bis weit nach Mitternacht. Es gab plötzlich für so vieles eine Erklärung. Er wechselte sich mit Laura darin ab, all die kleinen widerlichen Episoden zwischen Mutter und Kind aufzuzählen. Bald konnte ich es nicht mehr hören, dieses ständige: «Weißt du noch, wie sie ...»

Als wir ihn endlich zum Wagen brachten, fühlte ich mich nur noch erleichtert.

Auch Laura wirkte ein wenig gelöster. In der Halle stockte sie kurz, warf einen raschen Blick zur Kellertreppe hin. Dann lächelte sie. «Ich komme mit hinauf. Ich muss ja nicht jede Nacht da unten sein.»

Am Montag legte Laura einen Waschtag ein. Bettwäsche, Handtücher, dann eine Maschinenfüllung mit Dannys Sachen. Laura wollte die Kleidung des Kindes dazustecken. Aber die war nicht mehr da.

Laura kam zu mir nach oben, fragte, ob ich die Sachen in den Müll geworfen hätte. «Ich hatte sie unten im Waschraum neben die Wanne gelegt, das weiß ich ganz genau. Ob es alles mitgenommen hat?»

Das war immerhin eine Möglichkeit.

«Ich wollte ohnehin heute Nachmittag nach Bedburg fahren», sagte Laura. «Da bringe ich ihr noch ein paar Sachen mit.»

Dagegen hatte ich nichts einzuwenden, aber gegen die Fahrt schon. Laura hatte morgens mehrfach über Rückenschmerzen geklagt. «Ich fahre», sagte ich.

Laura kniff zwar erstaunt die Augen zusammen, doch dann nickte sie.

Um drei zog ich das letzte Blatt für diesen Tag aus der Maschine, gleich darauf fuhren wir los. Danny hatte nicht mitkommen wollen. Er hatte für den Nachmittag bereits eine Verabredung getroffen, die er unbedingt einhalten musste.

Laura lotste mich auf einen Parkplatz, gleich bei einem großen Supermarkt. Von dort aus gingen wir zuerst die Lindenstraße hinunter zu einer kleinen Boutique. In diesem Geschäft hatte Laura bereits das helle Kleidchen gekauft. Und offensichtlich hatte sie sich dabei längere Zeit mit der Verkäuferin unterhalten. Man erkannte sie auf Anhieb wieder, grüßte überschwänglich und legte, nachdem Laura ihre Wünsche vorgebracht hatte, ein paar wirklich niedliche Stücke vor.

Ich weiß nicht, warum, aber Kinderkleidung wirkt auf mich irgendwie rührend. Bei jedem Teil konnte ich mir lebhaft vorstellen, wie es an unserer kleinen Freundin aussehen würde. Und ich hatte plötzlich ebenso wie Laura das dringende Bedürfnis, diesem Kind etwas Gutes zu tun.

Wir verließen die Boutique schließlich mit zwei voll gepackten Tüten, hatten eingekauft, als gehöre das Kind bereits zu unserem Haushalt. Drei Garnituren Unterwäsche, drei Paar weiße Söckchen, drei Paar Kniestrümpfe, mehrere T-Shirts, zwei Trägerröckchen, zwei Shorts und für kühlere Tage einen Pullover und eine winzige Jeanshose.

Laura wollte sich auch noch nach Schuhen umsehen, aber wirklich nur umsehen. «Um Schuhe zu kaufen, muss ich sie mitnehmen», erklärte sie.

Wir brachten die Tüten zum Wagen, machten anschließend noch Einkäufe im Supermarkt. Es war nach sechs, als wir uns auf den Heimweg machten.

ch fuhr den Wagen gleich in die Garage. Das Tor hatte
ch bei unserer Abfahrt offen gelassen, die Verbindungs-
ür zum Keller allerdings abgeschlossen. Laura nahm die
Tüten und ich den Karton mit den Lebensmitteln. Während ich noch das Garagentor schloss, ging Laura schon
vor.

Dann hörte ich diesen Überraschungsschrei: «Ja, Mäus-
chen, wie bist du denn hereingekommen?» Gleich darauf
fassungslos: «Du lieber Himmel, wo hast du dich denn
herumgetrieben? Hoffentlich bekomme ich das wieder
sauber.»

Die Frage nach dem Hereinkommen klärte sich rasch.
Das Fenster in Lauras Zimmer war wie üblich geöffnet.
Das Kind saß auf dem Bett, die Puppe im Arm, den Dau-
men im Mund und das helle Kleidchen völlig verdreckt.
Und gerade dieser Schmutz machte die Kleine in meinen
Augen so liebenswert. Er war so natürlich und normal.

Als ich auf dem Weg in die Küche an der Tür vorbeiging,
hockte Laura auf dem Boden, zupfte mit resigniertem
Gesichtsausdruck am Saum des Kleides. Dann lächelte
sie, und ich hörte sie sagen: «Ein Glück, dass wir Ersatz
herbeigeschafft haben.»

Ein Verdacht?
Nein, ich kann nicht behaupten, dass mir zu irgendeiner
Zeit ein Verdacht gekommen ist. Es mag Leute geben, die
aus einer Anhäufung von Merkwürdigkeiten und den Informationen, die wir bis dahin zusammengetragen hatten, den richtigen Schluss gezogen hätten. Ich gehöre
nicht dazu. Dafür wusste ich zu gut, dass solche Geschichten ausschließlich der Phantasie entspringen, normalerweise jedenfalls. Und mehr wollte ich nicht darüber

wissen. Darüber hinaus sah ich keine Merkwürdigkeiten. Ich sah nur ein Kind. Und ich hörte, wie über ein Kind gesprochen wurde. Eine Verbindung sah ich nicht.

Ein Kind, vor dreißig Jahren in einem finsteren Winkel eingesperrt, verhungert, verdurstet, allein gelassen, solch ein Kind kann nicht überleben. Wie denn auch?

Aber es lebte. Es lief nicht unbedingt munter und quietschfidel durch unseren Garten und unser Haus, aber es lief. Es saß mit uns am Tisch, es schlief in Lauras Bett, es hüpfte vor der Terrasse herum, spielte mit Danny am Teich. In den letzten Tagen, die es bei uns war, kam es sogar zu mir, stand am Fenster in meinem Arbeitszimmer und wartete dort, bis Laura zurückkam. Ich habe es auf meinem Arm gehalten. Laura hat es ausgezogen, gebadet, wieder angezogen. Laura hat es gefüttert, Laura hat es geliebt. Laura brachte ihm bei, ein paar Worte zu sprechen. Laura gab ihm sogar einen Namen. Anna!

Ich bin mir nicht sicher, wann Laura begriffen hat, wer das kleine Mädchen war. Früher als ich, das steht fest. Und als sie es begriff, kämpfte sie mit allen Mitteln darum, das Kind zu behalten. Mehr als das: ihm ein lebenswertes Dasein zu verschaffen, es zu entschädigen für alles, was man ihm vor langer Zeit versagt hatte.

Während ich die Lebensmittel in die Küche trug, räumte Laura die beiden Tüten aus, verteilte unsere Einkäufe auf dem Bett.

«Schau, Püppchen, das ist alles für dich. Ich mache eine kleine Prinzessin aus dir.»

Sie zog dem Kind Sandalen und Söckchen aus, streifte ihm das Kleid über den Kopf. Jetzt saß es da in einer frischen, weißen Garnitur Unterwäsche auf dem Bett. «Und jetzt baden wir.» Laura nahm das Kind auf den Arm, küsste es auf die Wange und verschwand mit ihm im Waschraum. Zum Abendessen saß es wieder mit am Tisch. Laura hatte im Esszimmer gedeckt. Das kleine Köpfchen flog hin und her, die Augen huschten wie flinke, aber auch ängstliche kleine Tiere durch den Raum, streiften unsere Gesichter, die belegten Brote auf den Tellern. Glitten zu den Tassen hin. Die Tassen der Kinder waren mit Milch gefüllt. Aber es aß und trank nicht.

«Vielleicht kann es nicht alleine essen», spekulierte Laura, nahm es auf den Schoß, wollte es füttern. Da drehte es den Kopf zur Seite.

Laura lächelte nur zärtlich. «Du magst wohl keine Brote. Danny schwärmt auch nicht eben dafür. Versuchen wir es mit einem Schlückchen Milch.»

Ein misstrauischer Blick in die Tasse, die Laura anhob und an seine Lippen setzte. Ein fragender Blick in Lauras Gesicht.

«Vielleicht hat es schon gegessen», sagte ich.

«Hol mal das Kakaopulver», verlangte Laura. Dann rührte sie zwei Löffel davon in die Milch. Tunkte den Löffel ein und hielt ihn an die Lippen des Kindes. «Nur einmal kosten», sagte Laura, «mir zuliebe. Es wird dir schmecken, da bin ich ganz sicher.»

Und mit dem Löffel funktionierte es. Ob mit Genuss oder wirklich nur Laura zuliebe, war nicht ersichtlich. Als die Tasse gut zur Hälfte geleert war, gab Laura sich zufrieden.

Wenig später brachte ich Danny hinauf in sein Bett, und Laura stieg mit ihrem «Püppchen» in den Keller, legte es in ihrem Zimmer schlafen. Sie war zufrieden, als sie schließlich ins Wohnzimmer kam. «Ich werde es Anna nennen», sagte sie. «Wir können es ja nicht immer nur Püppchen oder Süße rufen.»

So blieb es die letzten Tage im August, den ganzen September hindurch. In den ersten beiden Wochen schlie⟨f⟩ Laura noch mehrfach bei Anna in ihrem Zimmer. Sie wa⟨r⟩ immer in Sorge, die Kleine könne wieder verschwinden⟨.⟩ Aber Lauras Sorge erwies sich bald als unbegründet⟨.⟩ Anna blieb, und sie blieb anscheinend gerne.

Wenn Laura morgens hinunter in die Küche ging, stan⟨d⟩ sie oft schon am Fuß der Treppe und schaute ihr entgegen⟨.⟩ Oder sie saß aufrecht im Bett, die Stoffpuppe an sich ge⟨-⟩ drückt, die Augen auf die offene Tür gerichtet. Anna⟨s⟩ Scheu vor Danny verlor sich, mir gegenüber blieb sie je⟨-⟩ doch zurückhaltend. Aber da ich mich nicht aufdrängte⟨,⟩ begriff sie wohl, dass ich ihr nichts Böses wollte.

Anna war ein geduldiges Kind, zufrieden mit allem, wa⟨s⟩ für sie getan oder unterlassen wurde. Ich könnte nich⟨t⟩ sagen, dass ich einmal einen Ausdruck von besondere⟨r⟩ Zufriedenheit oder großem Wohlbehagen auf dem klei⟨-⟩ nen, blassen Gesicht feststellte. Ich selbst empfand woh⟨l⟩ so. Es war alles in bester Ordnung. Wir lebten als Famili⟨e⟩ mit zwei kleinen Kindern.

Manchmal hatte ich das dringende Bedürfnis, den Pfarre⟨r⟩ von Kirchherten anzurufen. Einfach nur so, ganz beiläu⟨-⟩ fig. Ich wollte nichts weiter, als ihm erklären, dass da⟨s⟩ kleine Mädchen jetzt bei uns lebte. Aber ich tat es nicht⟨.⟩ Und ich hatte eine vortreffliche Entschuldigung: mein⟨e⟩ Arbeit. Sechs bis acht Stunden täglich an der Schreibma⟨-⟩ schine. Das Drehbuch nahm Formen an. Jedes Mal wenn⟨⟩ ich Kopien an Wolfgang schickte, kam anschließend ein⟨⟩ dickes Lob.

Dann kam der 5. Oktober. Schon morgens beim Aufste⟨-⟩ hen erschien Laura mir schwerfälliger als sonst. Und de⟨n⟩

288

ganzen Tag über schlich sie wie mit einem Zentnergewicht beladen durch das Haus. Immer wieder fuhr die Hand in den Rücken. Laura wurde zusehends nervös. Abends wollte sie sich einen Film ansehen, aber sie konnte nicht stillsitzen, stand immer wieder aus dem Sessel auf und ging ein paar Schritte im Zimmer umher. Noch vor zehn erklärte sie: «Die ganze Zeit habe ich das Gefühl, ich sitze auf irgendetwas drauf. Die Rückenschmerzen sind auch schlimmer geworden. Ich geh hinauf und leg mich hin. Wenn es morgen nicht besser ist, fahren wir zum Arzt.»

Als ich eine halbe Stunde später ins Schlafzimmer kam, schlief Laura. Wie lange ich dann selbst geschlafen habe, weiß ich nicht genau. Im Höchstfall zwei Stunden, und sehr tief war der Schlaf nicht. Als Laura nach mir rief, war ich augenblicklich wach. «Tom, um Gottes willen, komm schnell. Hilf mir.»

Sie war im Bad, kniete auf dem Boden vor der Wanne, vorgebeugt, mit beiden Händen zwischen den Beinen. Ihr Gesicht war eher verwundert als schmerzverzerrt. Als sie mich kommen sah, lächelte sie sogar flüchtig. «Hilf mir», verlangte sie noch einmal.

Ich sah nur das Blut an ihren Händen, nicht einmal sehr viel Blut, und die Pfütze auf dem Boden.

«Mach schon», schrie Laura. «Ich kann es nicht mehr halten.»

Da erst erkannte ich, dass sie mit beiden Händen einen winzigen Kopf hielt. Wir schafften es nicht mehr bis zum Bett. Laura legte sich einfach auf die Bademate. Es war ein grotesker Anblick, dieser kleine, feuchte, mit Blutschlieren überzogene Kopf zwischen ihren gespreizten Schenkeln.

«Zieh es raus», sagte Laura. «Ich glaube, du musst die Schultern ein bisschen drehen. Das haben sie bei Danny auch gemacht. Du wirst ihm schon nicht gleich die Knochen brechen.»

Es ging ganz leicht. Ich musste wirklich nur zufassen. Aber ehe ich mich dazu überwinden konnte, vergingen wohl ein paar Sekunden. Laura stöhnte einmal verhalten, dann entspannte sie sich. Mit Tessas Beinchen schoss ein mächtiger Blutschwall aus Laura heraus.

Sie richtete sich auf und nahm mir den kleinen Körper aus den Händen, legte ihn sich auf den Leib. «Du musst die Nabelschnur durchtrennen», befahl sie. «Hol eine Schnur und eine Schere. Und hol eine Decke vom Bett, es wird zu kalt. Oder kannst du mich aufs Bett tragen?»

Natürlich konnte ich, aber ich konnte mich nicht gleich rühren. Die Nabelschnur, ein pulsierender, fingerdicker, blauroter Strang, eine Schnur und eine Schere. Ein jämmerliches Quäken brachte mich endlich in Bewegung. Ich nahm Laura auf die Arme und trug sie ins Schlafzimmer.

Dann rannte ich hinunter in die Küche, schloss im Vorbeilaufen die Tür zu Lauras Zimmer, nachdem ich einen kurzen Blick auf das schlafende Kind geworfen hatte. Anna lag auf der Seite, mit der leichten Wolldecke zugedeckt bis zum Hals, das kleine Gesicht fast völlig im Kissen verborgen. Ein friedliches Bild. Ich wollte nicht, dass sie von der Hektik im Haus aufwachte, holte die Schnur und die Schere, stieg wieder hinauf. Aber ich hantierte so ungeschickt, dass Laura mir die Sachen aus den Händen nahm.

«Hol ein paar Tücher und den Verbandskasten», kommandierte sie weiter, während sie sich selbst daranmachte, die Nabelschnur abzubinden. Sie war so ruhig. Ich konnte mir das gar nicht erklären. Auf dem Weg ins Bad schoss mir nur ein Gedanke durch den Kopf. Viel zu früh. Viel zu früh.

Als ich zurück ins Schlafzimmer kam, lag ein dicker, blutroter Klumpen zwischen Lauras Beinen. Sie sah meinen Blick und grinste. «Jetzt reg dich nicht auf, Tom, das ist nur die Nachgeburt.»

Erst eine halbe Stunde später kam ich dazu, einen Krankenwagen anzufordern. Laura wollte nicht ins Krankenhaus, auf gar keinen Fall. Doch im Hinblick auf die Tatsache, das Tessa fast sieben Wochen zu früh geboren war, fügte sie sich schließlich.

«Wirst du dich um Anna kümmern, Tom?»

«Natürlich.»

«Versprich mir, dass du sie nicht wegschickst.»

«Ich werde sie bestimmt nicht wegschicken.»

«Und du wirst auch nichts tun, was ihr Angst macht, ja? Wenn du spürst, dass sie etwas nicht möchte, dann zwing es ihr nicht auf. Lass sie dann lieber in Ruhe.»

Ich versprach auch das. Und noch einmal eine halbe Stunde später wurden Laura und Tessa zur Haustür hinausgetragen.

Ich wischte den Boden auf, wechselte die Bettwäsche. Es war nicht einmal vier Uhr, und als ich sämtliche Spuren der Geburt beseitigt hatte, legte ich mich ins Bett, doch an Schlaf war nicht mehr zu denken. Nachdem ich mich eine halbe Stunde lang von einer Seite auf die andere gewälzt hatte, zog ich es vor, mit einem Kaffee den allerletzten Rest von Müdigkeit zu verscheuchen.

Ich war gerade dabei, die Kaffeemaschine in Betrieb zu nehmen, als ich hinter mir Schritte hörte. In der Annahme, es sei Danny, erklärte ich, ohne mich umzudrehen «Du hast ein Schwesterchen bekommen, mein Sohn.»

Kein Laut. Ich drehte mich der Tür zu. Anna stand in Gang vor der Küchentür und schaute mich an. Ein Blick in dem sich neben der Ratlosigkeit auch eine gewisse Furcht abzeichnete.

Im ersten Moment war ich doch erschrocken. Ich hatte die Tür gar nicht gehört. «Laura ist nicht da», sagte ich leise. «Es wird wohl auch ein paar Tage dauern, ehe sie zurückkommt.»

Anna reagierte nicht, betrachtete mich immer noch so ängstlich fragend.

«Laura kommt bald zurück», sagte ich. «Es dauert nur ein paar Tage. Wir werden hier gemeinsam auf sie warten.» Da drehte sie sich um und trottete zurück in Lauras Zimmer.

Ich ging ihr nicht nach. Doch als ich wenig später zur Treppe ging, sah ich sie auf dem Bett liegen. Den Daumen im Mund, die Puppe im Arm, wirkte sie so verloren.

Im Vorbeigehen warf ich ein betont herzliches Lächeln zum Bett hinüber, aber sie beachtete mich nicht. Ich ging hinauf und packte Lauras Sachen. Darum hatte Laura sich bisher nicht gekümmert, es wären ja auch noch etliche Wochen Zeit gewesen bis zum errechneten Geburtstermin.

Dann weckte ich Danny. Während er sich wusch, legte ich ihm frische Wäsche bereit. Anschließend ging ich wieder in die Küche. Anna lag unverändert auf Lauras Bett Ich stellte ihr Frühstück auf den Tisch, Kakao und Butterkekse.

Aber dann stand ich vor einem Problem. Ich musste Danny zum Kindergarten und anschließend Lauras Sachen ins Krankenhaus bringen. Und ich wollte das Kind nicht allein im Haus lassen. Natürlich hätte ich einfach die Tür von Lauras Zimmer abschließen können, aber einsperren wollte ich es nicht.

Danny nahm sich der Sache an. «Du brauchst gar keine Angst zu haben, Papa», erklärte er mir. «Anna läuft nicht weg.»

Anschließend lief er nach nebenan. «Du musst schön hier bleiben», hörte ich ihn sagen. «Papa kommt gleich wieder.» Dann legte er eines von den kleinen Metallautos auf den Tisch in Lauras Zimmer. «Damit darfst du spielen, bis Papa wiederkommt.»

Laura lag frisch und ausgeruht in den Kissen, glücklich und zufrieden, dass sie es auch diesmal geschafft hatte. Tessa wog knappe fünf Pfund, das allein schon war ein Wunder. Der Inkubator blieb ihr erspart. Die Säuglingsschwester, mit der ich noch ein paar Worte sprach, bezeichnete sie als ein munteres Persönchen.

Ich fuhr zurück, ließ den Wagen in der Einfahrt stehen, erledigte die Anrufe bei meinen Eltern und bei Bert, den ich im Amt erreichte. Dann ging ich hinunter, um nach Anna zu sehen. Sie stand vor dem Tisch, schob das kleine Auto hin und her.

«Nun sind alle weg», sagte ich leise. «Nur wir beide sind übrig. Möchtest du hier unten bleiben, oder kommst du mit mir hinauf?»

Anna hatte sich zu mir umgedreht, schaute mich einige Sekunden lang an. Dann nahm sie das Auto und kam zur Tür. Sie reichte mir sogar die Hand, damit ich ihr beim Hinaufsteigen helfen konnte. Sie blieb auch in meinem Zimmer, als ich mittags rasch zum Kindergarten fuhr.

Laura blieb genau eine Woche im Krankenhaus. Ich dachte schon daran, dass ich Anna abends einmal baden müsste, dass ich ihr zumindest frische Wäsche anziehen musste. Aber wenn ich mit Laura darüber sprach, winkte sie ab. «Lass nur, Tom. Du würdest sie nur erschrecken.»

Am Freitag, dem 13. Oktober, holte ich Laura und Tessa heim.
Trotz des Babys folgten ein paar ruhige Wochen. Sie erinnerten mich an unsere erste gemeinsame Zeit. Der Haushalt wurde wieder aufgeteilt. Ich übernahm die Wäsche und den Hausputz, Laura kümmerte sich um die Mahlzeiten und die Kinder.
Morgens und abends stillte sie das Baby, die restlichen Mahlzeiten wurden mit der Flasche gefüttert. Und gleich beim ersten Mal stand Anna mit erstaunten Augen daneben. Als Laura eine kleine Pause einlegte, die Flasche auf den Tisch stellte und sich Tessa gegen die Schulter lehnte, streckte Anna zögernd die Hand aus, berührte nur eben das Glas mit den Fingerspitzen, schaute fragend zu Laura auf.
Laura rührte noch einmal Milch an. Und Anna trank, in ihrem Arm liegend, mit geschlossenen Augen die Flasche leer. Von da an fütterte Laura sie mit Babykost, zuerst die Flasche, dann ein Milchbrei, später Gemüse und Obst.
Nachmittags saß Laura oft mit den Kindern in ihrem Zimmer. Während Tessa in einer Ecke des Bettes schlief, las Laura Geschichten vor. Ich hörte ihre ruhige Stimme, die jedes Wort überdeutlich betonte, immer dann, wenn ich ein neues Blatt einspannte.
Ich war gut vorangekommen. Es fehlten nur noch die letzten elf oder zwölf Szenen.

Ab der letzten Oktoberwoche übernahm Laura die Fahrten zum Kindergarten. Wenn sie mit Danny kurz vor neun das Haus verließ, ging Anna zur Treppe. Vor der ersten Stufe blieb sie immer stehen und schaute zu mir auf.

Dann nahm ich ihre Hand, und in der Halle nahm ich sie meist auf den Arm. Jedes Mal legte sie mir einen Arm um den Nacken. Es war schon ein merkwürdiges Gefühl, ein ganz besonderer Beweis des Vertrauens.

Dann saß sie ganz still in einer Ecke meines Arbeitszimmers und schaute zu, wie ich das erste Blatt einspannte. Wenn ich zu schreiben begann, stand sie auf und ging ans Fenster.

Wenig später kam Laura zurück. Sie kam herauf, ging in die Hocke, streckte die Arme aus. «Komm, Anna, stören wir Tom nicht länger. Er muss arbeiten.»

«Sie hat mich nicht gestört», sagte ich jedes Mal.

Und jeden Vormittag hörte ich Lauras Stimme, die unentwegt erklärte, Worte vorsprach. Ende Oktober bekam sie zum ersten Mal Antwort.

Zuerst nur ein einziges Wort, durchaus verständlich: «Mama», Annas Stimme war hell und so sanft wie sie selbst.

«Nein», sagte Laura. «Ich bin nicht Mama. Ich bin Laura. Versuch es einmal, sag Laura.»

Mittags war sie voller Begeisterung, führte ihren Erfolg vor wie eine kleine Zirkusnummer. Sie drückte den Finger gegen ihre Brust, schaute das Kind flehend an. «Sag Tom, wer ich bin, Püppchen. Du kannst es doch so fein. Sag es nur einmal, Lau-ra.»

Danny blickte ebenso gespannt und erwartungsvoll wie ich. Anna hatte nur Augen für Laura. Dann sprach sie tatsächlich ihren Namen nach. Und Laura riss sie vom Stuhl hoch, drückte sie an sich, küsste sie, weinte fast. «Habe ich es dir nicht gesagt, Tom? Man muss sich nur Mühe geben mit ihr.»

Nachmittags erteilte Danny noch ein wenig Sprachunterricht. Er ging etwas pragmatischer vor. «Das ist ein Bilderbuch. Siehst du die vielen Bilder? Das ist ein Pferd, und hier sind Kühe.»

Sie spielten in seinem Zimmer. In Dannys Stimme hinein klang immer wieder ein helles: «Da!»

Und noch eine Woche. Jeden Morgen stieg Anna an meiner Hand die Treppe hinauf, wartete in meinem Zimmer auf Lauras Rückkehr. Schaute sich vom Fenster aus die kahl werdenden Bäume und Büsche an. Tippte ab und zu mit dem Finger gegen die Scheibe. «Da!»

«Da» war alles Mögliche, ein Spatz, der aus einem der vorderen Sträucher aufflog; das Motorengeräusch in der Einfahrt, wenn Laura zurückkam. Vielleicht war «Da» auch einfach die Feststellung: «Ich bin da.»

Auch am 6. November gingen wir beide gleich nach dem Frühstück hinauf. Anna stellte sich ans Fenster, ich begann mit einer ergreifenden Szene. Sandy vor dem Bett ihrer Mutter. Sie kommt zu spät, kann nur noch die gebrochenen Augen schließen.

Ich achtete nicht auf die Zeit. Fünf Minuten, zehn Minuten, Laura brauchte meist eine gute Viertelstunde für die Fahrt zum Kindergarten und wieder zurück. Aber an diesem Montag wollte sie noch Einkäufe machen.

Nur die Maschine klapperte. Anna hatte sich eines von Dannys Autos mitgebracht und schob es auf der Fensterbank hin und her. Aber im Gegensatz zu Danny schnurrte sie dabei nur wie eine kleine, zufriedene Katze. Im Haus war es still. Tessa schlief im zweiten Kinderzimmer.

Ein Drehbuchtext schreibt sich relativ schnell, wenn man die Szene vorher genau durchdacht hat. Einfache, klare Sätze.

Szenenwechsel.

Der alte Wissenschaftler versucht noch, sich aus dem Staub zu machen.

Ich war gerade dabei, seine lauernde, halb gebückte Haltung aufs Papier zu bringen, das vorsichtige Spähen um die nächste Biegung des Ganges, als ich Lauras Stimme hörte.

Sie kam von unten, war nicht übermäßig laut, klang eher unterdrückt. Ich hatte nicht alles verstanden, nur den letzten Satz. «Wo bist du denn?» Und ich hatte den Wagen nicht gehört. Anna war ebenfalls aufmerksam geworden, drehte sich um und zeigte auf die Tür. «Da!»

Es hatte so sehr nach Lauras Stimme geklungen, und ich dachte, sie hätte nach mir gerufen. Ich dachte, sie hätte eine Panne mit dem Wagen, sei zurückgekommen, um mich zu holen.

Aber ich wollte nicht durch das ganze Haus brüllen und damit am Ende Tessa aufwecken. Ich erhob mich, wollte hinuntergehen. Und im Stehen sah ich Laura um die Hausecke kommen. Wieder rief sie: «Wo bist du denn, Püppchen?»

So von oben betrachtet, sah sie im ersten Augenblick tatsächlich aus wie Laura. Das gleiche Haar, das gleiche Gesicht. Die Gardine vor dem Fenster ließ mich nicht auf Anhieb jede Einzelheit erkennen. Ich schob die Gardine zur Seite, wollte das Fenster öffnen und zu Laura hinunterrufen. Da fiel mir das Kostüm auf. Ein dunkles Kostüm, enger, knielanger Rock, taillierte Jacke, über dem Kragen noch der weiße Kragen einer Bluse. Ich konnte das alles deutlich erkennen. Solch ein Kostüm besaß Laura nicht. Und Laura trug auch das Haar nicht so festlich frisiert.

6. November, vor nicht einmal einer Stunde hatten wir über die Bedeutung dieses Tages für Bert gesprochen. Dass wir ihn gegen Abend anrufen mussten, sein dreißigster Hochzeitstag, der erste ohne Marianne.

Marianne war tot. Marianne lag seit knapp drei Monaten auf dem Friedhof Melaten. Und Marianne stand direkt unter mir vor der Terrasse, hielt eine Hand an die Stirn, sodass die Augen ein wenig gegen das Licht geschützt waren. Und Marianne spähte angestrengt in den Garten und rief noch einmal: «Wo bist du denn, Püppchen? Komm zu mir. Wir müssen gehen.»

Es war alles ganz normal. Sie wirkte nicht durchscheinend oder sonst wie geisterhaft, nur jünger, erheblich jünger, um dreißig Jahre jünger.

Neben mir stieß Anna einen freudig erregten Laut aus. Dann kam ein hastig hervorgesprudeltes: «Mama!» Und sie drehte sich um und lief auf die Tür zu.

Jetzt schrie ich doch: «Nein! Bleib hier, Anna! Bleib hier! Laura kommt bald zurück.»

Aber ich rannte ihr nicht nach. Ich konnte nicht. Ich konnte nur am Fenster stehen und zuschauen. Ich sah, wie Anna um die Hausecke kam, so eilig, so eifrig. Ich sah, wie Marianne sich bückte, wie sie das Kind auf den Arm nahm, sich aufrichtete, das Kind an sich drückte. Wie sich die kleinen Ärmchen um ihren Hals legten, wie Marianne die blassen Wangen küsste. Dann ging sie langsam zur Hausecke, und ich lief in Dannys Zimmer, stellte mich dort ans Fenster. Die Einfahrt, ein Stück der Straße lag vor mir.

Dann kamen sie um das Haus herum. Marianne trug das Kind immer noch auf dem Arm. Und es war noch genauso wie vor wenigen Minuten, als es neben mir in meinem Zimmer stand. Die kleine Jeanshose, der Pullover mit dem eingestickten Schmetterling, winzige Sportschuhe an den Füßen.

Marianne ging mit ihm über den Plattenweg neben der Einfahrt auf die Straße zu. Sie sprach mit dem Kind. Ich konnte es an ihren Lippen ablesen, hören konnte ich es nicht. Dann bogen sie in die Straße ein und verschwanden aus meinem Blickfeld. Wie lange ich noch am Fenster stand, weiß ich nicht.

Als Tessa eine Stunde später nach der nächsten Mahlzeit zu jammern begann, saß ich wieder am Schreibtisch. Aber schreiben konnte ich nicht mehr, ich saß einfach nur da. Ich glaube fast, ich wartete auf die Gänsehaut oder das Entsetzen, doch da war nur so ein entsetzlich lahmes Gefühl im Innern.

Laura kam erst gegen halb elf zurück. Ich hatte Tessa versorgt und mich wieder an den Schreibtisch gesetzt. Als ich den Wagen kommen hörte, ging ich hinunter.

Ich wusste nicht, wie ich es Laura beibringen sollte. Ich wusste überhaupt nichts mehr. Sie war so ahnungslos. Sie war fest davon überzeugt, dass Anna in meinem Arbeitszimmer spielte, dass ich nur hinuntergekommen war, um ihr bei den Taschen zu helfen.

Ich trug alles in die Küche. Dann nahm ich Laura in die Arme. «Anna ist weg», sagte ich.

Laura reagierte nicht.

«Ihre Mutter hat sie eben abgeholt», sagte ich. Und ich wollte noch anfügen, dass wir doch damit hätten rechnen müssen, dass sich eines Tages die Eltern bei uns melden, dass sie ihr Kind von uns zurückverlangten. Aber dazu kam ich nicht mehr.

Laura befreite sich sanft, aber nachdrücklich aus meinen Armen, schaute mir ruhig und gefasst ins Gesicht. «Das ist unmöglich, Tom.»

«Nein. Nein, sie ist wirklich abgeholt worden. Ihre Mutter war hier, und …»

«Ihre Mutter ist tot», widersprach Laura immer noch ruhig. «Und ihr Vater ist ebenfalls tot. Anna hat niemanden mehr, der sie hier abholen könnte. Sie hat nur mich. Und sie gehört mir. Ich lasse sie mir nicht wegnehmen. Wenn du sie weggeschickt hast, Tom, dann sorg dafür, dass sie zurückkommt.»

«Ich habe sie nicht weggeschickt», versicherte ich. «Sie lief hinaus.» Und mehr konnte ich ihr nicht erklären. Nicht gleich.

Laura lief hinaus in den Garten. Länger als eine Stunde suchte sie zwischen den Büschen herum. Immer wieder hörte ich sie rufen, von Mal zu Mal drängender und verzweifelter.

Als sie endlich zurück ins Haus kam, war sie still und kalt wie ein Stück Eis. Den ganzen Tag über war sie so. Am Nachmittag suchte sie noch einmal zusammen mit Danny den Garten ab. Und bis zum Abend wich sie mir aus. Gleich nach dem Essen brachte sie Danny zu Bett, blieb gleich oben, um Tessa zu versorgen. Ich stellte das Geschirr zusammen, und als ich Lauras Schritte auf der Treppe hörte, setzte ich mich an den Tisch.

Sie kam nicht in die Küche, blieb bei der Tür stehen. «Und

jetzt erzähl mir noch einmal genau, wie das war», verlangte sie. «Bleibst du dabei, dass Annas Mutter hier war?»

«Woher weißt du, dass ihre Mutter tot ist?», fragte ich statt einer Antwort.

Laura lachte, sehr kurz und sehr hart. «Das nennt man wohl Betriebsblindheit», sagte sie. «Hier im Dorf sagt man eher: Er sieht den Wald vor lauter Bäumen nicht. Tust du nur so, oder bist du wirklich ahnungslos?»

Ahnungslos war ich nicht mehr. Aber noch wollte ich mir einreden, dass ich mich getäuscht hatte. Dass das, was ich gesehen hatte, in Wirklichkeit nicht vorhanden gewesen war. Und Laura war ebenfalls nicht ahnungslos, das begriff ich jetzt.

«Seit wann weißt du es?», fragte ich.

Sie zuckte nur mit den Schultern, zeigte mit dem Daumen zur Seite auf die Eisenklappe. «Ich habe sie zweimal hineinschlüpfen sehen. Ganz zu Anfang, als sie noch so viel Angst vor dir hatte. Wenn sie dich kommen hörte, zog sie sich immer in den Winkel zurück. Und Frau Greewald sagte mir, dass sie das Kind früher in der Ecke hatten.» Dann glitt ein Ausdruck von Begreifen über Lauras Gesicht. «Sie hat sich bestimmt nur versteckt.»

Ich schüttelte den Kopf. Aber Laura hatte Hoffnung geschöpft.

Länger als eine halbe Stunde räumten wir den Müll aus dem Winkel. Zuerst den blauen Sack, den alten Stuhl, die weinroten Samtvorhänge. Einen uralten Karton voller verbeulter Töpfe.

Dann war Platz genug, dass ich einsteigen konnte. Laura blieb auf dem Gang stehen und leuchtete mir, nahm ungeduldig alles entgegen, was ich ihr hinausreichte.

Bei jedem Teil schob sie ihren Kopf durch die Luke, lockte mit schmeichelnder Stimme: «Komm her, Anna. Wo ist denn mein süßes Püppchen?»

Ich drückte ihr einen Stapel mottenzerfressener Kinderbekleidung in die Finger, und Laura bettelte: «Es ist doch alles gut. Schau, ich bin hier. Wir lieben dich doch.»

Als ich mich etwa zur Hälfte in den Winkel hineingewühlt hatte, begriff Laura, dass sie selbst mit den süßesten Tönen nichts erreichte. Wieder beugte sie sich so weit wie möglich in den Winkel hinein, ließ den Strahl der Lampe über voll gepackte Kartons und die Stapel von alten Matratzen wandern. «Wie viel ist es denn noch, Tom?»

«Nicht mehr viel», antwortete ich.

«Kannst du sie sehen?»

«Nein.»

«Soll ich dich ablösen? Lass mich doch mal hinein.»

Aber das lohnte nicht mehr. Ich hatte den letzten Rest vor mir. Ein dickes Bündel alter Wolldecken im hintersten Winkel, davor noch einen wahren Berg von Federbett. Das brachte ich als Erstes zur Luke. Laura zerrte, und ich stopfte das Ding durch die Öffnung. Ich nahm Laura die Lampe aus der Hand. Dann ging ich zurück, bückte mich und hob die Wolldecken an. Ich zog sie aus der Ecke weg, zog sie ein wenig zur Seite. Der kleine Lichtkegel zeigte nur einen winzigen Ausschnitt. Aber es war da.

Im ersten Augenblick sah ich nur das grünweiß karierte Kleid. Der Stoff schien in der Dunkelheit erheblich blasser. Und der kleine Körper darin wirkte eingefallen. Ich wagte es nicht, meine Hand nach rechts zu drehen, ließ sie nach links hinunterwandern. Der Lichtstrahl schälte die Wollstrümpfe und ein Paar viel zu großer Halbschuhe aus der Finsternis. Aber der Eindruck täuschte. Die Schuhe waren nicht zu groß gewesen, als man sie an die kleinen Füße zog. Nur waren diese Füße jetzt in sich verfallen, vertrocknet, knöchern und brüchig geworden.

Hinter mir spähte Laura angestrengt in den dunklen Winkel. «Was ist denn, Tom? Ist sie da? Anna, komm her zu mir. Komm zu Laura, Püppchen.»

Fast gegen meinen Willen schwenkte die Hand nun doch zum Kopf hinauf. Es lag ganz friedlich auf einer Matratze ausgestreckt. Die kleinen Hände über dem eingesunkenen Leib zusammengelegt.

«Jetzt geh zur Seite und leuchte mal vernünftig», drängte Laura. Ich hörte, wie sie hinter mir in die Luke stieg. Dann kam sie langsam näher, griff nach meinem Handgelenk und richtete den Lichtkegel auf das Gesicht des Kindes.

Zuerst sog sie zischend die Luft ein, dann schrie sie auf: «Nein! Das ist nicht wahr. Das kann doch gar nicht sein.»

Das Gesicht war fast vollständig erhalten. Wie Pergament spannte sich die graue Haut über Wangenknochen, Stirn und Kinn. Nur die Nase fehlte, und die Augenlider lagen sehr tief in den Höhlen.

Wir standen beide nur da. Endlich wollte ich nach einer der Wolldecken greifen, die ich zur Seite geschoben hatte, wollte es zudecken. Doch als ich mich bückte, fauchte Laura mich an: «Rühr sie nicht an, Tom. Ich werde sie nehmen.»

Sie schob mich zur Seite, kniete auf dem rauen, schmutzigen Boden nieder. Dann führte sie beide Hände unter den Kinderkörper. Der Lichtstrahl fiel genau auf ihr Gesicht, als sie zu mir aufschaute. Ganz ruhig und konzen-

303

triert, nur in den Augen flackerte es. «Sie wird doch nicht zerbrechen oder zerfallen, wenn ich sie aufhebe. Oder?»

«Ich weiß nicht», sagte ich.

«Ich bin ganz vorsichtig, Püppchen», flüsterte Laura erstickt. «Ich tu dir nicht weh. Es wird alles gut.»

Sie hob diesen jämmerlichen Menschenrest unendlich sanft ein wenig in die Höhe. Die Absätze der Halbschuhe schleiften über den rauen Zement. Dann drehte sie sich zu den Decken hinüber und legte das Kind darauf wieder ab.

Ich konnte nicht einmal schlucken, obwohl mir das Würgen die Luft abschnürte. Laura schlug eine der Decken von beiden Seiten über den mumifizierten Körper, nahm das Bündel auf die Arme und richtete sich mit einem Ächzen auf.

Die alte Decke an die Brust gepresst, schaute sie mich an. «Das kommt wieder in Ordnung, da bin ich ganz sicher. Sie wird gleich wieder leben. Heute Morgen hat sie doch auch gelebt. Mutti hat mir so viel kaputtgemacht. Aber das nimmt sie mir nicht auch noch weg. Dazu hat sie kein Recht.» Mit dem Bündel im Arm ging Laura zur Luke zurück, verlangte: «Hilf mir hinaus.»

Mir den kleinen Körper wenigstens zum Hinaussteigen zu überlassen, weigerte sie sich. Sie trug ihn in ihr Zimmer, legte ihn dort auf dem Bett ab und setzte sich daneben auf die Kante. Dann klappte sie die Decke wieder auseinander.

Ich war bei der Tür stehen geblieben, schaffte jetzt erst recht keinen Schritt in das Zimmer hinein. «Deck es wieder zu», bat ich.

Aber Laura schüttelte den Kopf, verzog abfällig die

Mundwinkel. Gleich darauf huschte ein Ausdruck von Schmerz über ihr Gesicht.

Mit den Fingerspitzen strich sie sanft über eine Wange des Kindes. «Komm, Anna», flüsterte sie. «Sei ein liebes Kind. Es ist alles gut. Ich bin doch da, und du kannst bei mir bleiben. Du kannst immer bei mir bleiben. Bei mir und Tom und Danny und Tessa, wir sind eine richtige Familie. Es hat dir doch gefallen, Anna. Es war doch so schön, zu leben.»

Minutenlang ertrug ich es schweigend und innerlich ganz lahm. Dann rannte ich zur Treppe, stürmte in die Halle hinauf und riss den Telefonhörer von der Gabel.

Kurz darauf klang mir Berts verschlafene Stimme im Ohr. Ich wusste nicht einmal mehr, dass ich seine Nummer gewählt hatte. Ich erinnere mich auch nicht, was genau ich ihm sagte. Nur das «du musst sofort herkommen» ist mir noch im Gedächtnis.

Bert brauchte nur eine gute halbe Stunde für die Fahrt. In der Zeit holte ich mir einen Spaten aus dem Geräteraum und ging in den Garten. Die Erde unter den Zweigen der alten Fichte war trocken, aber nicht sehr fest. Ich schaufelte wie rasend. Als ich Berts Wagen in der Einfahrt hörte, war die Grube gut einen halben Meter lang und ebenso tief.

Ich lief zum Haus zurück, und zusammen mit Bert ging ich in den Keller. Laura saß unverändert auf der Bettkante und betrachtete das Bündel im grünweiß karierten Kleid, flüsterte sinnlose Worte wie Beschwörungsformeln vor sich hin.

Wie ich zuvor blieb jetzt Bert bei der Tür stehen. Er stöhnte einmal vernehmlich, murmelte: «Großer Gott.» Mit hängenden Schultern stand er da und schüttelte den Kopf.

Aber dann kam Leben in ihn. Er ging zum Bett, griff unter Lauras Achseln und zerrte sie von der Kante hoch. Gleich darauf schlug er die Decke über das Kind. Als er sich zu Laura umdrehte, holte sie aus und schlug ihm mit aller Kraft ins Gesicht, gleichzeitig versetzte sie ihm mit der anderen Hand einen Stoß, der ihn zurück zur Tür taumeln ließ.

Und während Bert sich noch um sein Gleichgewicht bemühte, fassungslos die Wange rieb, setzte Laura sich wieder auf die Bettkante, klappte die Decke zurück. Mit trotzigem Gesicht starrte sie uns beide an, beugte sich über das Kind und strich ihm über das Haar.

«Er wird dich nicht wieder anfassen», murmelte sie.

Bert griff nach meinem Arm und zog mich zur Treppe. «Ruf deinen Vater her», verlangte er. «Sie verliert den Verstand. Sie kann da nicht sitzen bleiben.»

Aber ich wollte meinen Vater nicht rufen. Ich wollte niemanden rufen. «Ich habe im Garten ein kleines Grab geschaufelt», sagte ich. «Ich übernehme Laura, du nimmst das Kind, und …»

Bert schüttelte abwehrend den Kopf. Es kostete mich eine Menge Überwindung, meinen Vorschlag anders zu formulieren. «Gut, du kümmerst dich um Laura. Halt sie mir nur vom Leib, dann begrabe ich das Kind.»

Die Erleichterung in Berts Gesicht war überdeutlich. Wir gingen zurück in den Keller. Doch wir hatten die Tür noch nicht erreicht, da rief Laura bereits: «Kommt mir nicht zu nahe. Ihr werdet sie mir nicht wegnehmen.»

«Laura», Bert wurde eindringlich, «jetzt sei vernünftig. Das Kind ist tot.»

«Unsinn», kam es zurück. «Sie schläft. Wenn sie schläft, sieht sie oft so aus. Als Frau Greewald sie mit Steiner auf der Treppe fand, sah sie auch nicht lebendig aus. Aber sie lebt. Sie lebt seit Wochen bei uns. Sag es ihm, Tom. Sag ihm, dass wir das Kind behalten wollen.»

Bei der Tür blieb Bert stehen. Ich ging einen Schritt weiter.

Laura legte eine Hand auf die eingesunkene Brust.

«Und ich sorge gut für sie. Tom wird dir das bestätigen. Sie ist gerne bei mir. Weißt du überhaupt, wer das ist?»

Und bevor Bert darauf antworten konnte, schrie Laura: «Das ist Anna, den Namen habe ich ihr gegeben. Früher hatte sie keinen. Sie ist meine Schwester. Sie ist nie richtig gestorben. Mutti hat sie damals hier zurückgelassen. Und all die Jahre hat sie darauf gewartet, dass Mutti zurückkommt. Aber Mutti konnte nicht, an ihrer Stelle kam ich.»

Bert schloss für Sekunden gepeinigt die Augen, murmelte: «Hör doch auf damit.»

Laura lachte freudlos auf. «Warum? Man muss das einmal sagen. Als du Mutti damals hier abgeholt hast, als sie noch ein paar Mal zurück ins Haus lief, wo, denkst du, ist sie da hingelaufen? Anna war nicht tot. Sie war da drin. Und Mutti wollte nicht, dass sie stirbt. Sie hat sich davon überzeugt, dass es ihr gut ging. Und sie hat sich darauf verlassen, dass Steiner sich anschließend um seine Tochter kümmert. Aber Steiner hat einen Riegel gekauft und ein paar Krampen. Steiner hat einen Hammer genommen und die Krampen in die Mauer geschlagen. Frau Greewald hat mir das erzählt.»

Laura schaute mit verlorenem Blick an Bert vorbei zur Klappe. «Sie hat mir viel erzählt, obwohl es ihr nicht leicht fällt, darüber zu reden. Sie hat ja noch ein paar Jahre hier gearbeitet, und sie sagte: ‹Ich habe mich schon gewundert über den Riegel, aber ich habe mich nie getraut, nach dem Kind zu fragen.› Ihr kann man wahrscheinlich keine Vorwürfe machen.»

Bert stand nur da und presste die Lippen aufeinander. Lauras Hände glitten immer wieder über die Pergamentwangen, strichen über den eingefallenen Brustkorb. Länger als eine Stunde redeten wir abwechselnd auf sie ein. Ohne Erfolg.

Vielleicht hätten wir noch am Morgen so bei der Tür ihres Zimmers gestanden, wäre nicht Danny dazugekommen.

Die tapsigen Schritte im Gang brachten Laura zur Vernunft. Die verschlafene Stimme tat ein Übriges. «Tessa weint schon ganz lange.»

Da schlug Laura die Decke über das Kind und erhob sich. «Ich komme gleich», sagte sie, «ich muss mir nur rasch die Hände waschen.»

Sie ging in den Waschraum. Danny stand mit halb offenem Mund vor Bert. «Was machst du denn hier, Opa?»

«Nur einen Besuch.» Bert lächelte und strich ihm über das zerzauste Haar. «Ich fahre gleich wieder nach Hause.»

Dann fiel Dannys Blick auf das Bett. «Ist Anna krank?»

«Ja», sagte Bert. «Sie ist sehr krank.»

Laura kam zurück, zischte uns im Vorbeigehen zu: «Rührt sie nicht an.» Dann griff sie nach Dannys Hand und ging mit ihm zur Treppe. Während sie Tessa stillte, setzten wir uns in die Küche. Ich machte Kaffee, holte eine Cognacflasche aus dem Vorratsraum und kippte einen anständigen Schluck davon in jede Tasse.

Bert lächelte dankbar. Erst als wir uns dann am Tisch gegenübersaßen, erkundigte ich mich vorsichtig: «Wie lange hat es deiner Meinung nach in der Ecke gelegen?»

Ein Achselzucken. Dann meinte Bert: «Es ist erstaunlich gut erhalten. Nach dreißig Jahren findet man normalerweise nichts mehr. Sogar der Stoff vom Kleid müsste in der Zeit zerfallen sein. Normalerweise hättest du vielleicht die Schuhe gefunden. Aber in der trockenen Luft hier …»

Es war nach vier, als Laura endlich kapitulierte, das Bündel von ihrem Bett nahm und uns hinaus in den Garten folgte. Gemeinsam mit Bert hatte ich in der Zwischenzeit das Grab tiefer ausgehoben, auch etwas in Länge und Breite zugegeben.

Laura wollte in das Grab steigen. Bert half ihr dabei, stützte ihren Arm, als sie sich auf die Erde setzte und die Beine hinunterließ. Hielt sie unter den Achseln, während sie, die Decke fest gegen die Brust gepresst, sprang.

Dann ging Laura in die Knie, legte das Kind am Boden der Grube ab und richtete sich auf. «Wir sollten das nicht tun», sagte sie noch einmal. «Wenn wir das Grab zumachen, kann sie nicht mehr raus.»

«Sie will auch nicht mehr raus», erwiderte Bert. «Sie wollte doch immer nur zu ihrer Mutter, nicht wahr? Jetzt ist sie bei ihr.»

Ich hatte Angst, einfach nur Angst um Laura. Wie sie da in dieser kleinen Grube stand, breitbeinig, das Gesicht zu uns gehoben, die Augen darin wie glitzernde Löcher.

Wir halfen ihr hinauf. Bert griff nach einem Spaten. Laura drehte sich um und ging mit schleppenden Schritten zum Haus zurück.

Nachwort

Heute ist Donnerstag, der 7. Dezember.

Es waren Niederschläge angesagt, aber die Luft ist ganz klar und der Himmel nur leicht bewölkt, wie von einem Dunstschleier überzogen, weiß und sehr hell. Die Sonne kann man nur ahnen. Dennoch sorgt sie da draußen für ein schon grelles Licht.

Das Drehbuch ist seit gut einer Woche fertig. Wolfgang Groner hat es sich bereits angesehen, er war sehr zufrieden mit mir. In den letzten Szenen habe ich Sandy sterben lassen. Weil es für solch eine Existenz kein normales Leben mehr geben kann. Kein Happy End diesmal.

Aber es war ja nur eine Geschichte, von der ersten bis zur letzten Seite frei erfunden. Und es hat Spaß gemacht, sich die Details auszudenken, bei denen es dem Leser später kalt über den Rücken lief. Cheryl auf der Flucht, den Fleischklops, wie Wolfgang das nannte, in eine Decke eingewickelt. Zwei Szenen, in denen Sandy selbst nicht gezeigt wurde, die jedoch den Zuschauern suggerierten, dass da etwas Grauenhaftes in einem dunklen Winkel hockte.

Das konnte ich, und es ist im Prinzip auch schon alles, was ich kann. Deshalb werde ich auch in Zukunft Geschichten schreiben, in denen sich Menschen in reißende Bestien verwandeln. Wobei sie nicht unbedingt wie Monster aussehen müssen. Im Gegenteil, mit freundlichen Gesichtern sind sie viel schlimmer.

Das Gruseln, das ein Quasimodo als Glöckner von Notre-Dame oder ein Salvatore in Ecos *Der Name der Rose* erzeugen, ist doch ziemlich oberflächlich. Das geht nicht unter die Haut. Aber die Vorstellung eines kleinen Kindes, das wie ein Tier in einem Verschlag dahinvegetieren muss te, dem man alles versagte, was zum Menschsein dazuge hört, die geht an die Nieren, mir jedenfalls.

Ich wollte nach der Arbeit der letzten Monate und nach allem, was noch hinzukam, mindestens eine Woche ver schlampen. Ausschlafen, dem Hirn ein wenig Freiheit gönnen, ehe ich es wieder in einen neuen Stoff zwänge.

Aber ich kann nicht, ich muss einfach schreiben über die ses letzte halbe Jahr, über Laura und mich, über Marian nes Krankheit und Lauras Not, über meine eigene Hilf losigkeit.

Über Anna.

Ich vermisse sie so, unser kleines, stilles, geduldiges Mäd chen. Und ich hoffe doch, sie hat sich in den wenigen Wochen bei uns wohl gefühlt. Wenn sie denn überhaupt noch etwas fühlen konnte.

Morgens erwache ich in aller Herrgottsfrühe. Ich mache mir rasch einen Kaffee und nehme die Tasse gleich mit hinauf ins Arbeitszimmer. Und da sitze ich dann.

Von meinem Fenster aus kann ich einen Großteil des Gar tens überschauen. Er ist noch unverändert, immer noch Wildnis. Wenn ich vom Stuhl aufstehe, kann ich zwischen den kahlen Baumkronen ganz weit hinten den kleinen Teich erkennen. Als hätte man uns einen winzigen, mat ten Spiegel in den Park gelegt. Einen Spiegel, dessen Ober fläche von Sprüngen durchzogen ist. Aber das sind nur die Äste.

Anna war so gerne beim Teich. Einmal erwischte ich Danny, wie er zwei Kaffeelöffel aus der Besteckschublade nahm und in seiner Tasche verschwinden ließ. Anschlie

ßend stieg er auf einen Stuhl, holte einen der alten Trink-
becher aus dem Schrank und wollte sich aus dem Staub
machen.

Dann stand er vor mir, wie eben ein auf frischer Tat er-
tappter Sünder steht. «Aber Anna mag so gerne mit einem Löffel und einem Becher spielen, Papa.»

Ja, stundenlang konnte sie auf dem Boden hocken, füllte
Wasser in den Becher, kippte ihn aus, füllte ihn wieder.

Etwas näher zum Haus hin sehe ich die mächtige alte
Fichte und das kleine Grab unter ihren bräunlich grünen
Zweigen. Das Grab sehe ich in Wahrheit gar nicht, ich
weiß nur, es ist da.

Genauso weiß ich, dass Laura da ist. Im Keller, in der
Dienstbotenkammer. Ich hasse diesen Ausdruck, und wir
sagen ja auch seit langem Arbeitszimmer dazu. Laura
kann stundenlang reglos auf dem Bett sitzen, die Stoffpuppe auf dem Schoß, den Blick auf die Eisenklappe gerichtet.

Ich habe immer noch Angst um sie, obwohl mir scheint,
dass sie allmählich wieder zu sich selbst findet. Sie hat
Danny beigebracht, ein paar Buchstaben zu malen. Dann
haben sie zusammen im Garten nach einem großen, flachen Stein gesucht. Und Danny hat vier Buchstaben darauf gemalt. ANNA.

Den Stein haben sie gegen den Stamm der Fichte gelehnt,
man sieht ihn nur, wenn man davor in die Hocke geht
und die unteren Zweige ein wenig anhebt.

Danny macht das mehrfach am Tag, ebenso läuft er mehrfach täglich hinauf in Tessas Zimmer und überzeugt sich,
dass sie tatsächlich in ihrer Wiege liegt. Danny hat Angst,
das weiß ich. Und im Gegensatz zu Laura und mir spricht
er auch darüber. Er fürchtet einfach, Tessa könne eines

315

Tages auf die gleiche Art verschwinden wie Anna. Und er glaubt mir nicht, wenn ich ihm versichere, dass das nie geschehen kann.

344 Seiten · ISBN 3-485-00849-4

Frido Mann
Hexenkinder

**Der neue Roman vom
„Prinz einer Dynastie des Wortes"**

Süddeutsche Zeitun

*Die Indianerin Tituba wird Ende des 17. Jahr-
hunderts von Menschenjägern als Sklavin
verschleppt. Damit beginnt eines der unheilvoll-
sten Dramen in der amerikanischen Geschichte:
die Salemer Hexenprozesse. Frido Mann schafft
faszinierende Bilderwelten – ihm gelingt ein
atmosphärisch dichtes Epos von Verfolgung und
Vertreibung durch die Jahrhunderte in Europa,
Nordamerika und Brasilien.*

nymphenburger

Petra Hammesfahr, 1952 geboren, lebt als Schriftstellerin und Drehbuchautorin in Kerpen bei Köln. Ihr Roman *Der stille Herr Genardy* wurde in mehrere Sprachen übersetzt und erfolgreich verfilmt.

Die Sünderin *Roman*
416 Seiten. Gebunden
Wunderlich und als
rororo 22755
Ein Sommernachmittag am See: Cora Bender, Mitte Zwanzig, macht mit ihrem Mann und dem kleinen Sohn einen Ausflug. Auf den ersten Blick eine ganz normale Familie, die einen sonnigen Tag genießt. Doch dann geschieht etwas Unvorstellbares ...
«Ein Buch, das auch nach der letzten Seite noch in der Seele schmerzt.» *Freundin*

Der Puppengräber *Roman*
(rororo 22528)

Lukkas Erbe *Roman*
(rororo 22742)
Der geistig behinderte Ben, der «Puppengräber», wurde im Sommer '95 verdächtigt, vier Mädchen aus seinem Dorf getötet zu haben. Nach einem halben Jahr Klinikaufenthalt kehrt Ben verstört zu seiner Familie zurück. Sofort breitet sich Misstrauen unter den Dorfbewohnern aus.

Das Geheimnis der Puppe *Roman*
(rororo 22884)

Meineid *Roman*
(rororo 22941 / März 2001)
«Spannung bis zum bitteren Ende.» *Stern*

Die Mutter *Roman*
400 Seiten. Gebunden
Wunderlich
Vera Zardiss führt ein glückliches Leben: Mit ihrem Mann Jürgen ist sie vor Jahren in eine ländliche Gegend gezogen. Mit den Töchtern Anne und Rena wohnen die beiden auf einem ehemaligen Bauernhof. Die heile Welt gerät ins Wanken, als Rena kurz nach ihrem 16. Geburtstag plötzlich verschwindet ...

Der stille Herr Genardy *Roman*
(Wunderlich Taschenbuch 26223)

Der gläserne Himmel *Roman*
(rororo 22878)

«Eine deutsche Autorin, die dem Abgründigen ihrer anglo-amerikanischen Thriller-Kolleginnen ebenbürtig ist.» *Welt am Sonntag*

Weitere Informationen in der **Rowohlt Revue**, kostenlos in Ihrer Buchhandlung, oder im **Internet: www.rowohlt.de**

rororo / Wunderlich

Liza Dalby
Geisha
(rororo 22732)
Der Erlebnisbericht einer
Amerikanerin, die sich in
Japan zur Geisha ausbilden
ließ, beschert uns einen Ein-
blick in eine faszinierende
fremde Welt.

Janice Deaner
Als der Blues begann Roman
(rororo 13707)
«Janice Deaner ist mit ihrem
ersten Roman etwas ganz
besonderes gelungen: eine
spannende, zärtliche Ge-
schichte aus der Sicht eines
zehnjährigen Mädchens zu
erzählen.»
Münchner Merkur

Joolz Denby
Im Herzen der Dunkelheit
Roman
(rororo 22870)
Ein faszinierender Psycho-
thriller der vom furiosen
Anfang bis zum erschüttern-
den Ende niemanden loslässt.

Jane Hamilton
**Die kurze Geschichte eines
Prinzen** *Roman*
(rororo 22903)

Susan Minot
Ein neues Leben *Roman*
(rororo 22905)

Ruth Picardie
Es wird mir fehlen, das Leben
(rororo 22777)
«Ein aufrichtiges, oft komisches und ungeheuer an-
rührendes Abschiedsbuch,
geschrieben mit herzbewe-
gender Leidenschaft und
wacher Selbstwahrnehmung,
ohne einen falschen Ton.”
Der Spiegel

RUTH PICARDIE
Es wird mir fehlen,
das Leben

Asta Scheib
Eine Zierde in ihrem Hause *D*
Geschichte der Ottilie vo
Faber-Castell
(rororo 22744)
Asta Scheibs Romanbiogra
phie erzählt die Geschichte
einer ungewöhnlichen Frau
die gegen alle gesellschaftli
chen Zwänge schließlich di
Freiheit gewinnt, ihr eigene
Leben zu leben.

Grit Poppe
Andere Umstände *Roman*
(rororo 22554)
«*Andere Umstände* ist ein
erstaunliches Debüt und
taugt zum Bestseller.» *Ster*

Melanie Rae Thon
Das zweite Gesicht des Monde
Roman
(rororo 22772)

Weitere Informationen in d
Rowohlt Revue, kostenlos im
Buchhandel, oder im **Interne**
www.rowohlt.de

rororo